D0343553

LA RUE
CASES-NÈGRES

DU MÊME AUTEUR

AUX ÉDITIONS PRÉSENCE AFRICAINE

Le Soleil partagé, nouvelles.
Laghia de la mort, nouvelles.

CHEZ D'AUTRES ÉDITEURS

Diab'là, roman, Nouvelles Editions Latines, Paris.
La Fête à Paris, roman, Kraus Reprint, Liechtenstein.
Les Jours immobiles, roman, Kraus Reprint, Liechtenstein.
Les Mains pleines d'oiseaux, roman, Nouvelles Editions
    Latines.
Quand la neige aura fondu, roman, Editions Caribéennes.
Et si la mer n'était pas bleue..., nouvelles, Editions Cari-
    béennes.

JOSEPH ZOBEL

LA RUE CASES-NÈGRES

roman

PRÉSENCE AFRICAINE
25 bis, rue des Écoles - 75005 Paris
64, rue Carnot - Dakar

ISBN 2-7087-0433-8

© Editions Présence Africaine, 1974

PREMIÈRE PARTIE

Quand la journée avait été sans incident ni malheur, le soir arrivait, souriant de tendresse.

D'aussi loin que je voyais venir m'man Tine, ma grand-mère, au fond du large chemin qui convoyait les nègres dans les champs de canne de la plantation et les ramenait, je me précipitais à sa rencontre, en imitant le vol du mansfenil, le galop des ânes, et avec des cris de joie, entraînant toute la bande de mes petits camarades qui attendaient comme moi le retour de leurs parents.

M'man Tine savait qu'étant venu au-devant d'elle, je m'étais bien conduit pendant son absence. Alors, du corsage de sa robe, elle retirait quelque friandise qu'elle me donnait : une mangue, une goyave, des icaques, un morceau d'igname, reste de son déjeuner, enveloppé dans une feuille verte ; ou, encore mieux que tout cela, un morceau de pain. M'man Tine me rapportait toujours quelque chose à manger. Ses compagnes de travail en faisaient souvent la remarque, et m'man Tine disait qu'elle ne pouvait porter quoi que ce soit à sa bouche qu'elle ne m'eût réservé une part.

Derrière nous apparaissaient d'autres groupes de travailleurs, et ceux de mes camarades qui y reconnaissaient leurs parents se précipitaient à leur rencontre, en redoublant de criaillerie.

Tout en dévorant mon goûter, je laissais m'man Tine continuer sa conversation, et la suivais docilement.

— Mon Dieu, merci ; j'en suis retournée ! soupirait-elle, en posant le long manche de sa houe contre la case.

Elle se déchargeait ensuite du petit panier rond en lattes de bambou juché sur sa tête et s'asseyait sur une sorte d'excroissance pierreuse qui, devant la case, tenait lieu de banc.

Enfin, ayant trouvé dans le repli de son corsage une boîte de fer-blanc toute rouillée, qui contenait une pipe de chaux, du gros tabac et une boîte d'allumettes, elle se mettait à fumer lentement, silencieusement.

Ma journée était aussi terminée. Les autres mamans et papas étaient aussi arrivés : mes petits camarades avaient rallié les cases. Finis les jeux.

Pour fumer, m'man Tine occupait presque toute la place qu'offrait la grosse pierre. Elle se tournait du côté où il y avait de belles couleurs dans le ciel, allongeait et croisait ses jambes terreuses, et semblait s'adonner toute à son plaisir de tirer sur sa pipe.

Je restais accroupi auprès d'elle, fixant dans la même direction qu'elle un arbre en fleurs — un macata tout jaune ou un flamboyant sanguinolent —

les couleurs que faisait le ciel derrière les mornes (1),
de l'autre côté de la plantation, et dont la lueur se
reflétait jusqu'au-dessous de nous. Ou bien, je la
regardais — à la dérobée — car elle me répétait
souvent avec véhémence que les enfants ne devaient
pas dévisager les grandes personnes.

Je prenais alors un réel plaisir à suivre les courbes
de son vieux chapeau de paille à la forme écrasée par
son panier, au bord délavé, ramolli et ondulé par les
pluies, et rabattu sur son visage à peine plus clair que
la terre de la plantation.

Mais ce qui m'amusait le plus, c'était la robe. Tous
les matins, m'man Tine cousait là-dedans, en maugréant que les feuilles de canne, il n'y avait rien de tel
pour manger les hardes des pauvres nègres. Cette
robe n'était rien autre qu'une tunique sordide où
toutes les couleurs s'étaient juxtaposées, multipliées,
superposées, fondues. Cette robe qui, à l'origine,
autant que je m'en souvienne, avait été une robe de
simple cretonne fleurie, pour la communion, le
premier dimanche de chaque mois, puis pour la
messe, tous les dimanches, était devenue un tissu
épais, matelassé, une toison lourde, mal ajustée, qui
pourtant semblait être la tenue la mieux assortie aux
mains en forme de racines, aux pieds gonflés, racor-
nis et crevassés de cette vieille négresse, à la cabane
que nous habitions, et à l'habitation même où j'étais
né et d'où, à l'âge de cinq ans, je n'étais jamais sorti.

De temps en temps, des voisins passaient.

— Amantine, tu prends une douce pipe, disaient-
ils en guise de salut.

(1) Colline aux Antilles.

Sans même bouger la tête, sans leur jeter un coup d'œil, m'man Tine répondait par un bougonnement de satisfaction, et demeurait imperturbablement dans son plaisir de fumer et sa rêverie.

Saurais-je dire si elle rêvait, s'abandonnait, à ce moment-là, si la fumée de sa pipe la transportait ailleurs ou transfigurait à ses yeux tout le panorama de la plantation ?

Lorsqu'elle avait fini de fumer, m'man Tine disait .

— Bon !

Mais c'était plutôt un cri d'ahan, une exhortation personnelle.

Alors, elle rangeait sa pipe à côté de son tabac et de ses allumettes, dans la petite boîte de fer-blanc, se levait, prenait son panier sous son bras et entrait dans la case.

Il y faisait déjà sombre. Pourtant, en un clin d'œil, m'man Tine a tout passé en revue, s'est déjà rendu compte si j'ai déplacé quelque ustensile ou causé des dégradations quelconques.

Mais, après des journées comme celle-là, je n'ai nulle crainte. J'ai juste déjeuné de la quantité de farine de manioc et du petit carré de morue salée qu'elle m'avait départis. Je n'ai pas abusé de l'huile, je n'ai pu détecter la boîte à sucre qu'elle a dû mettre dans une cachette repérable par le diable seul. Je n'ai pas brisé de vaisselle, et j'ai même balayé le sol en terre battue de la cabane, pour enlever les poussières de farine tombées pendant mon déjeuner.

En vérité, l'innocence et la raison m'ont habité pendant toute l'absence de m'man Tine !

Satisfaite de trouver tout impeccable, m'man Tine

se demande à mi-voix (elle soliloquait ainsi, m'man Tine) :

— Qu'est-ce que je vais donc faire, ce soir ?

Debout et indécise dans la pénombre de la case, elle bâille longuement :

— S'il n'était que de moi, dit-elle d'une voix geignarde, j'allumerais pas du feu. Je me mettrais un grain de sel sur la langue pour que les vers me piquent pas le cœur, et je me coucherais.

Car elle est fatiguée, fatiguée, dit-elle.

Mais aussitôt, brisant sa torpeur, la voilà qui s'affaire, retirant de son panier un fruit-à-pain qu'elle coupe en quartiers, épluchant chaque quartier qu'elle coupe en deux « carreaux ». Opération amusante encore à mes yeux : le chargement du canari (1) au fond duquel m'man Tine dépose d'abord une couche d'épluchures, puis les « carreaux » de légume, une poignée de sel, un morceau de morue salée, et qu'elle remplit d'eau.

De plus, souvent elle a rapporté du champ où elle a travaillé une botte d'épinards, et cet arrivage méthodique se termine par une couche de cette herbe, recouverte d'épluchures entrecroisées.

Dehors, une flamme bondissante, poussant entre trois pierres noires, provoque déjà dans la panse du canari un borborygme de bon aloi, et répand devant la case une lueur fauve et vibrante, dans laquelle m'man Tine et moi nous nous plaçons, elle sur la grosse pierre, moi tout près du feu, pour y glisser des brindilles et inciter la flamme à s'élancer et à ronfler.

_____

(1) Cocotte en terre cuite.

— Joue pas dans le feu ! crie m'man Tine, ça va te faire pisser au lit.

Et tout autour de nous, sur la plantation, il y a, dans la nuit, des feux pareils, qui font cuire des canaris, animant la façade des cases et les visages des enfants de tous ces reflets qui rendent si séduisant le feu dans la nuit.

M'man Tine fredonne une de ces mélopées qui sourdent continuellement de l'habitation, et que je chante parfois aussi, avec mes camarades, en l'absence de nos parents.

Je pense que le soleil est une excellente chose parce qu'il conduit nos parents au travail et nous laisse jouer en toute liberté, et que la nuit est aussi une chose merveilleuse quand on y allume des flammes et qu'on chante.

Certains soirs, je n'aimerais pas rester longtemps à attendre le dîner. J'ai faim et je trouve que m'man Tine chante trop au lieu de regarder si le canari est cuit.

Ces soirs-là, ce qui m'est le plus pénible à supporter, c'est le temps que m'man Tine met à préparer la sauce avec laquelle nous devons manger le fruit-à-pain. Comme je la trouve lente à prendre un poêlon de terre, le rincer (oh ! ce qu'elle aime laver et rincer toute chose, m'man Tine !), y hacher les petits oignons, râper de l'ail, aller chercher du thym derrière la case, du poivre dans un des multiples petits papiers pelotonnés dans un coin, du piment et quatre ou cinq condiments encore ! Comme je trouve long le temps que tout cela reste à roussir avant qu'on y verse l'eau de cuisson des légumes, le morceau de morue et les épinards ! Et ce n'est jamais bon d'un seul coup. Toujours un clou de girofle à y ajouter ; et le laisser mijoter un peu plus !

M'man Tine a allumé son lumignon à pétrole, et la table est éclairée au milieu de toutes les ombres, y compris les nôtres qui, démesurément agrandies, pèsent sur les misérables parois de la case.

Elle est assise sur une étroite chaise près de la table ; le grand bol de faïence à bandes bleues et jaunes dans lequel elle mange à même ses doigts, est entre ses genoux, mais elle exige que je dépose mon plat d'aluminium sur la table et que je me serve d'une fourchette, « comme un enfant bien élevé ».

— Ton ventre est plein ? me demande-t-elle lorsque j'ai fini de manger.

Trois « carreaux » de fruits-à-pain m'emplissent à me faire éclater ; et c'est à peine si j'ai assez de souffle pour répondre d'une voix distincte : « Oui, m'man. »

Alors, m'man Tine me donne un petit coui (1) plein d'eau, et je vais sur le pas de la porte pour me rincer la bouche, en ayant soin de secouer l'eau bien fort entre mes joues et de cracher aussi violemment que possible.

Tout en faisant la vaisselle, m'man Tine monologue à mi-voix, et je reste assis sur ma chaise à l'écouter, comme si c'était à moi qu'elle s'adressait. Elle raconte ainsi toute sa journée : les incidents, les querelles, les plaisanteries de la plantation ; s'indigne si sérieusement que je crains de la voir briser le canari ou le bol qu'elle est en train de rincer. Ou bien, elle ricane si follement que je m'esclaffe aussi.

(1) Demi-calebasse servant d'écuelle.

Et elle de s'arrêter brusquement pour me demander :
« De quoi ris-tu, polisson ? »

D'autres fois, elle n'est pas colère, mais elle parle,
parle, d'une voix sombre et vibrante ; et ne compre-
nant pas bien ce qu'elle se dit, je me penche pour voir
s'il n'y a pas des larmes qui coulent sur son visage.
Car je me sens si angoissé !...

Je reste longtemps à regarder fixement le lampion,
et me laisse distraire par les petits papillons qui
butent contre la flamme et tombent à la renverse sur
la table, morts ou incapables de reprendre l'air.

Et mes paupières s'engourdissent, et ma tête
semble de temps en temps se détacher de mon cou
pour tomber sur la table si je ne me ressaisis pas à
temps.

Or, m'man Tine n'en finit pas d'essuyer et de
ranger ses ustensiles. Elle a plus d'une fois déplacé le
quinquet pour nettoyer la table. Quand donc se
relèvera-t-elle de ce coin où elle est baissée à ranger
des bouteilles ?

Alors, j'ai délibérément posé ma tête au bord de la
table.

Enfin, m'man Tine me secoue l'épaule en m'appelant tout haut pour chasser mon sommeil. Tenant la
lumière d'une main, elle m'entraîne dans la chambre.

Je suis imprégné de sommeil, et plus rien ne frappe
mes sens. M'man Tine défait un gros paquet de
haillons qu'elle étale en couches superposées sur une
peau de mouton étendue par terre Elle me désha-
bille, je bafouille les mots qu'elle me fait répéter à la
gloire de Dieu. Je perçois tout comme du fond d'une
eau trouble. Lorsque, enfin, je dis : « Bonsoir,

m'man ! » et m'effondre sur mon couchage, je suis comme un noyé remonté à la surface.

Mais, le plus souvent, la journée se terminait mal.

Aussitôt levé, le matin, je ramasse mon matelas de haillons et je vais l'étaler au soleil, sur la grosse pierre devant la case ; car il est presque toujours mouillé par endroits. M'man Tine, alors accroupie dans un coin de la pièce où se trouve un petit réchaud à charbon de bois — bidon récupéré et adapté à sa nouvelle fonction par le talent de quelque bricoleur du cru —, prépare son café. Par la fenêtre de la pièce, la lumière du jour se déverse sur son dos, qui montre une peau fanée à travers les déchirures d'une vieille robe devenue ajourée comme un filet, et qu'elle revêt pour dormir. Sur le feu, l'eau chante dans une petite boîte de conserve, et m'man Tine en arrose très parcimonieusement le petit filtre posé à terre.

Après avoir échangé ma chemise de nuit contre une longue blouse de drill qui est ma tenue de tous les jours, je vais me mettre à côté de m'man Tine pour la regarder « couler » le café.

Elle en recueille les premières gouttes dans un petit pot en faïence, y met une pincée de sucre et va s'appuyer à l'embrasure de la porte, une main sur la hanche. Là, parcourant des yeux l'horizon, elle décrit le temps qu'il fait, ou annonce :

— Les gens de Petit-Bourg pourront manger du poisson aujourd'hui, car les pêcheurs du Diamant en prendront de pleins canots... Voyez-moi ces petits nuages : on dirait un grand coup de senne...

Et elle ponctue ses phrases de petites gorgées de café qui lui font claquer la langue.

Je sais alors combien je dois prendre garde de la

déranger, de lui demander quoi que ce soit. Elle se
fâcherait. Elle s'écrierait : « Le soleil est à peine
levé, j'ai pas encore mis une goutte de café dans mon
cœur, et déjà cet enfant me tourmente ! »

Dans un grand pot de porcelaine épaisse, décoré
de fleurs bleues et roses, m'man Tine m'a donné une
bonne poignée de farine de manioc trempée de café
clair et bien sucré, et, à l'aide de ma petite cuillère en
fer, je m'en régale, assis sur le seuil de la cabane.

Pendant ce temps, m'man Tine tourne et retourne
sur ses genoux sa robe de travail, en examine le
ravaudage compliqué, et fait hâtivement quelques
petites réparations urgentes. Puis elle devient très
zélée dans ses allées et venues, apaisant ainsi ma
sournoise impatience de la voir partir. Car dehors,
les arbres, les champs, toute la savane sont déjà
inondés de soleil.

Enfin, m'man Tine me dit :

— Quand il sera midi — tu sais ? quand la cloche
de l'habitation va sonner — tu prendras un verre
d'eau et tu le verseras sur cette assiette de farine. Il y
a déjà de l'huile et de la morue dessus, tu auras qu'à
bien mélanger et manger.

Elle me montre le plat qu'elle place à un angle de
la table, à ma portée ; puis, accélérant encore ses
préparatifs, elle se compose un déjeuner semblable
dans un coui qu'elle cale bien soigneusement dans
son panier de bambou avec quelques accessoires —
entre autres, les vieux bas noirs dont elle se fait des
mitaines et des jambières pour se garantir des
éraflures des feuilles de canne, et parfois, une
calebasse d'eau fraîche.

Puis elle bourre sa pipe et l'allume, se coiffe sur

son mouchoir de son étrange chapeau de paille, serre autour de ses reins un cordon de haillon, et me dit :

— Je vais voir si le Bon Dieu me donne encore la force de lutter dans les cannes de M. le béké (1) ! Tu vois comment la case est propre, et ton costume aussi... sans déchirure... et qu'il n'y a pas une ordure devant la case ?... Et puis va pas drivailler. Tâche de te bien comporter pour pas me faire endêver ce soir !

Là-dessus, elle tire deux coups sur sa pipe, emplissant la case de fumée, se baisse en même temps, enlève le petit panier de bambou qu'elle pose sur sa tête et, attrapant sa houe au passage, franchit la porte en disant :

— Je suis partie !

Enfin libre ! Libre pour toute la journée.

Mais je ne me rue pas encore dans ma liberté.

Assis sur le seuil, je laisse écouler quelques instants. Dans la précipitation de son départ, m'man Tine a souvent oublié quelque chose qu'elle revient chercher. Alors, il faudrait qu'elle me retrouve aussi sage qu'elle m'a quitté. Puis, rassuré, je sors en ayant soin de bien refermer la porte.

Ceux de mes camarades dont les parents sont déjà partis sont rassemblés devant une case. Ils m'accueillent avec effusion, et nous attendons les autres.

La rue Cases-Nègres se compose d'environ trois douzaines de baraques en bois couvertes en tôle ondulée et alignées à intervalles réguliers, au flanc d'une colline. Au sommet, trône, coiffée de tuiles, la maison du géreur, dont la femme tient boutique. Entre « la maison » et la rue Cases, la maisonnette

(1) Blanc-créole, propriétaire de plantations et d'usines.

de l'économe, le parc à mulets, le dépôt d'engrais. Au-dessous de la rue Cases et tout autour, des champs de cannes, immenses, au bout desquels apparaît l'usine.

Le tout s'appelle ici Petit-Morne.

Il y a de grands arbres, des huppes de cocotiers, des allées de palmiers, une rivière musant dans l'herbe d'une savane. Tout cela est beau.

En tout cas, nous, les enfants, nous en jouissons royalement.

En attendant que la bande soit au complet, nous nous amusons sur place, et nos cris et nos rires battent le rappel de ceux qui manquent.

Combien sommes-nous ? Je ne crois pas que nous ayons jamais compté. Nous remarquons bien lorsqu'il en manque : chacun a ses préférés et le signale s'il n'est pas là ; et nous sentons aussi bien quand nous sommes au grand complet.

D'abord les entraîneurs : Paul et ses deux sœurs, Tortilla et Orélie. Gesner, mon bon copain, et Soumane, son petit frère. Romane et Victorine, intrépides comme des garçons ; Casimir et Hector. Et moi-même. Car je compte aussi dans la bande.

Puis toute une traînée de moutards plutôt encombrants en certaines circonstances. De la marmaille, quoi ! qui ne sait même pas courir sans se racler les coudes et les genoux dans la poussière, incapable de grimper aux arbres et de sauter un ruisseau.

Tandis que nous autres, « les grands », on sait les chemins et les endroits où l'on peut pêcher les écrevisses à la main, sous les cailloux chantants des cours d'eau. On sait cueillir des goyaves et défibrer

les noix de coco sèches. Et les cannes bonnes à sucer,
ça nous connaît.

Or, c'est ce qui compte avant tout pour profiter
entièrement de la liberté ensoleillée que nous laisse
l'absence de nos parents.

Nous sommes d'ailleurs les seuls à porter des
vêtements. De vieilles vestes d'hommes flottent sur
le dos des autres garçons, et se déchirent en tous sens
au cours de leurs ébats ; ou des tricots si troués qu'ils
ne recouvrent absolument rien des petits corps qui
voudraient s'en vêtir.

Quant aux robes des filles : un cordon passé en
bandoulière, et d'où pendent vaguement des franges
qui ne cachent rien du tout.

Et tous, nu-tête, avec des cheveux laineux, rougis
au soleil, des nez d'où glisse un jus verdâtre, pareils à
des attelages de limaces, des jarrets écaillés comme
des pattes de poules, et des pieds couleur de pierre
qui brandissent en avant des orteils truffés de
chiques.

— A midi, annonce Hector, je déjeune de petites
bananes naines avec de l'huile et de la morue.
Maman les a fait cuire avant de partir ; c'était encore
chaud tout à l'heure.

La question nourriture vient toujours au premier
plan de nos préoccupations.

— Nous, dit Paul, en parlant de lui et de ses deux
sœurs, nous avons un gros canari plein de riz battu
avec du « beurre rouge ». Et notre maman nous a dit
de prendre encore de la farine s'il n'y a pas notre
compte.

— Mais vous n'avez pas de chair, fait remarquer
Soumane.

— Non, ils n'ont même pas de la morue !

— Hier soir, ma maman a fait du bon manger, déclare Romane avec des gestes de grande femme : migan de fruit-à-pain et gueule de cochon. Ça sentait bon ! Et c'est ce que je mange à midi.

Quand les menus n'excitent pas beaucoup la gourmandise, en ce moment où nous n'avons guère faim, d'ailleurs, nous déambulons de case en case.

Pas une grande personne à la rue Cases !

Certaines baraques sont même inhabitées, fermées ou grandes ouvertes, car les travailleurs de Petit-Morne ne demeurent pas tous à la rue Cases.

Nous sommes seuls, et tout nous appartient.

On examine tout, détruisant telle et telle chose, à notre gré ; arrachant une plante ici — les affreuses herbes à vers surtout, dont on nous a fait des décoctions si amères ! — jetant des cailloux dans les barriques d'eau à boire. Nous pourrions pisser là-dedans si nous voulions !

Mais, souvent, ceux qui ont des repas copieux, ne pouvant pas y résister, et cédant à l'envie des autres camarades, nous conduisent chez eux et les partagent avec la plus joyeuse insouciance.

Après quoi, toute la bande se met en route.

Au hasard. De goyavier en prunier, de champ d'icaques en champ de cannes. On traverse des savanes, lapidant vaillamment les vaches. On découvre parfois des coins de verdure où foisonne la pomme-liane (1).

— Hé ! c'est loin, la Trénelle ? demande Gesner.

Nous faisons halte ; les traînards accourent.

_____

(1) Fruit sauvage.

— Sûr que c'est loin. Pourquoi ?

— Parce que, hier soir, mon papa m'a porté des mangues grosses comme ça. Sur le chemin de la Trénelle il les a ramassées, qu'il a dit.

— Ce doit pas être très loin alors.

— Si on y allait !

Pourquoi pas ?

C'est peut-être loin en réalité, mais n'a-t-on pas toute la journée pour y aller et en revenir ? Et puis, en bande, comme ça, on parcourt tant de chemin sans s'en apercevoir !

Au pied du Morne, nous rencontrons un cabrouet plein d'engrais et attelé de quatre bœufs, qui s'en va grinçant des roues par les ornières. Gesner, Romane et moi de sauter aussitôt derrière. Les autres, agrippés comme ils peuvent, se font remorquer, et les plus faibles suivent en trottant.

Silence, pour que le charretier ne s'en doute pas !

Le charretier, lui, debout à l'avant, pique ses bœufs en jurant comme le tonnerre ; et trop frappantes sont les invectives pour que nous n'y fassions écho.

Gesner, grisé par ces vocables interdits, en ajoute encore d'autres de son cru.

C'est un jacassement affolant.

Mais, alors que le char continue avec son fracas de bois dur entrechoqué, son tintamarre de chaînes, ses grincements d'essieux mêlés au broyage des mottes de terre sèche par les roues, voilà que, brusquement, surgit devant nous le charretier brandissant son aiguillon.

— Tas de petits nègres marrons, voulez-vous !...

La bande, dispersée, se reforme un peu plus loin.

Et pour nous remettre de notre émotion, nous lapidons d'injures et d'appellations insolentes l'attelage qui s'éloigne, impassible et cahotant.

— C'est pas le chemin, fait tout à coup remarquer Gesner. Il fallait descendre à la croisée, là-bas, derrière, et prendre le sentier qui va là, comme ça.

En effet, nous ne sommes plus dans la direction de la Trenelle. Ce maudit cabrouet nous a dévoyés.

Nous revenons alors sur tout ce que nous avons parcouru. Si amère est notre contrariété que nous ne jetons même pas les yeux sur les goyaviers qui bordent le chemin. On sait d'ailleurs, par expérience, que les buissons en bordure des « traces » ne gardent jamais leurs fruits.

Nous, les grands, nous marchons tellement vite que les petits s'essoufflent, derrière nous, comme ils suivaient le char tout à l'heure.

— L'économe ! s'écrie Orélie.

Tout le monde tombe en arrêt. A peine le temps de voir le parasol blanc qui pointe au tournant du chemin, nous nous jetons dans les fossés. Et c'est un grand bruit d'herbe et de paille saccagée qui me monte à la tête pendant que, à quatre pattes, j'essaie de gagner les profondeurs du champ de canne.

Et ce bruit qui résonne comme si le mulet de l'économe galopait à mes talons m'emplit tellement d'effroi que mon cœur va se rompre.

Et je roule dans un sillon, exténué, perdu.

Incapable de bouger, je reste la tête enfouie dans les broussailles.

Peu à peu, mon cœur bat moins vite et j'écoute.

Plus de bruit de paille.

Faiblement, me parvient le trot du mulet qui

s'éloigne sur la terre roide et poreuse du chemin. Le bruit décroît. Plus rien. Rien que mon cœur qui bat encore si fort qu'il pourrait me trahir.

— Hé ! Gesner, Romane, hé ! fais-je doucement.

Un léger grognement me parvient.

— Vous le voyez toujours ?

— On aperçoit à peine son parasol.

C'est la voix de Paul.

Alors, avec des yeux émerveillés, je découvre le paysage. Je venais de perdre complètement la notion du lieu où je pouvais me trouver. J'avais l'impression d'avoir parcouru, en rampant, des distances infinies, et je m'attendais, en émergeant des halliers, à me trouver dans un endroit lointain, inconnu.

Gesner et Romane sont déjà levés et annoncent que le danger est passé.

— Où est Tortilla ? Et Casimir ?

Nous avons beau crier dans toutes les directions, il y en a qui ne répondent pas.

C'est toujours ce qui se passe quand nos randonnées subissent des alertes de ce genre ! Dans la panique, certains se jettent dans de fausses directions.

Alors, tant pis pour eux.

Nous retournons à la croisée pour prendre le départ.

— Mais cette fois, propose Gesner, nous ne suivrons pas la route.

On traverse plutôt ce champ de canne en jachère.

— Il doit y avoir du manger-coulie (1).

Et puis, dans un champ abandonné, on trouve

_____

(1) Fruits sauvages.

toujours des cannes à sucre ratatinées qui font bien notre affaire dans l'arrière-saison.

Mais, cette fois, ni manger-coulie, ni canne. Rien que des herbes folles, des fleurs sauvages, des liserons.

Les camarades disparus ? Nous en apercevons maintenant quatre ou cinq qui remontent en débandade vers la rue Cases.

Nous, tous les obstacles qui entravent notre itinéraire ne nous empêchent pas de poursuivre notre aventure jusqu'au bout.

Nous étions déjà loin lorsque, à « la maison », sonna l'heure du déjeuner. Si loin que c'est très faiblement que nous entendîmes la cloche.

— Ils vont dévorer leur déjeuner, dit Paul, en faisant allusion à ceux qui étaient retournés. Peut-être même qu'ils iront voler notre manger.

— N'importe, fit Romane : ils n'auront pas goûté à tous ces beaux mangos dont nous allons nous régaler. Et nous ne leur rapporterons rien. Pas un seul ; pas même la peau.

En plein soleil, nos guenilles claquant au vent, nous traversons le champ. Nous suivons une autre « trace », jacassant, nous arrêtant maintenant à chaque arbuste pour le dépouiller de ses fruits — les mûrs et les verts — afin d'apaiser sans doute une faim qui s'éveille et dont nous avons à peine conscience, subjugués que nous sommes par les périls que nous avons si vaillamment affrontés depuis notre départ, et enhardis par l'ampleur de notre initiative.

Nous flânons beaucoup, puis notre but nous revenant en mémoire, nous nous hâtons, nous engageant

résolument dans tel sentier qui s'offre à droite ou à
gauche.

C'est un endroit où le chemin est encaissé entre
deux terres rouges et humides, avec de grandes
fougères qui s'élancent très haut au-dessus de nos
têtes, laissant juste une fente pour qu'on voie un peu
le ciel. Tellement étrange que nous parlons à voix
basse, en tâchant de marcher côte à côte.

Jamais vu un chemin pareil !

Toujours lorsqu'on s'y attend le moins, de petites
boules de terre s'échappent de là-haut et dégoulinent
à nos pieds, nous coupant le souffle.

Nous avançons lentement, sans parler, et nous ne
pouvons nous empêcher de regarder en arrière, tous
les deux ou trois pas.

Ne dirait-on pas que ce couloir menace de s'effon-
drer sur nous, ou tend à se refermer sur notre passage ? Nous allons d'un pas de plus en plus hési-
tant et mal assuré. Moi, j'étouffe de ne pas oser parler.

Nous avons peur.

Soudain, un cri d'effroi et, sauve-qui-peut !
Rebroussant chemin, nous détalons de toute la
vigueur de nos jambes, en multipliant nos cris de
panique.

Longtemps après être sorti du passage, nous conti-
nuons de courir, sans nous retourner, filant droit
devant nous, jusqu'à épuisement de notre haleine.
Mais impossible de nous arrêter. Nous trottons,
exténués et poussés par l'épouvante. Trop violente
est notre émotion pour que nous nous ressaisissions.
La peur nous a ébranlés jusqu'à nous vider de tout
enthousiasme, de tout orgueil.

C'est toujours en courant désespérément que nous remontons vers la rue Cases. Et là, de quel héroïsme brille le récit de notre exploit, aux yeux de ceux qui n'avaient pas su nous suivre ! Notre panique même est preuve de vaillance, car :

— Nous avons couru ! Nous avons couru ! Tiens, touche mon cœur.

Avec des yeux démesurés, ils nous admirent ; nous qui sommes allés si loin, nous qui avons connu le chemin terrible qu'ils ne sauraient imaginer, nous qui avons échappé au danger grâce à notre vaillante endurance à la course !

Et s'ajoutent à notre prestige les petits fruits que nous avons dégustés, le rû que nous avons découvert, les pieds de pois-doux que nous avons rencontrés et que nous irons visiter lorsque les fruits en seront mûrs.

Et, pour comble de bonheur, nos parents n'en sauront rien. Ce soir, nous ne serons pas battus.

La peur passée, on a faim, maintenant.

Non, nos camarades n'ont pas tout mangé. Alors, nous commençons par le riz de Paul, Tortilla et Orélie.

Nous avons envahi la case. Tortilla procède au partage, au milieu de nos mains tendues.

Que c'est bon d'être tous parqués dans la case, en l'absence des parents ! Orélie, folle de joie, nous fait visiter la chambre qui s'est embellie depuis que M. Symphor et Mam'zelle Francette, ses parents, ont acheté une à une quatre caisses et des planches, dont ils ont fait un bâti sur lequel sont empilés des haillons recouverts d'une cretonne.

Les enfants dorment toujours dans « la salle », à

terre, sur des hardes. Plus rien dans la chambre, mais nous sommes heureux d'y rester ; parce que c'est une aubaine pour nous de nous trouver dans cette pièce réservée aux grandes personnes. Et puis c'est obscur, et il s'en dégage une odeur particulière, intime, une odeur de sueur — l'odeur des travailleurs de la plantation !

A mon tour, maintenant, de partager mon déjeuner.

Mais je n'ai nulle idée de manger de la façon prescrite par m'man Tine : tremper la farine de manioc avec de l'eau, la remuer pour y incorporer l'huile, etc.

Je n'aime pas la farine à l'eau. En présence de m'man Tine, je fais un effort pour surmonter ma répugnance, et c'est tout. La farine de manioc, je l'aime comme dessert. Soit pétrie dans un récipient avec du sirop brun, sous forme d'un délicieux maca-dam, soit mélangée avec du sucre cristallisé, dans un cornet de papier qu'on fait couler dans sa bouche. M'man Tine n'ignore pas ma prédilection, d'ailleurs. Et puis, aujourd'hui, je me sens je ne sais quelle envie de me livrer à quelque fantaisie.

Alors, j'invite la bande à manger de la farine et du sucre.

Le sucre se trouve dans une boîte en fer-blanc ; mais dénicher cette boîte, voilà l'affaire ! M'man Tine a le génie de trouver des cachettes et d'y escamoter sa boîte à sucre sans que je m'en aper-çoive.

Il est vrai que, moi aussi, j'ai le flair assez subtil pour faire échec à sa ruse. Mais ce n'est pas sans peine que j'y parviens, car elle change sans cesse de cachette.

Tenez, avant-hier encore, elle était là, sur cette étagère, la boîte à sucre. Je n'avais qu'à prendre une chaise, monter sur la table, allonger le bras.

Or, voilà qu'aujourd'hui elle n'y est plus.

Alors, il me faut réfléchir, calculer, souffrir, là, debout.

A mes pieds, toute la bande, perplexe, me regarde et attend.

— Ma m'man a pas de boîte à sucre, dit Gesner. C'est le dimanche seulement qu'elle achète deux sous de sucre pour faire du café. Mais si elle en avait une, je crois pas qu'elle réussirait à la mettre à l'abri de moi.

Et, résolu à participer activement à la recherche, il me crie :

— Regarde sur tous les soliveaux, à l'entour : les mamans aiment beaucoup cacher les choses sur les soliveaux. Elles s'imaginent que nous savons pas grimper.

Je ne découvre rien, et, découragé, je descends de la table.

Aussitôt, tout le monde se jette avec un zèle tumultueux à la recherche de cette boîte à sucre. Dans tous les coins de la cabane. La chambre entière est soumise à un tel bouleversement, le grabat de m'man Tine est si irrévérencieusement tripoté, les ustensiles s'entrechoquent et résonnent si violemment que je suis pris d'effroi, incapable de toute initiative, impuissant à refréner la violente perquisition de mes camarades.

— Cessez, sortez ! ai-je envie de leur crier.

Mais j'ai peur.

Ciel ! Je l'avais pressenti : un bruit de vaisselle brisée.

Le bol bleu et jaune !

Le bol dans lequel mange m'man Tine !

— C'est toi qui as poussé mon bras.

— C'est toi qui m'as fait faire ça. Tu as fait ça, comme ça, avec ta main.

Romane s'en prend à Paul. Paul accuse Gesner.

Les autres sont muets de stupéfaction.

J'éclate en sanglots.

— Ta maman va te battre ? me demande Romane.

— Je dirai que c'est vous tous qui étiez venus pour voler ici, dis-je avec colère.

— Il faut pas, dit Tortilla ; tu diras que c'est une poule : une poule frisée qui est entrée, qui est montée sur la table et qui a cassé le bol au moment où tu la chassais.

Tous, ils affirment que cette explication est valable. Mais je n'en demeure pas moins inconsolable.

Furieux, je brûle de me jeter sur eux à bras raccourcis, de les chasser de la case de m'man Tine qu'ils ont osé fouiller aussi sauvagement.

Pourtant, je n'en fais rien. Je me console. Puis :

— Mes amis, leur dis-je, je crois que m'man Tine a emporté sa boîte à sucre au champ avec elle : elle en avait parlé l'autre jour.

— Alors, nous allons manger la farine comme ça, avec la morue, s'écria Tortilla.

L'après-midi, à partir d'une certaine heure, nous ne quittons guère la rue Cases. On sait que, lorsque les parents travaillent à la tâche, ils arrivent au moment où l'on s'y attend le moins.

Alors, nous nous adonnons au jeu innocent de chasser les libellules, par exemple ; car les après-midi il y en a des quantités et de toutes les couleurs. Elles se posent sur les arbustes secs, sur les branches mortes des vieux cotonniers, sur les rames de bambou qu'on plante derrière les cases pour les vrilles des ignames ou des haricots.

Je connais toutes les libellules qui hantent les après-midi ensoleillés de l'habitation : les grosses, rouges comme des groseilles, ou marron clair, avec de belles ailes transparentes et droites, bien faites pour être pincées délicatement entre deux doigts. Les plus petites, brunes, aux ailes courtes, jaunâtres, ou traversées d'une raie noire, nerveuse celles-là, sensibles à l'approche de nos mains, farouches ! Enfin, plus aristocratiques, plus rares, les « aiguilles », si ténues et si légères qu'on distingue à peine la petite boule d'or fin qui en forme la tête et la gaze pervenche qui soutient leur vol. Nous savons que les grosses sont faciles à saisir et qu'il suffit de les laisser se poser et d'attendre qu'elles aient faiblement rabattu leurs ailes. Facile pour moi, qui sais marcher sur la pointe des pieds, sans faire de faux pas, et qui possède l'art d'étouffer en marchant le crissement des feuilles sèches. Moi, qui sais juger infailliblement à quelle distance et à quel moment il faut s'arrêter, allonger la main et tendre tout le corps en souplesse, pour refermer le pouce et l'index sur les ailes de la bestiole au repos. Facile pour moi, qui sais, sur une branche bien garnie, saisir une libellule de chaque main, presque en même temps.

Quoi qu'il en soit, celles-là sont les premières que les novices réussissent à tenir. Tandis qu'il faut un doigté et une belle expérience pour les ailes courtes qui, nerveuses, méfiantes, restent toujours relevées, prêtes à s'envoler au moindre bruissement, à l'approche la plus cauteleuse. On réussit quand même parfois.

Mais personne, ni Gesner, ni Romane, ni moi-même, personne n'a jamais pris une « aiguille » !

Aussi les tenons-nous pour une espèce qui n'est pas faite pour qu'on la touche.

Alors, l'après-midi, nous nous amusons à surprendre ces libellules, à les promener, les ailes prisonnières entre nos doigts. Puis nous les relâchons au moment où elles ne peuvent plus voler, pour le plaisir de les rattraper, les mutiler et de livrer leurs cadavres aux fourmis.

Enfin, arrive le moment où, lassés de tout, nous n'osons plus entreprendre de nouveaux jeux ; comme si les ombres qui s'allongent démesurément et se mélangent par terre pénétraient aussi notre cœur de toute leur mélancolie.

Tortilla nous quitte pour aller laver le canari dans lequel nous avons mangé le riz avec elle, et Romane, dont les guenilles se sont encore déchirées, y fait des nœuds çà et là pour qu'elles puissent tenir autour d'elle.

C'est alors que je me rends compte du désordre dans lequel se trouve la case de m'man Tine.

Sur la table, j'ai posé les morceaux du bol brisé.

Tout a été bousculé et je ne puis même pas remettre les objets à leur place.

Par terre, la farine de manioc se mêle à la poussière, et j'ai beau balayer, cela reste incrusté dans les craquelures de la terre battue.

Je n'aurai pas le courage de dire que c'est une poule qui a cassé le bol. M'man Tine n'en croira rien. Tout me trahit.

Ah ! oui, ce soir m'amènera du malheur.

Et voici que reviennent Gesner et Soumane, visiblement torturés d'anxiété.

— On va nous battre, mes amis ; nos vêtements sont déchirés, dit Gesner.

— C'est comme tu étais ce matin, lui fait Tortilla après un coup d'œil sur les loques de Gesner.

— T'es pas folle, non ! Ce matin, y avait pas ce grand trou, y avait pas ce morceau qui pend ici. Et les épaules ne retombaient pas comme ça.

— Et moi, ajoute Soumane, regarde un peu comment je suis déchiré dans le dos. C'est mamzé Romane qui m'a fait ça en courant dans le chemin de la Trenelle. Elle voulait passer devant moi, elle m'a tenu comme ça, elle a tiré, et crac !

Et moi-même !

Tout à mon émotion du bol brisé, je ne m'étais pas encore regardé ; je n'avais pas encore remarqué cette fente derrière ma chemise, depuis l'ourlet, tout le long de mes cuisses. Et ces deux taches de boue, devant, imprimées sans doute par mes genoux dans la terre humide que recouvrait la paille, lorsque je suis tombé dans le champ.

— C'est rien, s'écrie Tortilla. Et si tu étais comme moi... Tiens, regarde : dans le champ de canne, tout ça était pété ; eh bé ! je l'ai déjà attaché.

En effet, la sordide camisole qui enveloppe le corps de Tortilla s'est rétrécie, et si je ne peux pas remarquer que le nombre de nœuds qui en forment la contexture a augmenté, je me rends bien compte que ma bonne camarade n'en est que plus nue.

Je voudrais faire quelque chose, quant à moi. Laver mes deux taches de boue, par exemple.

— Mais ç'aura pas le temps de sécher, m'explique Tortilla. Ta maman va te trouver tout mouillé. Et ce sera encore plus grave.

Faire un nœud pour fermer la déchirure de la blouse. Il ne faut pas y penser non plus : ça va paraître encore davantage.

Que faire ?

— Eh bé ! t'as qu'à faire nika, me suggère Gesner. Tu fais tous les doigts d'une main monter l'un sur l'autre...

— Je sais, je sais.

Mais je l'ai fait une fois afin que m'man Tine ne vît pas une blessure que je m'étais faite au genou, eh bien ! elle avait vu quand même, et elle m'avait lavé mon bobo avec de l'eau salée encore.

— Eh bé ! t'as pas de chance avec nika, conclut Tortilla. Tu devrais essayer d'amarrer ta maman. Tu arraches une poignée de cabouillat (1) là, dans la savane, et tu y fais autant de nœuds que la longueur des brins d'herbe le permet, et tu tiens ça bien fort dans ta main. Puis, lorsque ta maman arrive, tu marches vers elle pour lui dire bonsoir, et avant même de parler, tu laisses tomber le cabouillat derrière toi. Je t'assure que jamais plus tu seras battu. Ta maman pourra te disputer, jurer, mais jamais elle ne portera la main sur toi. Elle sera liée tout bonnement.

(1) Foin.

Nous revoici assemblés, et dans la crainte, à présent.

— Ta robe n'est pas déchirée comme ma veste, me dit Paul. Et puis, demain, ta maman t'en mettra une autre pour coudre celle-ci. Tandis que moi, mon papa a dit que lorsque je l'aurais déchirée, j'irais tout nu.

En effet, ce que Paul appelle sa veste n'est plus qu'une grossière dentelle crasseuse dont je ne vois pas du tout l'utilité. Je le trouverais mieux et plus propre tout nu. Moi aussi, d'ailleurs, j'aimerais bien aller tout nu. Car j'en ai assez d'être battu pour avoir déchiré mes vêtements. Ça se craque aux manches et aux épaules quand on joue, ça se fend au dos quand on passe sous le fil barbelé des clôtures ; ça se déchire à l'ourlet quand on court dans les halliers.

Si nous étions tout nus !

— Moi aussi, j'aimerais mieux être nu...

— Moi aussi !

Qui donc n'eût pas été ravi d'aller tout nu au soleil !

— Eh bé ! propose hardiment Romane, dès ce soir, nous allons demander à nos parents de nous laisser tout nus.

Moi, qui ne me sens pas l'audace de faire une pareille requête à m'man Tine, je propose :

— Nous avons qu'à nous déshabiller aussitôt que nos parents seront partis, le matin, et nous rhabiller le soir lorsqu'ils vont revenir.

— Ça se peut pas, s'écrie Tortilla. Il faut pas rester nus. Nous sommes trop grands : notre Bon Ange va partir.

— C'est quoi, notre Bon Ange ?

— Ah ! tu connais pas ton Bon Ange ?

Le ton railleur de Tortilla me confond encore davantage de mon ignorance.

— Eh bé! s'écrie-t-elle, en se cambrant brusquement et en portant la main sous son ventre, ton Bon Ange, c'est là. Voilà pourquoi on reste pas nu !

Maintenant, pas une pointe de soleil ni dans les arbres, ni à terre.

C'est le soir. Nos parents vont arriver. Nous serons battus. Ça, on le sent à la manière même dont notre anxiété augmente, à notre incapacité d'être loquaces et joyeux. Et, à vrai dire, je n'ai aucune confiance dans cette boule de cabouillat que je presse dans le creux de ma main et à laquelle, de temps en temps, j'ajoute un nœud.

Ah ! s'il était seulement possible d'être insensible à ces coups de trique sur les jarrets ! Ces coups de houssine à même la peau du derrière !

Nous y avons déjà profondément réfléchi. Mais nous n'avons abouti qu'à quelques manœuvres pour éviter que la volée soit trop longue.

— Au premier coup, dit Orélie, je commence à crier. A crier comme si je meurs. Alors, maman elle-même en est abasourdie. Elle me donne encore un seul coup : ouap ! et elle me crie : « Paix, paix, là ! » Je diminue un peu de crier, je chigne un bon moment pendant que m'man bougonne, et quand sa colère a passé, je me tais.

— Moi, fait Romane, en se frappant la poitrine, je suis une négresse qui a du cœur. Mon papa use une houssine sur moi : pas un cri. Ma m'man a dit que je tiens de ma grand-mère qui était pierre et fer.

Voici M. Gabriel, l'économe, qui passe sur son

mulet. Le travail est fini pour les journaliers. M'man Tine ne va pas tarder.

Je n'irai pas au-devant d'elle. Aucun de nous, je crois, n'ira à la rencontre de ses parents. Nous avons peur.

Nous nous séparons, chacun se retirant près de son logis, et on attend.

Déjà passent les mulets montés par les muletiers brutaux qui leur fouaillent la croupe en jurant à perdre l'âme.

Accroupi sur le seuil de la case, je me pelotonne de plus en plus, consumé par l'angoisse.

Que le soir est lugubre, avec les sentiers que l'ombre absorbe, la tôle des cases qui bleuit, les cocotiers dont les palmes s'alourdissent et bruissent par saccades, et ce grand troupeau d'hommes et de femmes vidés de toute force, qui sortent des champs de canne comme des spectres issus de l'ombre pour on ne sait quel office macabre !

Et tout à l'heure, m'apparaîtra un des ces spectres, particulièrement familier, dont je redoute le retour et que j'attends, et dont la voix me surprend dans ma triste rêverie :

— Qu'est-ce que tu as ? Tu es fatigué d'avoir gambadé sur l'habitation du béké ? me demande m'man Tine.

Je sais que lorsqu'elle commence par ce genre d'interrogatoire, tout finit mal pour moi.

Déjà, je perds contenance, et sans m'en rendre compte, oubliant les recommandations de Tortilla, je laisse mollement tomber mes nœuds de cabouillat à mes pieds.

— Hein ! que faisais-tu à midi sur le chemin de la Trenelle ? poursuit m'man Tine.

Je ne peux pas répondre ; je n'ai pas préparé de réponse à cela.

D'ailleurs, je n'avais nullement prévu qu'elle l'aurait su.

La tête baissée, je joue gauchement avec mes doigts.

De son geste habituel, m'man Tine appuie la manche de sa houe contre la case, dépose son panier de bambou.

— Debout un peu, que je te voie ! me dit-elle.

Lentement, l'œil penaud, je me lève et demeure fixe devant elle, les orteils cramponnés au sol, ne sachant que faire de mes mains.

— Ouais ! s'écrie m'man Tine. C'est dans cet état que je retrouve la robe que je t'ai mise ce matin. Et tes genoux sont écorchés à vif comme le dos des mulets bâtés, et ta tête plus couverte de paille qu'une case au Morne-Mango-Zo !

Déjà, je ne sens pas la terre sous mes pieds. Je suis tellement raidi dans ma position que j'ai mal à mes articulations.

— Alors, tu étais de ce convoi qui suivait le cabrouet dans la trace du Grand Etang ? Et tu étais heureux d'invectiver les bœufs, de lancer des mots de savane à pleine bouche ?

Je ne réponds rien. D'ailleurs, en réalité, ce ne sont pas des questions. Ce sont des charges.

— Eh bien ! demain, déclara-t-elle, tu resteras tel que tu es, car j'aurai pas le temps de coudre ta robe.

Et voilà pour ma fugue vers la Trenelle, dont elle

a eu vent, sans doute par ce charretier que nous avions rencontré.

Mais, loin d'être soulagé, mon cœur bondit aussitôt.

J'ai envie d'attaquer le premier le chapitre du bol brisé, mais c'est en vain que j'appelle le courage nécessaire pour faire le mensonge que m'a prescrit Tortilla.

Or, voilà qu'au lieu de s'installer dehors pour fumer sa pipe, m'man Tine entre dans la case.

— Et tu as brisé le bol ! s'écrie-t-elle.

Ma tête se trouble de peur. Pour ne pas perdre l'équilibre, je me crispe à faire craquer mes os.

— Hein ? fait m'man Tine, en revenant vers moi. Viens ici pour me dire ce que tu faisais pour briser le bol, dit-elle alors en m'attrapant par le bras.

Je reste muet, regardant les deux fragments du bol avec des yeux perdus.

— Qu'est-ce que tu faisais ?

Il me semble que c'est bien le moment de sortir ce que Tortilla m'a conseillé de dire ; mais je suis raide jusqu'à la mâchoire. Il semble qu'on me frapperait de coups de bâton que je ne lâcherais pas un cri.

— Seigneur ! s'exclame à nouveau m'man Tine, qu'est-ce qui s'est donc passé ici ?

Et s'adressant encore à moi :

— Qu'est-ce qui t'arrivait ? Qu'est-ce que tu cherchais ?

Je suis tel qu'elle m'a arraché de dehors pour me planter au milieu de la pièce, figé dans mon mutisme, la tête baissée, les yeux à terre.

— Eh bé ! eh bé ! fait m'man Tine, en branlant la

tête pendant que ses yeux parcourent l'intérieur de la cabane.

— Eh bé ! eh bé ! eh bé ! fait-elle encore dans la chambre. Mon lit a été fouillé comme une fosse d'igname (1). Un tremblement de terre n'en aurait pas fait autant !

Alors, sortant brusquement de la chambre, elle me crie :

— Mets-toi en pénitence.

Automatiquement, je me laisse tomber sur les genoux.

M'man Tine retourne dans la chambre, pestant et grommelant avec colère.

— Qu'est-ce que cette petite saleté cherchait dans mes affaires, hein ?

Les rugosités du sol commencent à mordre atrocement dans les vives écorchures de mes genoux. Mais je suis attentivement l'évolution de la fureur de m'man Tine. J'attends avec effroi le moment où elle va me tomber dessus à grands coups du premier objet venu sous sa main, et je ne sens presque rien, sinon une confusion dont je suis anéanti, malgré la raideur stoïque avec laquelle je me tiens là, planté au milieu de la case, sur mes deux genoux.

Brusquement, m'man Tine s'est tue, et comme je ne vois pas ce qu'elle fait, comme je ne peux plus la suivre, je me sens tout à coup perdre l'équilibre. Je ne sais plus où j'en suis.

Cet affreux silence m'isole dans ma confusion, déblayant tout autour de moi, comme au moment où m'man Tine cherche un manche à balai, un

_____
(1) Racine comestible.

« lélé » (1), un bout de corde pour m'assommer.

J'ai envie de crier d'avance.

Du fond de la chambre, la voix courroucée me demande :

— Ah ! tu cherchais le sucre ? C'est le sucre que tu cherchais !

J'ai à peine le temps de voir m'man Tine sortir de la chambre que sa main, dure comme une motte de terre en carême, vient heurter ma figure.

— Tiens, voilà le sucre que tu cherchais !

Et je reste renversé à terre, foudroyé, entendant sa voix de tonnerre, et résigné à recevoir une averse de coups.

— Remets-toi à genoux !

Je me redresse péniblement sur mes genoux, jetant un coup d'œil en coulisse vers m'man Tine qui, la boîte à sucre à la main, la découvre et l'examine.

— Le petit scélérat ! dit-elle, il a retourné complètement la case et il n'a pas pu trouver le sucre ; et dans ce remuage, il a cassé le bol. Voilà... Enfin, mon Dieu, je peux pas sortir des cannes du béké sans avoir à me tourner le sang quand je rentre dans cette vieille case. Ah non ! j'en peux plus !

Alors, elle décide une fois de plus de m'envoyer à Délia, ma mère.

Car, dit-elle, le Bon Dieu ne peut pas ainsi tolérer que ma mère mène la bonne vie en ville, derrière les chaises des békés qu'elle sert, tandis qu'elle-même est à se faire sécher au soleil comme du tabac, sans pouvoir aller se coucher tranquillement avec son poids de lassitude dans le corps.

(1) Mouvette.

Alors recommence le dévidage de ce que j'ai déjà entendu maintes et maintes fois, chaque fois que je la mets en colère, toutes les fois qu'elle vient d'éprouver de la peine.

— Moi, quand j'étais petite, j'ai donné du tracas à personne. Loin de là. A la mort de ma mère, personne a voulu de moi, sauf tonton Gilbert. Eh bé ! qu'est-ce qu'il a fait de moi, tonton Gilbert ? Il m'a embarquée dans les petites bandes, à arracher des herbes au pied des jeunes cannes, afin que je lui rapporte quelques sous le samedi soir. Pendant ce temps, les carrés de terre que ma mère avait reçus du vieux béké qui était mon grand-père, c'était lui qui en était le maître, y plantait ce qu'il voulait, récoltait, en louait un carré à celui-ci, un demi-carré à celui-là. Moi, j'étais toujours baissée du matin au soir dans un sillon, ma tête plus bas que mon derrière, jusqu'à ce que le Commandeur, M. Valbrun, ayant vu comment j'étais faite, m'a tenue, m'a roulée à terre et m'a enfoncé une enfant dans le ventre. Voilà, eh bé ! ta mère, j'ai pas voulu la mettre dans les petites-bandes. J'ai pas pu l'envoyer à l'école, parce qu'y avait pas encore d'école dans le bourg, mais je l'ai soignée et prop'tée jusqu'à l'âge de douze ans, comme si j'avais été une femme riche ; et puis, je l'ai mise au pair chez Mme Léonce, au bourg. Elle a pas pris un mauvais chemin : elle a appris à laver, à repasser, à brûler du beurre.

« Eh bé ! M. Léonce qui est contremaître à l'usine, lorsque son patron lui avait demandé de lui chercher une jeune personne pour faire le ménage, eh bé ! il lui a envoyé ta mère, parce qu'il savait que c'était une fille capable de servir chez un béké, et que son patron allait bien le récompenser lui-même.

« Si elle avait pas rencontré ton papa qui était cocher de l'Administrateur, elle y serait peut-être jusqu'à l'heure. Mais avant de venir me dire qu'un homme lui adressait la parole, c'est toute enceinte qu'elle se présentait devant moi. J'ai jamais vu la tête de cet homme-là qui s'appelait Eugène et qui est ton père ; et lui-même t'a jamais vu non plus. T'étais pas né qu'on l'a attrapé pour l'envoyer faire la guerre en France. Depuis le jour qu'on dit que la guerre est finie, point d'Eugène. Tout ce que je sais, y avait pas trois mois que ta mère t'avait déposé là dans ma chambre, minch ! elle est partie pour Fort-de-France, pour se placer.

« ... Et c'est moi qui recommence avec toi. Tes maladies, c'est pour moi. Tes crises de vers, c'est pour moi. Et te laver, t'essuyer, t'habiller ! Pendant que toute la journée tu inventes toutes sortes de tracas pour moi, comme si j'en avais pas assez de mes coups de soleil, des averses, des coups de tonnerre, et de la houe avec laquelle il me faut gratter la terre coriace du béké. Et, au lieu de te bien comporter pour ménager mes forces, pour que je puisse durer, afin de te mettre à l'abri, comme j'ai fait de ta maman, tu me pousses à l'envie de te fiche dans les petites-bandes, comme font tous les nègres. Décidément, j'en peux plus. »

Aussi, la semaine prochaine, descendrait-elle au bourg pour demander à une personne « savante » de lui faire une lettre à ma mère, et exposer à celle-ci l'impossibilité dans laquelle elle se trouvait de me garder. Sinon, elle m'enverrait dans les petites-bandes.

Tout en parlant, m'man Tine s'est échauffée, et

malgré son extrême fatigue, avec un zèle de sorcière, elle multiplie ses va-et-vient, les maintes petites opérations de la préparation du dîner.

Je suis toujours à genoux au milieu de la case obscure.

Dehors, le feu se trémousse frénétiquement et, par la porte entrouverte, fait de temps en temps jaillir une lueur jusqu'à moi. Mes genoux se sont engourdis et insensibilisés. Je ne pense même plus à moi. Je me grise, comme d'un breuvage défendu aux enfants, de toutes les paroles amères et tristes que murmure ma grand-mère, et j'aimerais qu'elle ne s'arrêtât pas de parler, qu'elle racontât indéfiniment ces choses que je ne comprends pas entièrement, mais que je sens cruellement.

Or, ma sombre rêverie se brise soudain à la voix irritée de m'man Tine qui me crie :

— Demande pardon, pour sortir de là et me laisser passer.

— P'don, m'man, fais-je.

— Lève-toi, mauvais garnement !

Mes genoux blessés ont saigné, et le sang coagulé les a soudés au sol si fort que c'est en étouffant un cri de douleur que je les ai décollés.

Je suis à peine debout que m'man Tine m'empoigne par un bras et me mène dehors, près du feu où elle a mis une terrine pleine d'eau.

Et toujours maugréant, elle enlève ma blouse, me fait entrer dans la terrine et m'administre une toilette qui est encore une vraie torture car, à cause de l'herbe où je me suis roulé pendant la journée, et des éraflures des feuilles de canne, tout mon corps au contact de l'eau s'enflamme de brûlures, de picotements, de démangeaisons que je traduis en grimaces, contorsions et gémissements.

— Ça t'apprendra.! profère m'man Tine.

Et ses mains rugueuses, en rabotant mes écorchures, m'arrachent des cris qui ne m'attirent aucune pitié, puisque, continuant à me bouchonner de plus belle, elle s'appesantit sur mes genoux en disant :

— Enfin, voyez-moi un peu les genoux de ce petit bonhomme !... Ah non ! j'en peux plus, j'en peux plus. Il faut que Mamzé Délia vienne chercher son iche (1).

Après mon bain nocturne, après mon dîner tardif, un autre supplice m'attend : la prière.

— Au nom du Père...

— Au nom du Père, répété-je, en faisant le geste.

— Et du Fils...

Je sais que le « et du Fils » se trouve au milieu de la poitrine, sur l'os dur qui est là, et que m'man Tine m'a déjà fait toucher au début pour fixer ma mémoire.

— Et du Saint-Esprit.

A partir de ce moment, je m'embrouille. Ma main saute d'une épaule à l'autre, sans oser se poser sur aucune.

Je regarde m'man Tine, guettant son approbation ou un réflexe de répulsion.

Ma main recommence à danser de peur, trébuche, touche une épaule.

— Et du Fils, fis-je, mal assuré.

— Petit maudit, s'écrie m'man Tine ! Tu trouves pas qu'on est déjà assez misérable comme ça pour

(1) Son enfant.

que tu fasses le signe de la croix à l'envers ! Je t'ai
déjà dit que « Et du Saint-Esprit » se trouve sur
l'épaule gauche, celle-ci, celle-ci ! me fait-elle, en
tamponnant mon épaule avec ma main prise dans la
sienne.

Ce soir-là, m'man Tine n'abrège pas ma prière
comme elle le fait parfois, lorsqu'elle est fatiguée ou
que j'ai sommeil. Au contraire : elle commence
depuis le « Mettons-nous en la présence de Dieu »,
passe par le « Notre Père », le « Je vous Salue », le
« Je crois en Dieu ». Elle refuse de me souffler un
mot, me criant « après, après ! » à chaque fois que je
m'arrête.

Alors j'ai la sensation de tituber, en m'écorchant
les orteils et les genoux dans d'interminables chemins
tortueux, rocailleux, épineux. Le « Je crois en
Dieu » surtout m'apparaît comme un sentier étroit,
serpentant sur un morne dont le sommet perce le ciel.

Et quand, enfin, je suis parvenu à... « est monté
au ciel, est assis à la droite »... », il semble que je me
trouve alors sur les hauts sommets, en plein vent.
Alors, je respire profondément, et avec le « d'où il
viendra pour juger... », je redescends l'autre versant
de la colline. Mais hélas ! pour m'égarer désespérément dans le dédale de tous les « actes » de foi, de
contrition et d'espérance, dont je ne vois pas l'issue :
car, chaque fois, selon son inspiration, m'man Tine
me fait remonter par le « O Vierge des vierges » et
termine la prière d'une manière improvisée : soit une
« invocation », soit une longue litanie, soit une
prière pour « les morts, les amis et les ennemis »...

Après quoi, il me faut, de ma propre improvisa-
tion, demander à Dieu « la force, le courage et la

grâce de ne pas pisser au lit, de ne pas chiper du
sucre, de rester dans la case toute la journée, et de ne
pas déchirer mes vêtements ».

Certains soirs, j'arrive au bout, tant bien que mal.
Mais ce soir-là, je fais faillite. J'ai trop mal aux
genoux. Je suis trop fatigué, anéanti par mes émo-
tions. J'ai trop sommeil. J'ai bredouillé aussi longtemps que j'ai pu, et je m'écroule.

Vautré dans mes haillons qui gardent encore la
tiédeur du soleil de toute la journée, j'entends
vaguement des vagissements : Gesner ou Tortilla qui
n'a pas encore fini d'expier ses forfaits.

Les grandes personnes formaient un monde qui
nous imposait surtout par son mystère. Monde mys-
térieux, en effet, où l'on se procurait soi-même sa
nourriture, où l'on n'était pas battu (il est vrai que M.
Donatien battait chaque soir Mam'zelle Horacia, sa
femme ; mais celle-ci ne lui ménageait pas non plus
les coups de dents), monde où l'on ne tombait pas en
marchant ni en courant, où l'on ne pleurait pas.
Monde étrange ! D'où notre profonde admiration
pour les hommes et les femmes de la rue Cases-
Nègres. J'aimais surtout ceux qui n'avaient pas
d'enfants. Les parents de mes camarades, je les
craignais encore plus que m'man Tine. Des gens qui
battaient leurs enfants. Des gens qui s'en prenaient
toujours à nous, les enfants. Tandis que les travailleurs sans enfants nous envoyaient faire des petites
courses à « la maison », distraction très recherchée
par nous, et partant, se montraient fort bienveillants
à notre égard, nous gâtaient même un peu.

— Le meilleur homme de l'habitation, affirme Gesner, c'est M. Saint-Louis.

— M. Saint-Louis ! s'écrie Soumane, je l'aime pas. L'autre jour, je passais près de son jardin, eh bé ! parce que j'ai tiré tout bonnement une petite paille de la haie, il a hélé après moi (j'avais pas vu qu'il était là), il a hélé après moi comme un diable. Et il est allé dire à ma maman que c'est moi qui démolis sa haie pour y dénicher des oiseaux.

— Moi non plus, ajoute Victorine, je l'aime pas beaucoup. Un jour, son prunier était chargé, je lui ai demandé une petite prune, et il a dit que c'était pas assez mûr, que ça allait me donner des crises de vers... Chaque fois qu'on lui demande quelque chose, c'est pas encore mûr.

— Et puis, il plante des bouteilles cassées tout autour de son jardin pour nous estropier.

— Eh bé ! moi, intervient Gesner, M. Saint-Louis, il me donne tout. Le dimanche, il me fait entrer chez lui, il me dit de m'asseoir dans un petit coin à terre, et lorsque son manger est cuit, il me donne des morceaux d'igname gros comme ça, avec de la morue. Il m'a même promis de me prendre un nid d'oiseaux avec des petits dans son jardin.

M. Saint-Louis était un grand bonhomme noir, dont les épaules montaient et descendaient doucement à chaque pas, tel le dos d'un cheval qui va à loisir. Au bas de son ténébreux visage presque entièrement caché par les bords d'un vieux chapeau de paille, il portait une barbe grisâtre que, pour rien au monde, je n'aurais osé toucher. A ce chapeau de paille répondait un pantalon retroussé jusqu'à ses mollets et sur lequel retombait un pagne fait d'un sac ayant contenu du guano.

La case de M. Saint-Louis se trouvait derrière celle de m'man Tine. Comme sur un côté il n'avait pas de voisin, il avait clos avec des branches de cocotiers un grand carré de terrain où il travaillait le dimanche et le lundi.

Mais personne d'entre nous ne savait ce que M. Saint-Louis cultivait dans son jardin. Si compacte était la haie qu'aucun regard ne pouvait la percer. On voyait bien dépasser la tête d'un prunier et d'un avocatier, mais le reste, on ne savait pas ce que c'était, quand ça mûrissait, quand ça se récoltait.

J'avais entendu dire plusieurs fois que ce devait être un jardin où M. Saint-Louis cultivait des plantes pour guérir les maladies.

Pensez donc si ce jardin hantait notre imagination et torturait notre curiosité. Nous en avions de la crainte pourtant. Comme la haie, à une certaine saison, était bourrée de nids d'oiseaux, ce jardin, malgré le mystère qui s'en dégageait, la science avec laquelle il était protégé, demeurait pour nous un objectif inviolable mais attirant.

Romane, c'est Mam'zelle Appoline qu'elle préfère. Une vieille qui n'y voit pas bien clair, et qui nous appelle pour lui retirer des chiques des pieds, ce que je n'aime pas faire. Car elle en a trop, des chiques. Ses pieds sentent comme un crapaud pourri.

Tortilla préfère M. Asselin, Asselin-pain. Quelqu'un qui ne fait jamais du feu chez lui. Il n'a pas de femme et ne se nourrit que de pain, de morue salée et de rhum. C'est le nègre le plus robuste de la rue

Cases. Quand il court, il fait vibrer la terre. C'est aussi le nègre le plus nu. Même son pagne est troué. Et il a des dents larges, blanches, bien alignées. Son rire crée le moment le plus gai qu'on puisse goûter. Et quand il danse le laghia, le samedi soir, on souhaiterait que la nuit ne finisse pas et que les flambeaux ne s'éteignent jamais.

Moi, mon grand ami ne me donne rien. Il est le plus vieux, le plus misérable, le plus abandonné de toute la plantation. Et je l'aime plus que de courir, gambader, me dissiper ou chiper du sucre.

Moi qui ne peux pas tenir en place un instant, je resterais longtemps assis tranquillement à côté de lui. Sa cabane est la plus dénudée et la plus sordide, mais je la préfère à celle de m'man Tine qui est une des plus belles et des mieux tenues de la rue Cases.

— Les enfants ne doivent pas toujours être fourrés chez les gens, me rappelle ma grand-mère ; c'est mal élevé.

Mais le soir, pendant que je regardais fumer m'man Tine, je ne souhaitais qu'une chose, je n'attendais qu'une chose : que la voix de M. Médouze m'eût appelé.

Devant une porte qui béait sur l'obscurité déjà accumulée dans la case, une ombre à peine visible de loin m'attendait. C'était pour m'envoyer demander un peu de sel à m'man Tine, ou acheter deux sous de kérosine à la boutique.

Puis, devant la case, nous allumions un feu entre trois pierres. C'était moi qui cherchais aux alentours les brindilles dont la flamme est friande.

Tandis que dans le canari un tumultueux bouillon convertissait les racines sauvages rapportées du champ de canne où il avait travaillé, le spectre s'asseyait sur le seuil de la case, au bord de cette terrible gueule rectangulaire qui buvait la nuit, et je me mettais à côté de lui. Il bourrait sa pipe ; lorsqu'il avait fini, j'allais près du foyer lui prendre une brindille enflammée, et lorsque sa tête se penchait dessus pour allumer sa pipe, la lueur lui appliquait sur le visage un masque hallucinant — le vrai visage de M. Médouze — avec sa tête grenée de cheveux roussâtres, sa barbe à l'aspect de ronces et ses yeux dont on ne voyait jamais qu'un petit filet, parce que ses paupières restaient presque fermées.

La lueur du foyer éclairait toute la façade de la case ; et le corps de M. Médouze, vêtu seulement d'un pagne pareil à celui de M. Saint-Louis, avec, au cou, un minuscule sachet noir de crasse et attaché à une fibre, ressemblait à un beau corps d'homme que la flamme avait longuement grillé et qu'elle se plaisait maintenant à patiner dans toutes les gammes de bruns.

Il achevait sa pipe silencieusement, presque sans bouger. Au bout d'un instant, comme se réveillant de son inertie, il se raclait la gorge, crachait, et, d'une voix qui se dérobait à tout instant, il s'écriait à brûle-pourpoint :

— Titim' !

Là-dessus, mon attention se ranimait d'un bond, et ma joie explosait en ma prompte réplique :

— Bois sec !

Ainsi commençait notre partie d'énigmes.

— Je suis ici, je suis en France ! propose M. Médouze.

Feignant de chercher intensément, je le regarde

LA RUE CASES-NÈGRES 53

simplement. Son visage fixe et calme reprend encore
à la lueur des flammes qui se trémoussent sous le
canari des expressions fantastiques. Il sait d'ailleurs
que je ne trouverai pas la réponse à sa devinette et
que j'attends.

Une lettre, me dit-il enfin.

Une lettre ? Je ne sais pas ce que c'est ; mais cela
ne me semble que plus merveilleux. En général,
M. Médouze, comme par une sorte de révision,
reprend les « titims » les plus élémentaires, ceux
dont je connais déjà la clé.

— Quand l'eau a monté un morne ?
— C'est une noix de coco, fais-je du tac au tac.
— Quand l'eau descend un morne ?
— Une canne à sucre !
— Quand Madame met son tablier par-derrière ?
— C'est l'ongle d'un doigt.

Puis il passe aux plus difficiles :

— Madame est dans sa chambre et ses cheveux
flottent en dehors.

Silence. Long silence. Quelques bouffées lentement pompées de la vieille pipe, et c'est lui-même qui
va répondre :

— Un pied d'igname.

Cela me paraît extraordinaire.

— Mais oui, explique-t-il : l'igname est dans la
terre qui lui sert de chambre, et ses vrilles, comme
des boucles de cheveux, grimpent sur les rames.

Tout l'attrait de ces séances de devinettes est de
découvrir comment un monde d'objets s'apparente,
s'identifie à un monde de personnes ou d'animaux.
Comment une carafe en terre cuite qu'on tient par le
goulot devient un domestique qui ne sert de l'eau à

son maître que lorsque ce dernier l'étrangle. Comment le parasol du géreur apparaît comme « une case à un seul poteau ».

Ainsi, sur la simple intervention de M. Médouze, le monde se dilate, se multiplie, grouille vertigineusement autour de moi.

Lorsque M. Médouze aura fini sa pipe, il crachera énergiquement, passera le revers de sa main sur ses lèvres, dans la broussaille crissante de sa barbe. Alors s'ouvrira la partie la plus troublante de la soirée.

— Eh cric !
— Eh crac !

Mon cœur repart d'un grand galop, mes yeux s'embrasent.

— Trois fois bels contes !
— Tous les contes sont bons à dire.
— Quelle est la mère de Chien ?
— Chienne.
— Le père de Chien ?
— Chien.
— Abouhou !
— Biah !

J'ai très bien répondu au préambule.

Un silence. Je retiens mon souffle.

— Eh bé ! y avait une fois, repart lentement M. Médouze, au temps où Lapin marchait en costume de toile blanche et chapeau Panama ; au temps où toutes les traces de Petit-Morne étaient pavées de diamants, de rubis, de topazes (toutes les ravines coulaient de l'or et le Grand Etang était un bassin de miel), au temps où moi, Médouze, j'étais Médouze ;

il y avait une fois, en ce temps-là, un vieil homme qui vivait tout seul dans un château, loin, loin, loin.

« Un menteur dirait loin comme d'ici à Grand-Rivière. Mon frère, qui était un peu menteur, aurait dit comme d'ici à Sainte-Lucie. Mais moi, qui ne suis point menteur, je dis que c'était loin comme d'ici en Guinée… hé cric ! »

— Hé crac !

— Cet homme vivait seul, il était d'un certain âge, reprend Médouze ; mais il ne manquait de rien. Un matin, il enfila ses bottes, prit son chapeau et, en ayant soin de ne rien boire ni manger, il enfourcha son cheval blanc et partit.

« D'abord, le voyage commença dans un parfait silence. Comme si le cheval galopait sur des nuages. Puis, avec le lever du soleil, l'homme fut lui-même étonné d'entendre une musique qui le suivait. Il ralentit, la musique se fit lente et sourde. Il s'arrêta ; silence. Il éperonna sa monture, la musique recommença.

« Il se rendit compte alors que c'étaient les quatre fers du cheval qui jouaient aussi harmonieusement :

> *C'est le bal de la reine,*
> *Plakata, plakata*
> *C'est le bal de la reine,*
> *Plakata, plakata.*

« Mais quelle musique ! »

> *C'est le bal de la reine.*

Médouze chante. De sa voix sombre et râpeuse, il imite cent violons, vingt « mamans-violons » (violoncelles), dix clarinettes et quinze contrebasses.

Gagné à sa ferveur, je reprends avec lui la chanson magique :

Plakata, plakata.

Mais, hélas ! voilà que la voix de m'man Tine retentit et vient briser notre duo. Il faut que, le cœur lourd de regret, contrarié à en pleurer, je renonce à la suite de la féerique histoire, et que j'abandonne précipitamment mon vieil ami en lui jetant un hâtif « bonne nuit ».

Il en est ainsi presque chaque soir. Je ne peux jamais entendre un conte jusqu'à la fin. Je ne sais si c'est m'man Tine qui m'appelle trop tôt, quoiqu'elle me gronde toujours de m'être trop attardé, ou si c'est Médouze qui ne raconte pas assez vite. En tout cas, il n'est pas de soir où je le quitte sans que mon cœur et ma curiosité soient inapaisés.

En plus de Petit-Morne, de ses travailleurs et de nous-mêmes, nous savons que la terre s'étend encore plus loin, au-delà de l'usine dont nous apercevons les cheminées, et que par-delà les mornes, qui clôturent la plantation, il y a d'autres plantations semblables.

On sait aussi qu'il y a la ville, Fort-de-France, où circulent beaucoup d'automobiles.

M'man Tine m'a déjà entretenu d'un pays très lointain qui se nomme la France, où les gens ont la peau blanche et parlent d'une manière qu'on appelle « français » ; un pays d'où vient la farine qui sert à

faire le pain et les gâteaux, et où l'on fabrique toutes
sortes de belles choses.

Enfin, certains soirs, soit dans ses contes, soit dans
ses propos, M. Médouze évoque un autre pays plus
lointain, plus profond que la France, et qui est celui
de son père : la Guinée. Là, les gens sont comme lui
et moi ; mais ils ne meurent pas de fatigue ni de faim.
On n'y voit pas la misère comme ici.

Rien de plus étrange que de voir M. Médouze
évoquer la Guinée, d'entendre la voix qui monte de
ses entrailles quand il parle de l'esclavage et raconte
l'horrible histoire que lui avait dite son père, de
l'enlèvement de sa famille, de la disparition de ses
neuf oncles et tantes, de son grand-père et de sa
grand-mère.

— Chaque fois que mon père essayait de conter sa
vie, poursuit-il, arrivé à : « J'avais un grand frère qui
s'appelait Ousmane, une petite sœur qui s'appelait
Sokhna, la dernière », il refermait très fort ses yeux,
se taisant brusquement. Et moi aussi, je me mordais
les lèvres comme si j'avais reçu un caillou dans le
cœur. « J'étais jeune, disait mon père, lorsque tous
les nègres s'enfuirent des plantations, parce qu'on
avait dit que l'esclavage était fini. » Moi aussi, je
gambadai de joie et je parcourus toute la Martinique
en courant ; car depuis longtemps j'avais tant envie
de fuir, de me sauver. Mais, quand je fus revenu de
l'ivresse de la libération, je dus constater que rien
n'avait changé pour moi ni pour mes compagnons de
chaîne. Je n'avais pas retrouvé mes frères et sœurs, ni
mon père, ni ma mère. Je restai comme tous les
nègres dans ce pays maudit : les békés gardaient la
terre, toute la terre du pays, et nous continuions à

travailler pour eux. La loi interdisait de nous fouetter, mais elle ne les obligeait pas à nous payer comme
il faut.

« Oui, ajoutait-il, de toute façon, nous restons
soumis au béké, attachés à sa terre ; et lui demeure
notre maître. »

Certes, M. Médouze était alors en colère, et j'avais
beau le regarder en fronçant les sourcils, j'avais beau
avoir une furieuse envie de frapper le premier béké
qui m'eût apparu, je ne réalisais pas tout ce qu'il
maugréait et, pour le consoler, je lui disais :

— Si tu partais en Guinée, monsieur Médouze, tu
sais, j'irais avec toi. Je pense que m'man Tine voudra
bien.

— Hélas ! me répondait-il, avec un sourire mélan-
colique, Médouze verra pas la Guinée. D'ailleurs,
j'ai plus ni maman, ni papa, ni frères et sœurs en
Guinée... Oui, quand je serai mort, j'irai en Guinée ;
mais alors, je pourrai pas t'emmener. Tu auras pas
l'âge ; et puis, il faudrait pas.

Nous connaissions encore une foule de choses
importantes que nous avaient inculquées nos parents.
De grands principes :

— Ne jamais dire bonsoir à une personne que l'on
rencontre en chemin lorsqu'il commence à faire nuit.
Parce que si c'est un zombi, il porterait ta voix au
diable qui pourra venir t'enlever à n'importe quel
moment.

— Toujours fermer la porte lorsqu'on est à l'intérieur de la case, le soir. Parce que des mauvais esprits
pourraient lancer après toi des cailloux qui te laissent
une douleur pour toute ta vie.

— Et quand, la nuit, tu sens une odeur quelconque, ne pas en parler, car ton nez pourrirait comme une vieille banane.

— Si tu trouves un sou dans un chemin, pisser dessus avant de le ramasser, afin que la main n'enfle pas comme un crapaud.

— Ne pas te laisser fixer par un chien lorsque tu manges. Donne-lui une miette et chasse-le, afin que tu n'ais pas des clous à la paupière.

Moi qui savais tant de contes et de « titims », je me gardais bien de les dire en plein jour, car je savais que je risquerais alors d'être « tourné en panier ».

Et tous, nous nous gardions bien d'approcher Mam'zelle Abizote, la « quimboiseuse » (1), afin d'éviter ses attouchements maléfiques.

Le temps était simplement une alternance de jours et de nuits ponctués par trois jours particuliers dont je connaissais les noms : samedi, dimanche, lundi.

Le samedi, c'est le jour où m'man Tine quitte la case de très bonne heure afin de terminer, coûte que coûte, la tâche de la semaine ; et c'est le soir où les canaliers retournent très tôt à la rue Casse-Nègres.

L'après-midi est encore très clair et ces hommes s'arrêtent un moment à la rue Cases, et s'assemblent en causant à haute voix. Puis, amplifiant leurs palabres et leurs rires, repartent vers « la maison ».

Suivent d'autres hommes robustes, qui seraient admirables sans les sinistres guenilles qui souillent leur corps. Des femmes à la démarche souple et bien

---

(1) Faiseuse de maléfices.

rythmée. Des jeunes filles qui ricanent et batifolent,
leurs seins pointant à travers les déchirures de leur
corsage. Et de jeunes muletiers au torse nu, dressés
sur leur monture trottant nerveusement entre leurs
jambes, et qui avancent comme d'intrépides conqué-
rants.

En un moment, les alentours de la rue Cases ont
changé.

Des marchandes, en « gaule » (1) blanche,
venues du Petit-Bourg, ont posé leurs trays et leurs
corbeilles de friandises un peu partout. Lentement,
continue d'affluer cette troupe terreuse, l'outil sur
l'épaule, et qui va s'arrêter devant le bureau du
géreur pour attendre la paye.

Il y en a qui ont des yeux vifs, des sourires ouverts
et des rires de fêtes : des gaillards râblés qui taqui-
nent les jeunes femmes à belles tapes sur le gras des
fesses et des cuisses ; des fillettes des petites-bandes,
à la poitrine bourgeonnante, qui chuchotent et ricanent entre elles.

Il y a ceux qui sont debout, graves, et ne parlent
que pour manifester leur impatience de recevoir leur
argent : il va se faire tard.

Et il y en a aussi qui ne disent rien et restent assis
par terre, sur les racines d'un arbre, roulant sous une
sombre cloche de feutre trouée des yeux qui semblent être las de regarder ce qu'ils voient, mais ne
trahissent aucun sentiment, se bornant de temps en
temps à esquisser un geste pour chasser les mouches
alléchées par la suppuration d'une jambe énorme,

(1) Ou gown, longue tunique très ample.

cloutée de pustules, ou d'une cheville enflée qui suinte à travers un pansement imprégné de boue.

Mais ce qui m'intéresse, ce sont les éventaires des marchandes qui se multiplient en envahissant les alentours du bureau et la rue Cases. Arrivent encore les jeunes vendeuses de cacahuètes en robes fleuries et aux madras si aguichants que rien qu'à les voir il me prend l'envie de croquer les pistaches. Et les marchandes de boudin noir et pimenté. Et une grosse femme, la plus familière de toutes, Mam'zelle Zouzoune, qui vend derrière deux trays — un de pain, un de poissons frits — et un réchaud à charbon de bois sur lequel elle a fait frire des akras (1) de morue.

Puis, brusquement, à je ne sais quel déclic, la foule, d'un même mouvement, se porte plus près de la fenêtre servant de guichet, derrière laquelle le géreur, assisté de son économe et d'un commandeur, va faire la paye.

— Canaliers ! annonce le commandeur.

La paye est commencée.

— Amédée !

— P'la ! répond l'ouvrier.

— Vingt-neuf francs cinquante.

— Julien-douze-orteils ! continue le commandeur.

Car les travailleurs venant s'inscrire sous leurs prénoms, pour distinguer plusieurs porteurs d'un même prénom, l'Habitation y ajoute pour chacun une épithète pittoresque ou triviale caractéristique de la physionomie, de la corpulence de l'intéressé ; ou bien le prénom de sa mère ; de son homme, si c'est une femme ; ou du quartier dont il est originaire.

_____

(1) Croquettes.

Alors, cela donne : Maximilien-dents-de-chien, et Maximilien-gros-jarrets ; Rosa-bonda-concombre et Rosa-Asson ; Adrien-Lamberton et Adrien-Courbaril.

— Julien-Achoune !

— I'la !

— Vingt et un francs quatre sous.

Julien, ayant touché, s'arrache de la foule compacte avec des gestes d'un homme qui se bat, puis jette rageusement l'argent par terre, le piétine en jurant par les fesses de la mère du gérant, en insultant Dieu et, fou de colère, ramasse l'argent et s'éloigne en maugréant : « Qu'est-ce que j'attends pour crever, tonnerre ! »

Puis c'est au tour des sarcleurs et sarcleuses, des bêcheurs, placés sous la rubrique « gens tâches », des arracheurs d'herbe, dits « gens z'héb' », des charretiers, des muletiers ; et enfin, des « petites-bandes », toute la cohorte des frères et sœurs aînés de mes camarades qui, le samedi soir, paraissent à nos yeux si dignes d'envie, quand l'économe leur remet des rouleaux de pièces de nickel, et parfois même des billets comme aux grandes personnes.

La paye terminée, le tout, comme une eau de vidange, roule vers la rue Cases. Alors, on en voit qui semblent insouciants et même contents. Mais j'en remarque qui ne dissimulent pas leur déception et qui s'arrêtent pour considérer longuement, dans le creux de leurs mains, ce qui, déduction faite de leur débit à la boutique du gérant, leur restera de leur salaire. Ils hochent la tête en soupirant : « Eh bé ! bon Dieu... » et repartent d'un pas mal assuré.

Enfin, il y en a, comme Asselin, qui ne reçoivent

rien : un pain, un quart de livre de morue, une roquille de rhum par jour, et tout le salaire de la semaine est resté à la boutique de la plantation. C'est pourquoi Asselin, aux yeux de tous, passe pour l'homme le plus prodigue et le plus débauché de Petit-Morne.

La paye terminée, c'était pour nous, les enfants, le commencement de la fête. Les vendeuses allumaient des torches sous les cocotiers, et, çà et là, pavoisaient le soir de bouquets de lumière.

Les hommes achetaient de gros demi-pains bourrés d'akras dorés, et la boutique ne désemplissait pas de buveurs de rhum.

Les femmes préféraient des gâteaux, et la marmaille des petites-bandes se plaisait surtout à croquer des cacahuètes.

Cette foire se prolongeait avec la nuit, bien au-delà du moment où m'man Tine, ayant réussi à me trouver dans la foule, m'entraînait à la case.

Or, même couché, je restais longtemps éveillé ; car de toute cette animation, cette rumeur, ces bouquets de feu épanouis dans la nuit, de toute cette mangeaille, de la puanteur des éléphantiasis, de ces haillons exhalant la rancissure de la sueur, de cette mélancolie imbibée d'alcool, s'échappaient, diaboliques et irrésistibles, les bondissements sombres du tam-tam.

Et tout cela, ces pieds purulents et ces seins énervés, ces mâles épaules et ces hanches frénétiques, ces yeux vitreux et ces arcs-en-ciel de sourires, tout cela, repu, saoul et oublieux, chantait d'une voix brûlante et envahissante comme un incendie de forêt, et tout cela devait danser, danser, danser. :

Le dimanche est reconnaissable à ce que c'est le lendemain du soir de la paye, et que ce jour-là, presque tous les habitants de la rue Cases restent chez eux, restreignant ainsi notre liberté d'action.

Aussi, sur toute l'habitation, c'est un silence à nous rendre malades, condamnés que nous sommes à jouer aux enfants « bien élevés », sans bruit ni gros mots.

Nos parents vaquent à l'intérieur et autour des cases, nettoyant, balayant, arrachant des mauvaises herbes sur les pas de portes, démontent leurs grabats, en exposent les planches et les haillons au soleil pour y détruire les punaises, et, inévitablement, nous embrigadant dans ces genres de corvées.

Je n'aime pas le dimanche.

Toutefois, il y a un avantage qui, peut-être, compense tous les autres inconvénients. Après déjeuner, m'aman Tine ouvre la porte extérieure et la fenêtre de sa chambre pour y faire la sieste, et à peine est-elle endormie que je file chez M. Médouze.

Je trouvais mon vieil ami assis au pied d'un manguier, près de la case. Ou bien, la porte entrebâillée, il dormait à l'intérieur. Il faisait sombre malgré le jour qui, d'une grande enjambée, entrait par le carré ouvert dans la cloison opposée à la porte.

La case était meublée d'une pierre haute comme un escabeau, incrustée dans le sol et qu'on ne s'était pas donné la peine d'extirper. Heureusement, car sur cette pierre, Médouze n'avait eu qu'à appuyer l'extrémité d'une planche, dont l'autre extrémité reposait à terre, pour se faire un lit.

Etendu sur sa planche nue, crasseuse et polie par le contact de sa peau, le vieillard ronflait. Trop bas pour recevoir le peu de clarté dont bénéficiait la case, son corps formait avec son pagne, la planche, la pierre et le sol, une seule masse, sans détail, sauf la mousse bistre de sa barbe qui exhalait un ronflement intermittent. Je m'approchais silencieusement. Mais aussitôt, il bougeait et me disait d'une voix qui me faisait l'effet d'un vieil objet poussiéreux :

— C'est toi... Je dors pas, tu sais. J'essayais de reposer un peu mon vieux corps...

Alors, rallumant sa pipe qu'il avait déposée dans une cavité de la pierre, il se levait au rythme pénible des craquements répétés de tous ses os, et nous allions au dehors, sous le manguier.

Notre conversation consistait en un long interrogatoire que je lui présentais, et auquel il répondait scrupuleusement.

Je lui demandais, par exemple, si le ciel et la terre se touchaient en quelque endroit.

J'avais aussi à cœur de savoir où les békés prenaient tout l'argent qu'on disait qu'ils possédaient. M. Médouze m'expliquait alors que c'était le diable qui le leur apportait.

Or, je savais déjà par intuition que le diable, la misère et la mort étaient à peu près le même individu malfaisant, et qui s'acharnait après les nègres surtout. Et je me demandais en vain ce que les nègres avaient pu faire au diable et au béké pour être ainsi opprimés par l'un et l'autre.

Parfois aussi, avec des fibres et des bouts de bois ramassés autour de lui, Médouze me fabriquait un jouet, rappelant un bonhomme ou un animal et avec quoi je m'amusais jusqu'à ce que fût venu le moment de me conter une histoire.

Dimanche… lundi.

Le lundi, m'man Tine va à la rivière et m'emmène avec elle.

La rivière passe loin de la plantation, et pour s'y rendre, il y a un long chemin à parcourir.

Nous partions de bonne heure, car m'man Tine s'évertuait à arriver la première pour choisir sa place et s'installer de préférence à l'endroit où une grosse pierre, creusée en forme de terrine, pouvait contenir du linge qu'elle y faisait tremper.

Les lavandières se mettaient au fur et à mesure tout au fil de l'eau, debout, de distance en distance aux endroits peu profonds et, tout en chantant et en bavardant, frottaient et fouillaient leurs hardes.

M'man Tine préférait s'isoler, parce qu'elle se méfiait de ces femmes-là dont la langue était, paraît-il, indiscrète comme des cloches.

Je passais le temps à chercher des goyaves dans le petit bois ; ou bien je m'initiais à pêcher à la main de petites crevettes dans le courant de la rivière.

A midi, une vaste étendue de linge survolée de petits papillons jaunes éclatait de blancheur au soleil. Après mon déjeuner sur l'herbe, j'allais à un endroit où la rivière était pleine et lente, formant une courbe à la manière d'une route qui tourne, et je m'amusais à y lancer des cailloux qui tombaient dans l'eau avec un bruit doux, comme s'il pleuvait de grosses gouttes de musique.

Quand le soleil s'était éteint, pour ainsi dire épuisé d'avoir séché tant de linge, m'man Tine rassemblait le tout en un petit paquet et m'appelait pour me baigner. Les bords de la rivière étaient à ce moment-

là voilés d'ombre, et je n'avais aucune joie à me
baigner, d'autant moins que m'man Tine ne me
laissait pas m'ébrouer dans l'eau à ma fantaisie, mais
me juchait sur une pierre, me bouchonnait vigoureu
sement avec des bourgeons de goyavier et me rinçait
en me flagellant avec quelques couitées d'eau.

En compensation, elle plongeait les mains dans
l'eau, tâtait quelques cailloux et y surprenait de
belles écrevisses que je faisais rôtir moi-même le soir,
dans la braise.

Mais, de toute façon, le dimanche et le lundi
étaient pour nous, les enfants, des jours d'entrave. A
l'unanimité, nous préférions le samedi et les autres
jours où, du matin au soir (qu'importaient les volées
que nous risquions !) nous étions libres, seuls respon-
sables de nous-mêmes, et maîtres de la rue Cases.

— Des œufs ! Des œufs de poule ! s'écrie Gesner.
Je n'en crois pas mes yeux. Trouver aussi bonnement dans les halliers un creux tapissé d'herbe et de
paille, et plein d'œufs de poule !

J'ai souvent entendu les gens se plaindre de poules
qui nichent dehors. J'en ai même vu une qui, après
une longue disparition que Mam'zelle Valérie attri-
buait à un vol, était revenue un beau jour avec une
flopée de poussins. Mais de là à espérer la chance de
découvrir la cachette où une poule dépose ses œufs !...

La question n'est pas de savoir à qui pourrait être
la poule dont le trésor nous échoit. Nous comptons
les œufs : il y en a un pour chacun de nous — sauf
pour ceux qui sont considérés comme négligeables.
Que ces derniers ne se désolent pas : nous allons

faire cuire nos œufs et, de toute façon, ils vont y goûter.

Jamais le sort ne nous a aussi généreusement gâtés. Oh ! le merveilleux après-midi ! Et toute la bande de remonter à la rue Cases.

Des œufs que nous n'avons pas chipés, que nous avons trouvés, qui nous sont, pour ainsi dire, tombés du ciel !

Tortilla les a mis dans un canari plein d'eau avec une poignée de sel. C'est moi qui lui ai suggéré de procéder ainsi.

Je n'en ai jamais mangé, des œufs. D'ailleurs, aucun de nous n'en a jamais mangé. Les œufs de nos parents, c'est pour faire des couvées. Et les poules, c'est pour être échangées à la boutique de « la maison » contre du riz, du kérosine, de la morue : ou peut-être vendues aux békés de l'usine.

Mais j'ai idée que ça doit se cuire dans un canari d'eau sur du feu.

A présent, reste à allumer un feu. Impossible de trouver des allumettes. Nos parents sont tous des fumeurs et emportent leurs boîtes d'allumettes avec eux.

Tout est prêt. Une pile de bois amassé en un clin d'œil. Paul a déblayé la cendre du foyer, il y a entassé les « boisettes ». Plus qu'une allumette à craquer. Rien qu'une allumette pour que notre joie soit complète.

Soumane, impatient, s'avise brusquement de se passer de feu et malgré Tortilla, reprend son œuf. Mais la vue de l'œuf cassé et de toute cette glaire qui s'est étalée par terre l'accable de regret, et n'incite personne à l'imiter.

Que faire ? Sur toute cette plantation que nous connaissons dans ses moindres recoins, impossible de trouver une seule allumette !

— Je sais où y en a ! s'écrie Tortilla. Mais c'est quelqu'un qui a pas peur qui pourra aller en chercher.

Tout le monde se sent alors une âme à gravir les nuées pour aller voler le feu du soleil.

— Eh bien ! dit Tortilla, l'un de vous n'a qu'à monter à « la maison » et dire que sa maman envoie chercher une boîte d'allumettes à crédit.

— Mais on va pas croire. On va dire que notre maman est pas encore arrivée. On va rien nous donner.

Qui aurait l'audace de tenter un tel coup ? J'avouerai à ma honte que j'avais peur. Même Gesner avait peur.

Alors Tortilla, excédée, menaça les petits de ne pas leur donner une miette à goûter si l'un d'eux ne se dévouait.

Enfin, Maximilienne se proposa.

— Tu diras : « Bonjour, messieurs-dames », lui enjoignit Tortilla, « ma maman vous demande si vous voulez bien lui envoyer une boîte d'allumettes s'i'ou plaît ». Et si on te dit : « Comment, ta maman est déjà arrivée ? » tu répondras : « C'est depuis ce matin, avant de partir, elle m'a dit de lui acheter des allumettes, pour qu'elle trouve ce soir en rentrant, pour faire cuire son canari. » N'aie pas peur, hein ! ajoute-t-elle, et oublie pas de dire merci !

A l'instar des grandes personnes, Tortilla fit répéter à Maximilienne les réponses à faire.

Maximilienne s'en allait déjà lorsque Tortilla, s'étant ravisée, la rappela :

— Tiens, voilà ! Pour qu'on puisse bien croire que c'est ta maman qui t'envoie, tu demanderas aussi une roquille de rhum.

Elle eut vite fait de trouver une bouteille, et Maximilienne prit son élan sur les recommandations réitérées de Tortilla.

Muets, haletants, presque immobiles, nous la regardions monter la côte. Puis, subitement pris de panique, au moment où elle arrivait en vue de « la maison », nous nous précipitâmes dans la case. Et nous attendîmes, sans parler.

Lorsque Maximilienne revint, essoufflée d'avoir couru, avec la boîte d'allumettes et la bouteille de rhum, j'éprouvai la sensation d'être transporté dans un monde où les désirs des enfants enfin se réalisaient sans l'entremise ni la censure des parents. C'était comme si quelque chose d'inaperçu venait de se produire ; comme si, par l'apparition de notre messagère, nous allions vivre une vie franche et exaltée.

Du rhum ! des allumettes ! Entre nos mains, à nous qu'on déclarait trop petits pour en user ! Pouvoir faire du feu et boire de cette boisson dont nous ne connaissions que l'odeur. Des allumettes ! Du rhum surtout ! Aussi, remettant la cuisson des œufs, Tortilla s'empare de la bouteille et commence de distribuer le rhum.

— Ça saoule, prévient-elle ; je vous en donne pas beaucoup.

Avec une scrupuleuse parcimonie, elle nous verse quelques gouttes dans le creux de la main.

C'est brûlant à la gorge comme un tison, mais ça donne l'envie d'en boire beaucoup.

Aussi Tortilla, Gesner, Soumane en boivent longuement à la régalade. D'ailleurs, ceux-là, dans les partages, se taillent toujours des doubles parts.

Cette fois-là, personne ne songe à protester ; car notre joie est si bien partagée que tout le monde rit à belles dents. On n'arrête pas de ricaner.

Tortilla frotte des allumettes les unes après les autres et les lance parmi nous, et chacun de courir çà et là, de crier et de rire.

— Tu gaspilles toutes les allumettes, s'écrie Gesner. Prête-les-moi aussi.

Ayant renversé Tortilla par terre, il lui arrache des mains la boîte d'allumettes. Tortilla, voulant la lui ravir, court après lui et Gesner s'enfuit, nous entraînant tous à sa poursuite.

Et tous se vautrent et roulent dans l'herbe, se relevant et retombant, les uns accrochés aux autres.

Ecrasés dans la mêlée, les petits se mettent à crier ; mais leurs cris ne font qu'exciter au rire et à la bataille.

Quant à Tortilla, maintenant, elle ne fait que se lever à demi et s'affaisser, s'agrippant à n'importe qui et le faisant rouler avec elle. Alors on la fuit et, complètement nue à terre, elle crie, elle crie, étendant ses bras, essayant de se mettre debout, et roule en vociférant comme si elle appelait à l'aide : « Maman ! maman ! »

Et l'on en rit tant et plus.

Gesner non plus ne peut tenir debout, et furieux de ce qu'on s'en moque, il jure comme un bouvier, et assomme à coups de poing tous ceux qu'il attrape. Il cherche des cailloux pour lancer après nous, et on se sauve, mais il s'effondre dans la poussière, et toute la bande d'accourir pour danser en triomphe autour de lui. Puis ses menaces nous dispersent à nouveau.

Ainsi, nous roulons de case en case, abandonnant un à un et sans remords, sans la moindre réflexion, ceux qui ne peuvent plus ni marcher ni rester en équilibre et qui rampent en criant désespérément, ou s'épuisent en un rire incoercible.

Et la boîte d'allumettes, avec acharnement disputée, passe de main en main, si bien qu'à présent c'est à une vraie partie de cache-cache qu'on se livre pour découvrir celui qui la tient, dispersés que nous sommes autour des cabanes. Certains même paraissent y avoir renoncé et, d'un air insensé, s'amusent à n'importe quoi.

Pour une fois, le soir approchait et nous ne pensions même pas au retour de nos parents. Nous n'étions nullement affectés par nos vêtements réduits en charpie, et notre joie se consumait avec une perpétuelle ardeur.

Tout à coup, je me trouvai seul. Mais notre éparpillement faisait retentir la rue Cases de tant de cris que je ne savais où me diriger pour rejoindre mes camarades.

Un grand vacarme dominant m'indiqua un groupe, et je m'élançai dans sa direction.

— Du feu ! du feu ! me criait Paul en me voyant venir. Nous avons mis du feu dans le jardin de M. Saint-Louis ! Y aura plus de clôture, nous allons voir ce qui a dedans !

Déjà, un gros nuage de fumée s'élevait au-dessus

de la haie de branchages. Tout le monde sautait et caracolait, et cette joie nouvelle déclencha aussi en moi une danse irrésistible, rythmée de cris.

Quand, à travers la fumée, se dressa la première flamme, nous fûmes pris de vraie démence et, n'était la chaleur qui nous en écartait, nous nous jetions tous ensemble, corps et âme, dans le brasier. Au moment où les flammes avaient été le plus hautes, le plus rouges, les grandes personnes avaient fait une tapageuse irruption et avaient tout détruit avec des bidons pleins d'eau. Puis tout le monde s'était sauvagement abattu sur nous, nous entraînant et nous molestant...

L'émotion, le tohu-bohu, les pleurs, la colère et la consternation qui bouleversèrent la rue Cases, ce soir-là et le lendemain encore, m'avaient ébranlé vingt fois plus que les coups de trique, les coups de bâton, les taloches que m'man Tine avait fait déferler sur moi. Et je fus tellement battu, malmené, contusionné, je vis tant de gens épouvantés, qui proféraient des réprimandes contre nous, la marmaille, et répétant avec des airs encore alarmés : « Si le bon Dieu n'y avait pas mis sa main protectrice... » que j'en arrivai à ne rien comprendre de ce qui se passait.

— C'est Dieu, disait m'man Tine, qui a bien voulu montrer à Horace la fumée qui montait dans l'air.

Et Horace avait ameuté les travailleurs.

— Comme si c'était pas assez malheureux qu'on trime du matin au soir dans les cannes du béké, voilà que ces petits misérables nous donneraient encore à répondre de l'incendie de toute la plantation ! Que vais-je dire si le béké me fait appeler. Où trouver le courage d'endurer sa colère et son regard froid ?

Alors elle en revenait à ma mère Délia, qui n'avait jamais eu autant d'ennuis avec moi, qui vivait sa vie à Fort-de-France, à l'abri des intempéries, « derrière les chaises des békés » qu'elle servait, et qui était à mille lieues d'imaginer la catastrophe que je venais d'engendrer avec les autres petits nègres de la plantation.

— Et c'est envers les guenilleux que les chiens de garde sont le plus méchants !

Je ne pleurais plus.

De mes contusions se dégageait une torpeur qui se répandait progressivement par tout mon corps, effaçant en moi tout souvenir, et me dérobant peu à peu à la réalité.

Je restai plusieurs jours sans quitter la chambre, sans voir mes camarades. Incapable de me lever et même de mouvoir un bras ou une jambe. Alors, m'man Tine m'avait couché sur son lit ; le matin, avant de partir pour les champs, elle me faisait un grand pot de tisane à peine sucrée et un gros bol de toloman (1) et toute la journée je demeurais allongé. Je dormais d'ennui, ou bien j'essayais de chasser l'ennui par la tisane et le toloman. Pendant ce temps, je pensais à Gesner, à Tortilla, à Soumane que j'avais quitté dans son trou avec les mains et les pieds en sang, me demandant s'il n'y était pas encore. Je m'appliquais à capter le moindre bruit, avec l'espoir de reconnaître l'un d'eux et de deviner ce qu'il faisait.

Parfois, j'avais l'impression que je n'étais plus à la rue Cases-Nègres, que je pouvais aussi bien me

(1) Bouillie.

trouver dans un de ces pays où se déroulaient les contes que disait M. Médouze. Ou bien, m'envahissait tout à coup une sorte d'appréhension que, à cause de ce qui s'était passé et dont je ne pouvais même pas mesurer l'étendue ni les conséquences, la rue Cases avait horriblement changé.

Le soir, m'man Tine me faisait manger des légumes écrasés en purée, me donnait de la tisane chaude et saumâtre pour le cas où j'aurais été « blessé ». Puis, elle mettait dans une soucoupe du rhum, du sel et de la chandelle, frottait une allumette, et après avoir laissé faire une belle petite flamme bleue, soufflait dessus et me frictionnait avec l'espèce de sauce chaude ainsi obtenue.

La première fois que je sortis pour revoir la rue Cases fut à la fois un soulagement et une grande déception.

Heureux de retrouver tel quel mon familier domaine, je m'attendais tout de même, en raison de tout ce que j'avais souffert, à découvrir un paysage entièrement bouleversé, méconnaissable.

J'eus pourtant une étrange impression de vide autour de moi. Mes camarades, où étaient-ils ? Gesner, Soumane ? Peut-être malades, eux aussi, et gardant encore la chambre.

Je n'en fus que plus inquiet et intrigué.

Le soir même, m'man Tine me disait :

— J'ai fait écrire à ta maman de venir te chercher ; en attendant, tu iras au travail avec moi..., car M. Gabriel ne permet plus qu'on laisse les enfants seuls à la rue Cases, pendant la journée.

Alors je compris pourquoi je n'avais pas vu mes

camarades : ils devaient être partis dans les champs avec leurs parents.

Cette perspective ne me déplut nullement. Au contraire. Cela répondait peut-être au désir de changement que cette crise avait engendré en moi.

Donc, le lendemain matin, je suivis m'man Tine à son travail. Je me figurais que tous les gens travaillaient au même endroit et que nous, les enfants, nous allions pouvoir nous retrouver et jouer ensemble. Mais m'man Tine et moi nous étions immergés dans les feuilles de canne à sucre que le vent faisait bruire, toute la journée ; toute la journée, nous étions seuls là, ne découvrant rien hors du champ, et je n'avais même pas une idée de l'endroit où je me trouvais.

M'man Tine raclait le sol, avec sa houe, assemblait les mauvaises herbes et la terre fine au pied de chaque touffe de cannes. Mais les herbes paraissaient difficiles à couper avec la houe. Ma grand-mère frappait fort du tranchant de l'outil en faisant : « hin ! hin ! » et, de temps en temps, elle se redressait en portant une main derrière elle, comme pour aider ses reins. Et elle faisait une grimace atroce.

Je restais assis à côté de son panier de bambou, entre deux touffes de cannes qu'elle avait reliées par un nœud aux extrémités des feuilles pour donner plus d'ombrage. Lorsque, ayant avancé dans son travail, elle ne me voyait plus derrière, elle revenait me chercher et me faisait un autre abri.

J'essayais de me divertir : avec les vers de terre que la houe exhumait, avec des escargots que je rencontrais ; ou bien en cueillant de l'herbe couresse et des épinards sauvages pour le repas du soir.

Mais, tout compte fait, j'étais astreint à un

mutisme, à un silence, à une immobilité même qui me brisaient le corps et me faisaient dormir pendant des heures, recroquevillé entre mes deux touffes de canne à sucre.

Je ne voyais mes camarades que furtivement, le soir, lorsque M. Médouze m'avait appelé ; et chaque fois que je rencontrais Soumane, Tortilla ou Orélie, j'avais je ne sais quelle impression que ni eux ni moi n'étions plus les mêmes. Nous nous parlions sans amitié ou avec mélancolie, nos yeux se tournant sans cesse vers les cases de nos parents, par crainte d'être surpris.

Bien sûr, le souvenir de l'outrage que nous avions subi nous inculquait une méfiance spontanée les uns des autres. Ces volées que nous avions reçues avaient, je crois, rompu nos liens, et il nous fallut quelques jours pour redevenir nous-mêmes, pour rétablir l'amitié et la confiance qui nous assemblaient.

Mais quelque chose restait irréparable : nous ne pouvions guère jouer ; nous n'avions plus le temps de jouer.

La première semaine s'écoula ainsi :

Chaque enfant partait le matin, avec sa mère, rentrait le soir, avec sa mère, allait faire des commissions à la boutique, pour sa mère, revenait chez sa mère, mangeait, allait se coucher, jusqu'au lendemain matin.

Nous n'avions jamais la joie de nous rencontrer dans les champs. Nos parents travaillaient en des endroits très éloignés les uns des autres. M'man Tine était au Grand Etang. « Ma m'man aussi », me disait Victorine. Pourtant, à aucun moment de la journée, je n'avais l'impression que m'man Tine ne fût pas seule dans cette immense pièce de canne à sucre.

Le soir, en rentrant du champ, nous trouvions des travailleurs qui s'en allaient par les « traces » et nous montions ensemble à la rue Cases. Mais à peine si parmi eux je rencontrais Gesner, ou Victorine, ou un autre.

Vraiment, ce nouveau régime que j'acceptais, hélas ! en toute soumission, me pesait affreusement à certaines heures.

Je vis arriver avec soulagement le premier samedi qui suivit, et comme chaque samedi, j'allai assister à la paye.

Je devais éprouver une surprise qui me frappa d'un complexe d'infériorité dont j'allais pâtir longtemps.

Lorsque l'économe en arriva à la catégorie « petites-bandes », quelle ne fut pas mon émotion d'entendre :

— Tortilla... huit francs. Victorine... six francs. Gesner...

Je ne savais pas qu'on allait nous donner de l'argent parce que nous accompagnions nos parents au travail. J'étais troublé jusqu'à ne pouvoir rien distinguer autour de moi. J'étais confus au pressentiment que mon nom sortirait et... Mais après Gesner, après Orélie, après eux tous, l'économe ne cria pas mon nom.

Anéanti de déception, je n'osais lever la tête. Puis, indigné, je courus trouver M'man Tine pour lui rapporter que l'économe avait donné des tas de sous à tous les autres qui allaient au travail avec leurs parents et qu'on ne m'avait rien donné. Pourquoi ?

Là encore, je devais recevoir un nouveau coup de boutoir.

— Petit misérable ! s'écria ma grand-mère ; tu voudrais que je te fiche dans les petites-bandes, toi aussi ! C'était donc ce que tu cherchais en me procurant tous ces désagréments sur l'habitation ? Eh bé ! j'aurais dû, pour de bon, t'envoyer ramasser du para, ou mettre du guano, comme ont fait les autres ! C'est ce qu'il te faudrait pour connaître la misère et apprendre à te comporter.

Et de parler, ronchonner, bougonner ! Je l'entendis mépriser les parents de mes camarades qui avaient envoyé leurs enfants dans les petites-bandes, les traitant de nègres sans orgueil et qui ne savaient pas s'attacher les reins solidement.

— Hein ! comment cela pourrait-il finir si les pères y foutent leurs fils là-dedans, dans le même malheur ? Eh bé ! si j'y ai pas mis ta mère, c'est pas toi que j'y mettrai.

Elle maudit M. Gabriel qui, dit-elle, avait défendu de laisser les enfants à la rue Cases, dans le but de les voir grossir les petites-bandes. Je l'entendis proférer des paroles de colère contre les mulâtres (M. Gabriel en était un), qui, comme elle répétait à la moindre occasion, étaient toujours prompts à flatter les békés et trahir les nègres.

Et puis, parlant, ronchonnant, bougonnant, elle en revint à ma mère : elle lui donnait quinze jours pour venir me chercher, sinon...

Je finis par avoir une vague intuition que c'était pour mon bien que m'man Tine ne m'envoyait pas dans les petites-bandes, mais je n'en étais pas du tout fier par rapport à mes camarades.

Chaque semaine, à l'heure de la paye, j'avais la
nette impression que ceux-ci étaient séparés de moi,
qu'ils avaient grandi ; en tout cas, qu'ils étaient en
voie d'être de grandes personnes, alors que moi je
restais en arrière. Mais l'air dont ils me regardaient,
même quand ils avaient touché leur salaire, ne
semblait trahir aucune supériorité, nulle fierté de
leur part.

Nous ne nous voyions donc plus aussi souvent et en
toute liberté. Mais nous n'avions pas l'âge où l'on se
plaint de son état. Et puis, se plaindre de quoi ?
N'étions-nous pas pareils les uns aux autres et à tous
ceux qui nous entouraient ?

Nous et nos parents, ne représentions-nous pas, à
nos propres yeux, un commencement et une fin ?

A la longue, je pris goût à mon nouveau régime.
J'y trouvais des avantages et certains charmes. A la
saison des mangues, m'man Tine avait hoché quelques branches d'un manguier qui se trouvait dans une
« coulée » (1), à proximité du champ, et enfoui une
certaine quantité de mangues vertes dans de la paille
de canne. De sorte que, pendant longtemps, tous les
midis, un dessert copieux et succulent complétait
notre déjeuner. De même, certains soirs, après son
travail, elle descendait dans la « coulée » pour cueillir un fruit-à-pain ; et j'y prenais plaisir, d'autant plus
que je me rendais utile. Par exemple, j'aidais m'man
Tine à repérer les fruits-à-pain ayant atteint la
maturité ; et pendant qu'elle les gaulait, elle me
disait : « Regarde bien où ça tombe ». » Car les
halliers étant épais et emmêlés sous les arbres, le

(1) Vallon.

fruit-à-pain, en tombant, roulait parfois très loin, jusqu'au fond. Mais j'avais pour le retrouver un instinct qui étonnait toujours m'man Tine.

Puis il y eut la récolte. Cette période nous avait toujours semblé un festival.

Nous, les enfants, nous pouvions alors sucer des bouts de canne à sucre pendant toute la journée. Nous allions en chercher dans les champs. Nos parents nous en apportaient. Nous en sucions tellement que le jus en coulait de nos bouches, trempant nos vêtements en laissant un glacis sur le ventre nu de mes camarades.

Mais cette fois-là, je n'avais pas la peine de me déplacer pour aller chercher des cannes à sucre. Je n'avais même pas besoin de demander la permission d'en prendre. J'étais avec ma grand-mère dans le champ même.

Dès le matin, je me servais des premières cannes qu'on coupait et sans rien dire — car j'étais un enfant taciturne et timide — tout en m'amusant avec un fétu de paille, une pelure de canne laquée et bariolée, un rien ; j'écoutais les chansons par lesquelles les coupeurs et les ramasseuses donnaient de la vigueur et de la grâce à leurs gestes.

Je les suivais, je me pénétrais de chacun de leurs mouvements. Tout était admirable : leur demi-nudité noire ou bronzée, leurs haillons crasseux, avivés par la lumière, la sueur qui les inondait, qui plaquait le long de leur dos et sur leur poitrine des reflets répondant à l'éclair qu'allumaient les coutelas à chaque brandissement de bras ; l'espèce de bruit de fond accumulé par la paille piétinée, les « amarres » jetées en arrière et rattrapées par les amarreuses pour ligoter les dix cannes du paquet, le tassement des dix paquets en une pile ; ces chansons qui ne cessaient pas, de temps en temps ponctuées d'un ébrouement ou d'un sifflement aigu échappé d'une poitrine au paroxysme de l'effort.

Cette vaste musique qui englobe aussi le geignement des cabrouets, le trot des mulets, les jurons des charretiers et des muletiers ; ces chansons touffues, ces intarissables mélopées m'ont envoûté, m'oppressant tellement que, pour ne pas étouffer, je chante, moi aussi :

> De'nier bagage pour' en homme fait
> c'est aille travaille
> à la Ti-Mo'ne.

A force de répéter, de répéter les mêmes paroles, le même air, cela finit par descendre jusqu'au fond de moi et me pèse comme une vague tristesse. Je m'arrête.

> C'est aille travaille
> à la Ti-Mo'ne.

Mais tout le champ continue de travailler obstinément et de moduler, sur un rythme accéléré, toujours les mêmes paroles sur le même air.

Les travailleurs semblaient aimer la récolte. Ils disaient qu'ils gagnaient alors plus d'argent. Moi aussi, j'aimais la récolte, parce que le samedi soir il y avait plus de marchands autour du bureau et à la rue Cases, et la fête durait plus longtemps.

Il y avait aussi des jeux de dés et de cartes en plein

air, autour d'un tray et d'une torche, qui tournaient souvent en combats épouvantables : laghias de la mort.

En réalité, sauf cela, rien ne changeait pendant la récolte. Et rien n'avait changé après...

A l'arrière-saison, ma première grande joie fut de me trouver avec m'man Tine dans un champ que traversait une rivière. C'était plutôt un ruisseau tranquille, s'élargissant et s'approfondissant de distance en distance, presque perdu par endroits sous les longues herbes qui croissaient sur ses bords. Je ne savais pas d'où il venait, ni où il allait, d'ailleurs je n'avais jamais su qu'une rivière vînt de quelque part et se rendît quelque part, comme quelqu'un qui fait un voyage. Une rivière, pour moi, cela n'avait ni commencement ni fin. C'était une chose qui coulait.

Je demandai à m'man Tine s'il n'y avait pas des écrevisses. Elle m'expliqua qu'il y en avait sans doute, mais qu'on ne pouvait pas les prendre avec les mains, comme à la Bazelle, car le fond de ce ru était vaseux. Alors elle me fabriqua un hameçon avec une épingle à attacher, du fil à coudre qu'elle noua à une gaule de bambou, ajouta une rondelle de canne sèche sur le fil, et j'appris à pêcher la crevette à la ligne.

C'était merveilleux. L'attention haletante avec laquelle je surveillais la ligne, l'émotion aiguë lancée au cœur par le plus insensible mouvement du flotteur. Et puis, la vibration de la crevette au bout de la ligne, au bout de mon bras ! L'effort enivrant pour l'extirper de l'eau !

J'en prenais jusqu'à dix, douze, par jour, et m'man Tine disait que je pourrais en prendre davantage avec plus de patience et d'adresse.

Plus merveilleux encore, le monde des crevettes tel que je l'imaginais : des mornes, des sentiers et des traces, des champs, des cases. Le tout en eau claire. Là vivaient les crevettes translucides, les papas-crevettes, les mamans, les enfants, qui parlaient en langage d'eau. Quand j'en avais pris une grosse, c'était peut-être un papa, ou une maman qui revenait du travail. Et je songeais au chagrin de leurs enfants qui pleureraient inconsolablement, et dont les larmes feraient peut-être grossir la rivière. Quand c'était une petite, je me représentais la désolation de ses parents, désolation pareille à celle des oiseaux dont nous dénichions les petits, et qui restaient affolés de douleur toute une journée et le lendemain encore. Et je regrettais d'autant plus celles que je manquais, que je redoutais qu'elles n'aillent conseiller aux autres de se méfier de mon hameçon suspendu sous l'appa-rence d'un appétissant ver de terre.

En somme, grâce à tous ces divertissements, je ne souffrais de rien.

Un dimanche, m'man Tine mit une robe propre, me fit enfiler une culotte qui me serrait beaucoup — tellement il y avait longtemps que je ne l'avais pas mise — et elle décida que nous irions à Saint-Esprit.

— Pour quoi faire ?

— Ça ne te regarde pas.

Mais, comme elle continua de pester contre mon indiscrétion, elle ne put s'empêcher de donner indi-rectement l'explication qu'elle m'avait refusée.

Ma mère avait répondu à sa lettre, lui faisant savoir qu'elle ne pouvait pas encore venir, parce que

« ses affaires n'étaient pas encore en ordre » ; mais elle envoyait quelque argent.

Le reste m'avait échappé.

M'man Tine prit son panier, et nous voilà partis. Elle marchait vite et je la suivais en trottant. Le bord de sa robe était empesé, raide, et à chaque pas, ses talons portant dessus, faisaient un tam tam sourd.

Nous descendîmes ainsi tout le sentier qui circulait du haut en bas du morne ; puis nous rencontrâmes le grand chemin en tuf blanc qui charriait des femmes en robes fleuries, des hommes en pantalon blanc et bien lissé, des ânes chargés de sacs qui semblaient lourds et de paniers remplis de légumes et de fruits.

M'man Tine croisait des gens qu'elle connaissait.

— Tu as l'air pressé ? lui disait-on.

— Ah ! oui, répondait-elle, je voudrais arriver tôt pour assister à un bout de la messe.

Nous quittons la grand-route. Nous marchons longtemps dans des sentiers qui passent entre des tiges de cannes à sucre, puis sous de grands arbres ; puis le long d'une voie ferrée et sur des ponts sans parapets. Mais j'ai beau courir de toutes mes forces, la distance à laquelle je suis m'man Tine s'allonge, s'allonge, et je crois même qu'elle va me quitter, et que je serai perdu dans la campagne ; car nous ne rencontrons plus personne, et m'man Tine marche, marche, sans paraître se soucier de moi, en se parlant à mi-voix, lâchant derrière elle la musique tambourinée que battent ses talons au bas de sa robe longue.

Alors je m'arrête, essoufflé, je crie : « M'man Tine ! » et j'éclate en sanglots.

Ma grand-mère se retourne et s'arrête, surprise par mon cri et mes larmes, comme si elle n'avait même pas songé que je la suivais. Tout penaud, je la rejoins.

Alors elle se baisse, me fait grimper à califourchon sur ses épaules. Ainsi notre voyage se poursuit et se termine beaucoup plus agréablement.

Le porche de l'église était bouché par la foule. C'était autant de gens venus de la campagne, comme m'man Tine. Presque tous nu-pieds. Les femmes portaient des robes semblables à celle de m'man Tine ; elles avaient déposé leurs paniers sur les marches. Je ne voyais rien de l'église. De l'intérieur, me parvenaient des tintements de clochettes et des voix qui chantaient comme si elles pleuraient. A un moment, j'entendis tout près, devant moi, de petits bruits de sous qu'on jetait un à un. M'man Tine se pencha vers moi pour me dire que c'était M. l'Abbé qui faisait la quête.

— Il va venir te présenter une petite boîte pour que tu y mettes un sou, m'expliqua-t-elle doucement, mais t'as qu'à baisser la tête. Et surtout, n'aie pas peur.

Lorsque le carillon de toutes les cloches déferla pour lâcher toutes les personnes dont l'intérieur était bourré, nous entrâmes dans l'église, m'man Tine me tirant par la main. Ma grand-mère se courbait et dansait légèrement sur un genou, devant chacun des personnages aussi grands que des vivants, juchés sur des espèces d'étagères ou de tables chargées de fleurs qui n'avaient même pas l'air de sentir bon.

Parfois elle s'agenouillait complètement, me soufflait de faire de même, et priait en chuchotant. Elle fit ainsi devant trois ou quatre de ces personnages, sans doute ceux qu'elle préférait, mais qui n'étaient pas très à mon goût. Car celui qui m'avait frappé le plus était cloué sur une grosse croix de bois dur, cloué des mains et des pieds — comme nous piquions, sur les palissades des cases, les petits lézards verts que nous capturions — et il saignait. Il avait de la barbe, beaucoup de cheveux, il était presque nu et on voyait ses côtes sous sa peau. Il me fit penser à M. Médouze, étendu avec son pagne de haillon sur sa planche dure, au milieu de sa cabane. Et sa tragique position, là, sur la croix, me paraissait aussi incompréhensible que celle de M. Médouze. Et pourtant, ce n'était pas un nègre, lui...

M'man Tine fit plusieurs fois le tour du marché découvert. Toute la place était encombrée avec un pêle-mêle de sacs, de paniers, de montagnes de légumes et de fruits, et grouillante, et bourdonnante de gens. Elle prenait une pincée de chaque sac de farine de manioc, la goûtait et passait. Elle en goûta beaucoup avant d'acheter ses deux pots de farine. Puis, reprenant le parcours, elle toucha et soupesa les ignames, hésita, réfléchit, en acheta une. Et de même pour les poires d'avocats. Et de même pour de la fécule de toloman. Pour de l'amidon de manioc ; de même sans doute pour des racines de choux caraïbes.

Mais je ne la suivais plus. Elle avait déposé son panier sous un des arbres qui bordaient la place et m'avait fait asseoir à côté pour le garder et me reposer. Elle arrivait avec une botte d'oignons, comptait ce qui lui restait d'argent, réfléchissait un instant, repartait. Elle revenait avec une patte de bananes, comptait, réfléchissait, repartait.

Elle termina son marché par un quart de livre de viande et d'os pour la soupe hebdomadaire, de la morue salée, du sucre, et une « feuille » de trois graisses.

Enfin, elle m'apporta un morceau de boudin chaud et une tranche de pain. J'avais grand-faim, et c'était bon. Elle ne mangea rien quoique, selon son habitude, n'ayant bu qu'une tasse de café depuis le matin.

Pendant que je déjeunais ainsi, elle partit encore et après un long moment, revint, portant sous son bras un paquet pareil à un gros morceau de pain enveloppé dans du papier. Et elle me jeta brusquement :

— Tu auras fini de ramasser de mauvaises mœurs sur la plantation. Tu iras à l'école apprendre un brin d'éducation et à signer ton nom. Car Dieu a permis que je n'aie pas porté dans la caisse de « la maison » les quat' sous que ta maman a envoyés : je t'ai acheté un petit costume.

C'était un après-midi clair et doux.

M'man Tine, son panier sur sa tête, marchait lentement et, comme toujours, parlait de tout ce qu'elle avait fait et de ce qu'elle allait faire. Il s'agissait surtout de me metre à l'école. Je la suivais, abrité du soleil par son ombre. Je songeais au bonbon en forme de cheval acheté à mon intention, qu'elle portait, là, dans un coin de son panier, et qu'elle avait promis de me donner sitôt son arrivée à la case.

... Ah ! oui, ce fut une belle journée, un beau voyage !

Puis il y eut les lundis à la rivière, les jours suivants aux champs, les samedis, les dimanches à Saint-Esprit pendant longtemps encore.

Parfois, j'entendais m'man Tine dans ses solilo-

ques pester contre une certaine Mam'zelle Léonie,
du bourg, qui ne finissait pas mon costume.

Certains jours, elle disait que je lui donnais trop de
tracas dans les pièces de canne à sucre ; car c'était la
période des pluies continuelles, et elle ne savait plus
où me fourrer. Lorsque nous étions dans un champ
de hautes cannes, elle construisait des sortes de nids
avec son panier, de la paille, des feuilles entrelacées,
qui m'abritaient plus ou moins. Mais si c'était dans de
jeunes cannes, elle ne réussissait pas à me mettre à
l'abri. Alors elle se fâchait. Elle cessait de travailler,
renversait le panier sur sa tête à la manière d'un
grand chapeau, le recouvrait de feuilles et me serrait
très fort contre elle, en murmurant des paroles d'une
voix qui me faisait pleurer.

Je crois que j'aurais peut-être préféré rester sous la
pluie, jouer dans les rigoles, pétrir la terre mouillée
avec mes mains, comme je faisais auparavant à la rue
Cases, avec tous les camarades. Mais m'man Tine
était si affolée, si malheureuse à cause de moi, les
jours de pluie, que c'en était une désolation pour moi
aussi.

Elle ne cherchait jamais à s'abriter et n'en travaillait que plus vite. Or, quand le soir était venu, son
vieux chapeau de paille m'apparaissait comme une
coiffe en fumier, le tissu de haillons qui la revêtait
était trempé et collé à son squelette ; et, avec ses
pieds et ses mains imprégnés de boue et gonflés
comme du pain rassis jeté dans l'eau, ses articulations
oxydées, m'man Tine, la meilleure et la plus belle des
grand-mères devenait brusquement une apparition
épouvantable, qui ne ressemblait en rien à une

maman ni à une vieille femme, ni à une négresse, ni à un être humain.

M'man Tine, chaque soir, parlait d'école et de cette affaire de costume que Mam'zelle Léonie ne se pressait pas de finir. Cela ne m'inspirait aucune émotion, aucun rêve. Je ne lui avais même pas posé de questions à ce sujet.

J'en avais fait part à M. Médouze qui m'avait expliqué que l'école, c'était un endroit où l'on envoyait des enfants intelligents. (Qu'était-ce qu'un enfant intelligent ?) En tout cas, pour aller à l'école, il fallait être complètement et proprement habillé, et on y parlait français. Ces derniers détails m'avaient agréablement impressionné. Mais ce fut tout.

Pendant toutes ces pluies, je ne sortais pas le soir. Nous arrivions tout trempés, grelottants, et la rue Cases n'était rien de moins qu'un bourbier, tant le sol y paraissait pourri jusqu'à la moelle. Ce qui ne m'enlevait pas pourtant l'envie d'aller chez M. Médouze. Mais m'man Tine ne manquait pas de me rappeler que « les enfants bien élevés restent chez leurs parents lorsqu'il pleut ».

Aussi, à peine le beau temps reparu, je redevins assidu chez M. Médouze. Nos soirées étaient toujours pareilles : quelques petites courses, le feu, les longs silences préliminaires, les devinettes et les contes interrompus, hélas ! par l'appel de m'man Tine.

Un soir, il commençait à se faire tard et M. Médouze n'était pas rentré. J'avais déjà fait deux rondes près de sa case. C'était ennuyeux, car m'man Tine n'allait peut-être pas me laisser y retourner encore

une fois, et son canari bouillonnait avec une telle
effervescence que le dîner pourrait être prêt avant
longtemps.

Je me sauvai encore une fois. Une fois encore je
trouvai la cabane de M. Médouze fermée. Fermée de
l'extérieur, avec l'écheveau de fibres qu'il enroulait
et nouait autour de deux clous fixés, l'un sur la porte,
l'autre sur le chambranle. Alors je pris le parti
d'attendre, car si je retournais chez m'man Tine, ce
serait pour ne plus ressortir. Donc, je m'assis là, sur
le seuil de la case, pas tout à fait sur le seuil, pas à
l'endroit où s'asseyait M. Médouze. Non, à côté, car
les enfants ne devaient pas s'asseoir aux places
habituelles des vieilles personnes, afin de ne pas en
attraper les fatigues et les douleurs.

Le temps passa, et voilà ce que je redoutais :
m'man Tine m'appelle, et M. Médouze n'est pas de
retour. Mais je ne réponds pas et reste à ma place.
Un moment après, ne me voyant pas accourir sans
doute, m'man Tine m'appelle encore. Plusieurs fois
de suite, et longuement. Sa voix vibre à la fin comme
si elle allait se mettre en colère. Alors je cède, et
pour la calmer et l'assurer que j'arrive immédiate-
ment, je crie : « M'man-an-an ! » Mais, en réalité,
j'avance lentement, scrutant le fond du chemin que
l'ombre bouche déjà, pour essayer d'y saisir une
autre ombre qui ressemble à la carcasse de M.
Médouze.

— Alors, quand tu es comme ça chez M. Médouze, la conversation est tellement chaude que tu
oublies que tu as une maman ? Tu oublies même qu'il
y a une heure pour venir chercher un morceau à
mettre dans ton estomac ? Ce sont les histoires de

zombi de M. Médouze qui te remplissent le ventre ?
Qu'est-ce que M. Médouze te disait comme ça que
j'ai usé ma gorge à t'appeler ?

— M. Médouze n'était pas là, m'man.

— Alors, qu'est-ce que tu faisais là ? C'était pas
chez lui que tu étais ?

— Oui, m'man, devant sa porte.

— Alors, tu préfères rester seul devant la porte de
M. Médouze, dans le noir, plutôt que de tenir
compagnie à ta maman comme un enfant bien élevé ?

Elle me jette presque mon plat entre les mains, et,
tout en mangeant, elle continue de maugréer contre
les mauvaises mœurs que j'adopte sur l'habitation, et
prend Dieu à témoin, et lui demande quand est-ce
enfin que Mam'zelle Léonie va se décider à livrer
mon petit costume.

Quand notre repas fut terminé et que m'man Tine
eut cessé de parler, je répétai, avec la crainte d'être
encore rabroué :

— M. Médouze n'était pas rentré, m'man Tine.

— Et que veux-tu que ça me fasse ? M. Médouze,
c'est pas lui qui te donne à manger, non ?

Elle lavait la vaisselle. Alors, au désespoir de me
faire comprendre, j'éclate en sanglots.

— Qu'est-ce que tu as ? demande m'man Tine.

— M. Médouze n'était pas...

— Tu vas me fiche la paix, oui ou non ?

Mais je ne peux plus m'arrêter de pleurer tout
haut. Soudain, m'man Tine se précipite au dehors. Je
refoule aussitôt mes sanglots, car sans doute elle est
allée prendre une branche à un arbuste derrière la
case, pour me battre.

Elle tarde à rentrer. Je suis seul dans la case avec le

lumignon à pétrole qui, humblement et immobile sur la table, éclaire une partie de la pièce. Dans l'obscurité, dehors, m'man Tine doit en chercher une de taille ! En tout cas, j'ai essuyé radicalement mes larmes, et je prends l'air d'en avoir fini.

Or, m'man Tine n'est pas derrière la case comme je croyais, mais bien plus loin ; car soudain me parvient le son de sa voix qui dit :

— Il est pas rentré.

A qui donc raconte-t-elle que je pleure parce que M. Médouze n'est pas encore rentré ?

Puis j'entends le père de Gesner qui dit :

— Je croyais qu'il était couché. Vous êtes bien sûre qu'il n'est pas couché là, dans sa case ?

— Non, répond m'man Tine, sa porte est fermée du dehors. Et José qui était là depuis que je suis arrivée l'aurait vu.

La voix de m'man Tine appelle Mam'zelle Valérine, et maintenant les voix sont nombreuses à parler dans la nuit, à se dire et à répéter que M. Médouze n'est pas rentré du travail, que personne ne l'a vu, qu'il est tard et que c'est bizarre.

Je brûle de contentement d'avoir fait alerter tant de monde, et j'ai envie de me lever de ma banquette et de m'élancer au dehors pour raconter moi-même comment j'ai remarqué l'absence de M. Médouze. Mais, en même temps, l'inquiétude avec laquelle on semble constater cela m'apporte une rumeur qui augmente l'appréhension qui s'était déjà insinuée en moi.

M'man Tine ne revient toujours pas, et je sens toute la rue Cases déjà prise d'un émoi, d'une anxiété !

Finalement, je me lève et hasarde quelques pas précautionneux, jusqu'à la porte que je touche légèrement pour glisser un regard.

Des portes s'ouvrent, frappant l'obscurité de violents rais de clarté. Des voix s'interpellent et se parlent avec une telle fébrilité que je distingue à peine ce qu'elles disent.

Je crois qu'on a déjà été à « la maison » pour demander dans quel champ M. Médouze travaillait. Il semble qu'on parle d'aller voir.

Quelqu'un a dit :

— On pourra pas laisser passer la nuit sans savoir.

— Si vous êtes décidés, je suis des vôtres, répond un autre.

Puis ils restent un long moment sans rien se dire, et tout à coup j'aperçois au bas bout de la rue Cases des torches qui font dans l'obscurité une large tache de lumière peuplée d'hommes portant coutelas et bâtons, et qui s'éloignent.

Maintenant, la grande excitation semble être apaisée. Quelques murmures presque imperceptibles.

M'man Tine est revenue. Elle m'a demandé si j'ai eu peur d'être resté si longtemps tout seul. Elle est haletante et semble avoir oublié la scène que nous avons eue.

— On est allé voir, me dit-elle.

Sa voix tremble de son agitation intérieure.

— Mon Dieu ! dit-elle, faites pas que...

A peine tient-elle en place. Elle touche à une chose, s'arrête, touche à une autre, écoute...

Dehors, on s'est remis à parler.

— Si je te quittais encore pour un moment, tu aurais peur ? me demande-t-elle.

Peut-être pas ; mais je préférerais qu'elle m'emmène.

— Oui, fais-je timidement.

— Alors, prends ton chapeau et viens avec moi.

A peu près au même endroit d'où venaient de partir les hommes avec les torches, se tient Gesner haussant un morceau de bois-flambeau qui éclaire comme une grande allumette un petit groupe d'hommes et de femmes assis par terre, les uns en pleine lumière, les autres à peine touchés par la lueur.

Je distingue aussi la voix de M. Saint-Louis qui dit :

— Plusieurs fois déjà, j'ai dit à M. Médouze que la tâche est trop forçante pour lui, et qu'il devrait se mettre dans les petites-bandes. Mais il veut pas ; il dit que la jeune marmaille des petites-bandes lui manquerait de respect.

Chacun dit quelque chose au sujet de M. Médouze. Certains même terminent leur récit en s'esclaffant et concluent :

— Pauvre diable !

On reste encore longtemps sans parler, puis on recommence. Et maintenant tout le monde de causer. Mais il ne s'agit plus de Médouze. On parle des choses de tous les jours et des choses que je ne comprends même pas très bien.

Je trouve, par conséquent, plus de plaisir à regarder la torche que Gesner penche de temps en temps pour en revigorer la flamme ; cette flamme qui est bleue à la racine, là où elle tient au bout de bois qui la porte, et qui devient jaune et rouge pour s'effilocher en une fumée fugitive qui semble noircir encore l'obscurité.

La lueur s'élève jusqu'aux branches et aux feuillages des arbres, au-dessus de nos têtes. La résine brillante suinte du bois et quelquefois goutte sur la main ou les pieds de Gesner qui pousse de petits cris en grimaçant.

Je n'ose parler. Je suis avide d'entendre tout ce qu'on dit de M. Médouze, de savoir pourquoi il n'est pas rentré, et je crains je ne sais quoi pour ces hommes qui sont partis à sa recherche, bien qu'ils soient armés comme s'ils devaient se battre. Quant à moi, j'ai une vague intuition que M. Médouze est parti pour un de ces pays dont il parlait dans les contes.

Je serais si content qu'il en fût ainsi !

Pourquoi ?

Peut-être par je ne sais quel désir de voir M. Médouze devenir simplement le héros d'une aventure semblable à celles où il a souvent engagé mon imagination.

Je crois aussi que de me trouver en pleine nuit dans une telle conjoncture incite d'autant mon esprit au fantastique.

Soudain, un cri :

— Les voilà !

Une confusion de voix lui fait écho et, en même temps, tout le groupe, Gesner en tête, m'entraînant avec lui, se porte vers le chemin.

Loin dans la nuit, au fond, une grosse lumière, un groupe de torches qui s'avancent.

— Mon Dieu, Seigneur, la Vierge ! chuchotent les femmes autour de moi.

Mon cœur s'est mis à battre, et je me réfugie près

de m'man Tine qui murmure machinalement d'imperceptibles paroles.

— A la façon dont ils marchent vite, Médouze doit pas être avec eux, remarque Mam'zelle Valérine.

— Ils retourneraient pas, s'ils n'avaient pas trouvé Médouze, réplique m'man Tine.

— Médouze doit en être, dit un autre ; voyez comme tous ils s'arrêtent de temps en temps. Vous ne voyez pas ?

— Oui, à cause de lui sans doute, conclut M. Saint-Louis.

Puis le convoi apparaît au bas bout du chemin. Nous nous avançons encore, et voilà des silhouettes bien distinctes dans la clarté.

— Ils apportent quelque chose !

— Mon Dieu !

— Mais oui, voyez comme ils marchent.

Aussitôt, une fébrilité plus vive que celle qui avait précédé le départ des hommes s'élève dans le groupe et tout le monde parle à la fois. Les uns disent que Médouze a dû tomber d'un mal caduc, d'autres insinuent qu'il n'avait pas mangé de la veille et qu'un ver lui a piqué l'estomac. Pour d'autres, il a dû boire trop d'eau, étant en sueur. Une profusion de paroles qui m'effarent et m'empêchent de réaliser ce qui se passe.

Mais réellement, quatre ou cinq hommes portent ensemble une chose noire, longue, osseuse et mi-vêtue de haillons, pareille à M. Médouze.

Et c'est bien M. Médouze.

— Si nous n'étions pas allés le chercher, les mangoustes s'en seraient régalées ! s'exclame M. Horace.

Tous ils halètent et suent d'abondance. Quelques-uns ont marché si vite qu'ils titubent sous le poids du vieillard, et leur voix n'est plus qu'un murmure qui se fait à peine entendre quand ils disent :

— Si nous avions su, nous aurions porté un hamac ; car tout seul il avait l'air d'une paille, mais avec la mort qu'il a dans le ventre, il pèse comme le malheur.

Et c'est dans le grand éclat de rire déclenché par une boutade de Carmélien que le cadavre de Médouze arrive à la rue Cases-Nègres et rentre dans sa cabane.

Tant de gens l'entourent que c'est en vain que je cherche à le voir. Je ne porte aucune attention aux bribes de récit de ceux qui l'ont découvert ; mais il y a un tel mélange d'apitoiement, de lamentations, de soupirs, de rires et de galéjades, que je ne peux savoir exactement si c'est un événement triste ou bien un fait banal, de peu de conséquence. Cela ressemble vaguement à une fête, mais quelques personnes, dont m'man Tine, ont des airs qui m'empêchent de me sentir gai.

Des gens entrent et sortent. M'man Tine m'a recommandé de ne pas bouger de la place où je me trouve, puis elle est sortie. Beaucoup de femmes sortent aussi. Je me faufile alors parmi les quelques personnes qui entourent M. Médouze.

Il est étendu sur le dos, M. Médouze, et vêtu de son pagne couleur de sa peau. Il a été étiré, pour ainsi dire, le long de son étroite planche noire, afin que ses deux pieds et ses bras puissent y trouver place. Ses yeux sont entrouverts, comme s'il ne dormait pas ; mais ce ne sont pas ces mêmes yeux qui reflétaient les autres soirs la lueur des feux que nous allumions.

Et au milieu de sa barbe laineuse et d'un blanc gris et roussi, sa bouche montre des dents espacées et rouillées, en un sourire roide qui lui donne l'air de trouver drôle qu'on soit assemblé si nombreux autour de lui. Un sourire qui fait penser à un rat mort au milieu d'un chemin.

Au premier abord, je n'ai rien trouvé de drôle, même dans sa physionomie ; mais après l'avoir considéré un moment je sens mon cœur qui grossit, qui grossit dans ma poitrine, et j'ai envie d'appeler « M. Médouze ! » comme je le fais parfois lorsqu'il dort et qu'il ne m'a pas entendu entrer dans sa cabane.

Mais la rigidité de son attitude et la fixité de son expression me suggèrent un peu les caractéristiques de la mort.

Il se passa beaucoup de choses ce soir-là.

Des femmes apportèrent du rhum dont se désaltérèrent les hommes qui avaient ramené le corps.

M'man Tine revint avec un petit pot rempli d'une eau dans laquelle trempait un petit rameau vert, la déposa près de la tête de M. Médouze. Mam'zelle Valérine entra avec une bougie qu'elle alluma à côté du petit pot. Puis arrivèrent d'autres personnes de la rue Cases qui ne s'étaient pas encore montrées.

— Eh bé ! maît'Médouze voulait nous fuir comme ça, alors !

— Ah ! oui, c'est parce que son lit est trop étroit, il pouvait pas mourir dessus.

— Que voulez-vous ? Ce sont les cannes qui l'ont

tué, c'est dans les cannes qu'il voulait laisser sa peau et ses os.

Un gros silence pesait alors, que venait chasser ensuite un murmure de compassion ou une boutade soudaine. Un petit rire discret passait, puis un gros soupir.

Peu à peu, une rumeur nouvelle s'éleva dehors, et je fus très amusé de trouver, installés par terre, dans l'obscurité, devant la case, quelques hommes que je distinguais à peine et dont je ne reconnaissais que la voix.

D'un coup, un chant lourd et traînant monta de terre, de l'endoit où étaient assis ces gens invisibles, et m'emplit aussitôt avec la violence d'une peur.

Le chant continua de monter de son jet lent et envahissant, apaisa mon trouble, m'emportant pour ainsi dire de sa poussée dans la nuit, vers le sommet des ténèbres. Sans se rompre, il s'infléchissait, ployait et continuait sa lugubre ascension.

Puis s'étant longuement, mystérieusement promené par toute la nuit, il redescendit lentement, jusqu'à terre, et entra au fond des poitrines.

Aussitôt, une voix vive attaqua une autre mélopée à sonorités heurtées, au rythme baroque ; et toutes les autres y répondaient par une plainte brève, et les corps se balançaient lourdement dans l'ombre.

Quand ce fut terminé, une autre voix d'homme cria :

— Hé cric !...

Et toute la foule répliqua à pleine voix :

— Hé crac !...

Je me retrouvais dans le même préambule des contes que M. Médouze me disait.

On en raconta ce soir-là !

Il y avait un homme — c'était lui, le maître conteur — qui les disait debout, tenant une baguette à l'aide de quoi il mimait les allures de toutes les bêtes, les démarches de toutes sortes de gens : vieilles femmes, bossus, culs-de-jatte. Et ses récits roulaient sur des chansons, qu'à grands signes de baguette il faisait reprendre, jusqu'à ce qu'on en fût essoufflé.

De temps en temps, entre deux contes, quelqu'un se levait et disait au sujet de Médouze des paroles qui jetaient tout le monde dans des rires interminables.

— Médouze est mort, disait-il d'un ton de circonstance. C'est la douloureuse nouvelle que j'ai le chagrin de vous annoncer, messieurs-dames. Ainsi que je le constate, ce qui nous peine le plus, c'est que Médouze est mort et n'a pas voulu que nous assistions à son agonie. Mais plaignez pas Médouze, messieurs-dames ; Médouze est allé se cacher pour mourir parce que... Devinez donc le mauvais dessein de Médouze ! Parce que Médouze voulait pas que nous, ses frères dans le boire et les déboires, nous héritions son champ de cannes du Grand Etang !

— Son vieux canari fêlé, ajoutait une voix.

— Son vieux pantalon défoncé, une autre voix.

— Sa vieille pipe et son coui cassé.

— Et sa planche à coucher rabotée par ses os.

— Et l'or et l'argent que le béké lui donnait le samedi soir...

Et tout le monde de reprendre en riant :

— Et tout l'or et l'argent que le béké lui donnait le samedi soir !...

Et, reprenant le jeu à rebours, une femme se levait, louant la générosité de Médouze, et sommait chacun de déclarer à tour de rôle ce que Médouze lui avait laissé. A celui-ci, son vieux bakoua, à celui-là son pagne troué et sa houe usée, et à tous : tout l'or et l'argent que le béké lui donnait le samedi soir…

— Hé cric !…

Et tous, en silence, de boire à la santé de Médouze. Puis d'éclater de rire en chœur, ayant ingurgité le rhum.

— Hé crac !…

Dans la case, des femmes debout regardaient le corps sans rien dire, ou chuchotaient.

M'man Tine était agenouillée aux pieds de M. Médouze.

Puis elle vint me demander si je n'avais toujours pas envie d'aller me coucher. Mais malgré sa durée et sa complication, cette veillée me tenait tellement en éveil qu'à la longue, dans l'obscurité, je distinguais tous les traits du visage et toutes les expressions du maître conteur, entraîné à sa suite dans le domaine magique où il promenait l'assistance.

Et à chaque fois qu'il élevait les cantiques à leur plus troublante plénitude, je m'attendais à voir le cadavre du vieux nègre raidi sur la planche trop étroite, s'élever aussi dans la nuit et partir pour la Guinée.

DEUXIÈME PARTIE

Il me fut assez facile pourtant de me consoler de la disparition de mon vieil ami Médouze. Le grand événement qu'annonçait tous les jours m'man Tine se produisit enfin. Mam'zelle Léonie avait fait mon costume, et un lundi, au lieu de m'emmener à la rivière comme d'habitude, m'man Tine mit sa belle robe, m'habilla de neuf (une culotte et une blouse de calicot gris à petites rayures noires, et un petit chapeau de latanier, acheté la veille à Saint-Esprit) et nous partîmes pour Petit-Bourg.

M'man Tine allait souvent à Petit-Bourg, même le soir après son travail ; car elle évitait autant que possible d'acheter à « la maison ». Mais bien que ce bourg fût le plus proche de Petit-Morne, je ne l'avais jamais vu que de loin.

C'était une ruelle bordée de maisonnettes en bois, jalonnée de bornes-fontaines, et je prenais plaisir à voir couler l'eau claire dont le jet se brisait sur de larges dalles usées.

L'école se trouvait sur une butte à côté de la petite église du bourg. Si près que la place de l'église était aussi la cour de l'école. Une maison basse, couverte en tôle ondulée et bordée par une véranda. Tous les enfants jouaient dans la cour, sous le porche de l'église. Ils galopaient en tous sens et criaient joyeusement à me donner l'envie d'entrer aussitôt dans leurs jeux, quoique je fusse assez intimidé. Beaucoup d'entre eux portaient des souliers ; mais la plupart couraient nu-pieds comme moi. Et tous, ils étaient très propres, tel que me l'avait dit M. Médouze.

Traversant ce fourmillement criard, m'man Tine alla trouver une dame à la peau cuivrée qui se promenait sous la véranda. Elle avait une jolie robe, de belles chaussures et ses cheveux formaient deux longues tresses noires qui partaient de sa nuque et de ses tempes, descendaient de part et d'autre de son cou sur sa poitrine, jusqu'à sa ceinture. Elle parla gentiment avec m'man Tine et me sourit. Je m'attendais à être interrogé par elle, car, chemin faisant, m'man Tine m'avait enseigné que si elle me demandait : « Comment t'appelles-tu ? » il fallait répondre : « José Hassam » ; si elle me disait : « Quel âge as-tu ? », je répondrais : « Sept ans, Madame », et que chaque fois qu'elle me parlerait, il fallait dire : « Oui, Madame, non, Madame », très poliment. Mais il n'en fut rien.

M'man Tine me recommanda d'être sage et partit. Je regardai pendant un long moment les enfants qui jouaient, puis la dame. La dame alla à un bout de la véranda, tira sur la chaîne d'une cloche, pareille à celle qui sonnait l'heure du déjeuner et de reprise du travail à Petit-Morne, et dont le son rassembla tous les enfants sous la véranda.

La grande pièce où j'entrai avec les élèves était

quelque chose tel que je n'avais jamais imaginé. Et
j'éprouvai un profond bien-être à rester assis sur un
banc, comme les autres enfants (il y avait des petites
filles et des garçons, tous à peu près de mon âge), à
admirer tout ce qui était collé, écrit et suspendu sur
les murs, et à regarder, plus que je n'écoutais, la
dame qui parlait d'une voix douce, agréable, et qui
faisait de belles choses en blanc sur une large planche
noire.

A onze heures, au son de la cloche, je me rendis
chez une dame où m'man Tine m'avait fait passer le
matin : Mme Léonce.

Mme Léonce était une femme à peu près de la
même couleur de peau que m'man Tine, mais très
grosse, coiffée d'un madras, vêtue d'une longue robe
sans forme sous laquelle traînait un bruit de savates.

Mme Léonce ne m'avait jamais vu, mais elle n'en
semblait pas moins me connaître, puisque ma mère
Délia avait été servante chez elle avant ma naissance.

Elle me remit le petit sac en cretonne que ma
grand-mère avait apporté le matin et dans lequel se
trouvait mon déjeuner : un petit bol contenant deux
tranches d'igname, un morceau de morue cuite
humectée d'huile. Et elle me dit en me montrant le
couloir : « Va te mettre là pour manger. Jette pas de
graisse sur le plancher. Quand tu auras fini, tu iras
boire de l'eau : la fontaine est près de la rue, en face.
Puis assieds-toi devant la porte, là. Quand tu verras
descendre les enfants d'école, tu vas les suivre. »

Mme Léonce et les autres personnes habitant avec
elle allaient et venaient au fond de la maison qui me
paraissait mystérieuse, impénétrable. Je les entendais parler sans les voir.

Je déjeunai avec toutes les précautions qui m'avaient été ordonnées, et sans aucun bruit, afin de ne pas même manifester ma présence. Mon repas terminé, j'allai à la borne-fontaine pour me désaltérer, me rafraîchir le visage, me laver les pieds et les jambes.

Puis, je me mis près de l'entrée du corridor pour regarder les passants et attendre les premiers écoliers.

Lorsque le soir, après la classe, je quittai en haut du bourg les enfants qui, eux-mêmes, se séparaient les uns des autres pour se rendre vers d'autres campagnes, et que je m'engageai tout seul dans le chemin qui conduisait à Petit-Morne, je sentis que j'étais un autre enfant. Je venais de vivre une journée pleine de figures, de choses et de résonances nouvelles. J'en étais tout exalté, vibrant, et sur mon amour de la rue Cases-Nègres et de tout ce qu'elle contenait, se juxtaposait l'amour de ce qui était pour moi un univers nouveau.

Je trouvai m'man Tine devant notre cabane. Elle ne m'embrassa pas : elle ne m'embrassait presque jamais. Mais je ne fus pas sans éprouver toute la tendresse et la satisfaction que versait le regard dont elle m'accueillit.

— Comment as-tu passé la journée ? me demanda-t-elle.

En vérité, elle ne m'avait jamais parlé avec un ton si doux.

Et je lui en fis tout le détail. Déjà, j'avais appris les noms de beaucoup d'objets nouveaux : la classe, le bureau, le tableau ; la craie, l'ardoise, l'encre et l'encrier… Je connaissais des expressions nouvelles, telles que : « Croisez-vous les bras » ; « faites silence », « mettez-vous en rangs », « rompez les rangs ».

Jamais non plus je n'avais été aussi loquace. Et m'man Tine suivait mon discours avec un visage plus reposé et plus rayonnant que lorsqu'elle fumait sa pipe, et des yeux qui semblaient me trouver réellement transfiguré.

M'man Tine me réveille de bonne heure le matin, me fait manger mon pot de café clair et de farine de manioc, puis me donne un grand coui plein d'eau pour me débarbouiller, et après qu'elle a vérifié minutieusement les coins de mes yeux, mes oreilles, mes narines, mon nez et mon cou, je m'habille. Enfin, j'empoigne mon petit sac à déjeuner en cretonne, et je pars, tandis qu'elle continue de me souhaiter une bonne journée et de me harceler de recommandations.

Au pied de la colline, je rencontre presque toujours des camarades venant de Courbaril ou de Fonds Masson, et nous faisons route ensemble jusqu'à l'école.

Chaque journée m'apporte une émotion nouvelle. La maîtresse me fait lire ou me fait, à mon tour, ânonner tout seul les sept jours de la semaine. Ou bien, je me suis fait un camarade de plus. Ou bien, je me suis battu contre un méchant garçon. Ou bien, encore, la maîtresse m'a frappé avec cette gaulette de bambou qui lui sert aussi bien à nous montrer les lettres à lire sur le tableau qu'à corriger les distraits et les bavards.

La seule chose qui ne m'enchante pas, c'est d'aller

déjeuner dans le corridor de Mme Léonce. J'en souffre peut-être dans mon amour-propre et, en outre, l'intérieur de cette maison dont je n'ai jamais vu que le corridor et une pièce sombre où j'entre à peine le matin pour déposer mon petit sac, m'inspire je ne sais quelle répulsion à cause du peu d'attention qu'on m'y accorde. J'ai la nette impression que dans le couloir je suis considéré comme étant dehors tout à fait, et que dès le premier jour, en dépit de la promesse qu'elle avait si aimablement faite à m'man Tine de me donner l'hospitalité à midi, Mme Léonce m'a mis à la porte de sa maison d'une manière que je ne comprends pas bien.

Le jeudi, m'man Tine m'emmène aux champs avec elle. Cette journée de vacances m'est agréable, surtout à la période où l'on plante des cannes à sucre dans les champs nouveaux. Mon plus grand plaisir est alors de sucer les restes qui s'amoncellent autour de ceux qui taillent les bouts de canne à planter.

J'ai fait aussi des progrès dans la pêche à la crevette, et ce n'est pas sans fierté que, tout en m'amusant, j'assure à m'man Tine de quoi faire « la sauce » pour le repas du soir.

Maintenant, ces journées de jeudi avec m'man Tine m'emplissent d'une joie que je n'avais jamais ressentie auparavant. Et c'est avec encore plus de bonheur que, le lendemain, je retrouve le bourg et mon école.

Les dimanches, j'accompagne toujours m'man Tine à Saint-Esprit ; mais le lundi, je perds l'avantage d'aller avec elle à la rivière.

J'ai découvert, il n'y a pas longtemps, qu'en face de chez Mme Léonce, derrière la borne-fontaine, habite Raphaël, un de mes camarades de classe. Lui aussi m'avait repéré et, depuis, nous quittions l'école ensemble. C'était lui qui, après déjeuner, me donnait, de l'autre côté de la rue, le signal du départ.

Raphaël fait partie des grands, car la classe comprend une petite et une grande division. Il écrit sur cahier, et moi je viens de recevoir ma première ardoise. Cela, et le fait qu'il est né au bourg et y habite, lui confère une certaine supériorité envers moi, mais ne nous a pas empêchés de devenir de bons copains.

Raphaël est plus clair de peau que moi : ses cheveux sont lisses et noirs et toujours bien collés sur son crâne. Mais il s'habille à peu près comme moi, et va à l'école nu-pieds aussi, comme moi. Il a un grand frère qui est à une autre école du bourg (car il y a notre école en bas du bourg et une autre école, plus grande, en haut du bourg) et une toute petite sœur qui reste encore à la maison.

Sa maman est une vaste personne comme Mme Léonce, mais elle ne porte pas de mouchoir, et ses cheveux, couleur de ficelle, forment un gros nœud au sommet de sa tête. Elle fait des rochers de coco et des gâteaux qu'elle étale, pour les vendre, dans un petit tray posé sur le rebord de sa fenêtre.

Lorsque, après déjeuner, je vais boire et me laver les mains et les jambes à la fontaine, je n'ai qu'à m'y attarder un instant. Raphaël sort en faire autant, et nous causons au bord de la chaussée. A la longue, je me suis aventuré sur le seuil de la maison de la mère de Raphaël, et nous organisons des jeux assez silencieux, jusqu'à ce que sa mère lui ait crié que c'est l'heure de partir pour l'école.

Ainsi, j'écourte le plus possible le temps de mon déjeuner pour aller jouer avec Raphaël ; en sorte que le malaise que j'éprouvais le midi à rester dans le corridor et devant la porte de chez Mme Léonce se dissipe peu à peu.

Cependant, je crains la maman de Raphaël. Est-ce parce qu'elle ressemble à Mme Léonce ? Peut-être aussi parce qu'elle non plus n'a jamais fait attention à moi et que les rares fois qu'elle a jeté les yeux sur moi pendant que j'étais dehors avec Raphaël, son regard m'a paru dur et méfiant ?

Mais Raphaël semble l'aimer beaucoup. Il l'appelle m'man Nini, ce qui me fait croire qu'elle est sa grand-mère, et tout cela insinue qu'elle ne pourrait pas être mauvaise personne. Au surplus, Raphaël lui-même devient très attaché à moi, très gentil, au point de dire :

— Dommage ! Tu n'es pas là le dimanche et m'man Nini fait de la pâtisserie et nous donne à lécher et à laver toutes les terrines et les marmites dans quoi elle a préparé les gâteaux et les bonbons. Du sucre, du sirop ! Tu demandes si c'est bon !

Sa grand-mère lui donne aussi parfois des gâteaux invendus, et il a promis de penser à moi à l'occasion.

Raphaël m'a appris aussi beaucoup de choses : le jeu de billes, le jeu de cerceau, la marelle, le « blocage » des noix de cajou.

Extraordinaire, comme il connaît des jeux et sait en organiser ! A l'école, pendant la récréation, tout le monde ne veut jouer qu'avec Raphaël. Chacun revendique d'être de l'équipe de Raphaël. Il court plus vite que nous quand on joue aux gendarmes et aux voleurs. Il ne semble jamais se faire de mal lorsqu'il tombe. Et puis, il a une autorité sur nous !

Aussi, quel n'est pas mon chagrin chaque fois que la maîtresse le bat. Car Raphaël est extrêmement remuant, bavard et distrait en classe ; et qu'il s'agisse de lecture, de calcul, d'écriture, la maîtresse a toujours une raison de le gronder ou de le réprimander à coups de baguette de bambou sur les jambes, ou à coups de règle sur la paume de la main. Tout courageux qu'il est, Raphaël ne peut pas s'empêcher de se contorsionner affreusement et d'éclater en cris qui me broient le cœur.

Pourtant, l'idée ne me vient jamais de conseiller à Raphaël de se mieux conduire. De même, n'ai-je jamais éprouvé la moindre animosité contre la maîtresse.

Non, à ces moments-là, je souffre pour Raphaël. Je ressens avec une sympathie endolorie les coups qu'il reçoit ; et tandis qu'il pleure sur son banc, la tête baissée étroitement serrée dans ses bras, je suis l'apaisement de sa douleur, et fais en moi-même le souhait qu'il ne recommence pas, ou qu'au moins la maîtresse ne le surprenne jamais plus.

Mais quand Raphaël relève la tête, à peine garde-t-il encore les joues humides, les yeux rouges. C'est sa bonne humeur qui resplendit à nouveau, et je me sens alors soulagé, guéri avec lui.

Un jour que je déjeunais dans le corridor, j'entendis venir le bruit de savates de Mme Léonce. Une panique m'envahit ; je jetai des coups d'œil affolés autour de moi, cherchant des miettes que j'aurais laissées tomber par mégarde.

— Tiens, me dit Mme Léonce.

Elle me tendait un petit plat d'aluminium que je me levai pour recevoir de sa main.

— Merci, madame Léonce.

C'étaient des haricots rouges et un morceau de viande. D'abord surpris, assez troublé, je me mis à manger tout de suite. Mais à peine Mme Léonce a-t-elle tourné le dos que je m'arrête. C'est pourtant très bon, les haricots et la viande, mais cet air peu aimable qui accompagnait le geste de Mme Léonce !...

Brusquement, s'éveille le soupçon que cette nourriture ne doit pas être réellement bonne. Depuis le premier jour où elle m'a indiqué ma place dans le corridor et sur le seuil de la porte, chaque fois que Mme Léonce paraît, je me sens comme un petit chien devant elle. Non, je ne continuerai pas de manger ces haricots et cette viande.

Je me gave en vitesse de mes bananes vertes cuites à l'eau, de mon morceau de morue, puis, emportant le plat en aluminium de Mme Léonce, en courant je traverse la rue et v'lan ! j'en verse le contenu dans l'écoulement de la fontaine. Je le lave bien propre et le rapporte à Mme Léonce.

— Tu as même lavé le plat, s'écrie-t-elle, visiblement étonnée et satisfaite, mais c'est très bien : tu es un petit bonhomme très débrouillard.

« Eh bien ! poursuit-elle d'une voix douce, tu diras à ta grand-mère que c'est pas la peine qu'elle te donne à porter ton déjeuner, je vais te donner à manger le midi. »

Je m'étais donc trompé? Mme Léonce est une personne aimable. Et moi qui avais peur d'elle! J'ai été bien sot de ne pas me régaler de ses haricots et surtout de cette belle tranche de viande!

Cette proposition m'enchanta pendant tout l'après-midi. Ce n'était pas tellement la perspective de manger d'autres plats de haricots et de viande, que l'idée de la joie et du soulagement que cette générosité apporterait à m'man Tine.

J'avais hâte d'arriver à la rue Cases pour lui porter l'excellente nouvelle.

Et puis, la bonté qui avait poussé Mme Léonce à me faire cette offre m'avait touché, s'était épandue en moi, m'avait donné une chaude sensation du resserrement affectueux du monde autour de moi.

Non, m'man Tine ne voulut pas me croire.

N'aurais-je pas mal compris? se demanda-t-elle. Car Mme Léonce lui rendant déjà l'insigne service de m'abriter pendant le déjeuner, ne pouvait pas me prendre à sa charge comme ça. Cette nouvelle la tourmenta plus qu'elle ne la réjouit.

— Je pense pas, me dit-elle enfin, au moment de me coucher, que tu as demandé quoi que ce soit à Mme Léonce!

— Non, m'man.

— Bien sûr?

— Oui, m'man.

— Car je te donne suffisamment à manger, n'est-ce pas?

— Oui, m'man.

— S'y a pas assez, t'as qu'à me dire.

— Y a toujours assez, m'man.

Et souvent même je mangeais à quatre heures ce qui m'était resté à midi.

Pour en finir, m'man Tine décida que, la semaine suivante, elle descendrait au bourg voir Mme Léonce pour savoir ce qui s'était passé et, selon le cas, s'excuser ou la remercier

Et elle confia cette affaire à la volonté de Dieu.

N'empêche que, le lendemain matin, elle voulut m'obliger à emporter mon déjeuner comme d'habitude. La nuit ne semblait pas avoir apaisé ses doutes.

Le midi, à mon retour de l'école, j'allai donc me tenir dans le corridor, attendant que Mme Léonce m'apporte le petit plat d'aluminium. J'étais trop inquiet pour en conjecturer le contenu. Inquiet, presque angoissé. Je ne savais pourquoi, je ne pouvais pas me demander pourquoi.

Le bruit de ses sandales ne tarda pas à se faire entendre et la tête de Mme Léonce, paraissant par la porte, me dit :

— Tu es là ? Entre donc, viens manger.

Je traversai une petite pièce dans laquelle j'avais pénétré le jour où j'étais venu avec m'man Tine : sur une unique table qui la meublait, je déposais chaque matin mon petit sac à déjeuner. Puis je suivis Mme Léonce dans une petite pièce attenante, toute sombre, et qui était sans doute la cuisine, car elle contenait une cuisinière en briques, une table, des casseroles suspendues aux murs, une lourde odeur d'oignons grillés, de graisse rancie et brûlée, de légumes cuits. Mme Léonce me fit asseoir sur un escabeau près de la table qui portait quelques vaisselles et d'autres ustensiles sales. Elle découvrit sur la cuisinière deux ou trois casseroles dans lesquelles elle pêcha successivement à légers coups de cuillère. Elle me tendit le même petit plat que la veille en me disant :

— Tiens, mange.

Aussitôt, elle passa dans une pièce à côté, dans laquelle, au moment où elle entrebâilla la porte, je crus voir qu'il faisait encore plus sombre qu'à la cuisine.

C'était là qu'elle devait manger, car j'entendais des cliquetis de fourchettes et d'assiettes, et sûrement avec son mari, car j'entendais sa voix et celle d'un homme.

Je ne voyais jamais M. Léonce. Sans doute, il revenait de l'usine alors que je n'étais pas encore arrivé, et repartait après moi.

La cuisine ne me plut pas. Il y faisait trop sombre. Je préférais encore être comme un petit chien dans le corridor. J'avais une impression de prison ! Je n'osais pas manger.

J'eus brusquement l'envie de me sauver. Mais aussitôt j'eus peur de me sauver.

Tout à coup, je crus entendre remuer une chaise et je me rabattis à grands coups de fourchette sur les ignames et le poisson qui se trouvaient dans mon plat. Personne n'entra, mais je continuai de manger.

Quand j'eus fini, l'idée me vint d'aller laver mon plat à la fontaine pour revoir le soleil, m'emplir d'air, jouer avec Raphaël, libérer un peu mon cœur et tout mon corps de cette oppression dont je souffrais depuis quelques instants. Mais j'hésitais, et brusquement encore une chaise remua, des savates se traînèrent et Mme Léonce entra, un plat à la main, et elle me dit :

— Tu as fini ? Eh bien ! tu vas me rendre un petit service, hein, mon petit nègre ?

— Oui, Madame, fis-je docilement.

— Eh bien ! reprit-elle, tu vas me donner un petit coup de main à faire la vaisselle.

— Oui, Madame.

— Viens, dit-elle.

Nous retournâmes à la petite pièce qui précédait la cuisine, et là, Mme Léonce ouvrit une porte donnant sur une courette pavée où les yeux butaient aussitôt sur un mur rongé de mousse et de plaques d'humidité. Le feuillage et l'ombre d'un citronnier au pied duquel s'amoncelait de la fiente de volailles emplissaient cet espace exigu. Cinq ou six poules, qui y étaient séquestrées, croyant sans doute qu'on leur apportait à manger, se précipitèrent vers nous.

A un angle de la cour, de l'eau coulait d'un robinet dans un bassin rouge, dont le trop-plein se déversait dans un autre petit bassin, qui lui-même débordait dans un caniveau.

Mme Léonce me déposa les assiettes, les plats, les casseroles, les verres, les cuillères et les fourchettes sales dans le petit bassin plat et m'indiqua la façon de procéder : commencer par les verres ; on passe deux doigts sur le savon et on les met dans chaque verre en faisant tourner pour frotter. Puis on les rince sous le jet du trop-plein et on les mire pour s'assurer qu'ils ne « pleurent » pas. Ensuite, les fourchettes, les cuillères et couteaux. Puis les assiettes. Enfin, les casseroles à frotter bien fort avec un chiffon passé dans de la cendre.

Pour sûr, je m'appliquai, et je fus soulagé quand Mme Léonce, après avoir vérifié mon travail, me dit que c'était bien et que j'étais un petit garçon réellement intéressant.

J'avais dû y mettre beaucoup de temps, car lorsque je sortis de cette cour humide et de ces petites pièces obscures pour aller dans la rue, Raphaël était déjà parti, et j'eus beau me dépêcher et courir, j'arrivai à l'école en retard.

Le soir, quand je confirmai à m'man Tine que Mme Léonce me donnait à déjeuner, ma grand-mère fut bouleversée de contentement, invoqua les plus divines bénédictions du ciel pour cette dame charitable entre toutes.

Je n'avais jamais été privé de jouer. Par conséquent, le temps que chaque jour je passais dans la cuisine sombre et la cour de Mme Léonce était pour moi un régime horrible. Impossible de me défaire de cette sensation d'être profondément reclus sous terre, en un lieu d'où je ne sortirais peut-être jamais. Mme Léonce et son toujours invisible mari me semblaient être des gens capables de me faire tout le mal possible. Je ne savais par quoi. Malgré toute la nourriture qu'ils me donnaient ! De plus, à proprement parler, je n'avais jamais subi de mauvais traitements dans cette maison ; mais rien ne me rassurait. J'avais toujours peur de Mme Léonce que, sans le vouloir, je détestais à cause de ce sentiment de rabaissement dont je ne cessais de souffrir chez elle. J'avais toujours horreur de la cuisine. Je mangeais avec méfiance ou dans la crainte de trahir ma répugnance. Et cette corvée de vaisselle qui m'empêchait d'aller rejoindre Raphaël était encore plus mortifiante que tout.

Le visage de Mme Léonce restait pour moi sans
bonté et me persuadait que tout ce qu'elle me disait
ou me faisait faire ne pouvait être bien. Il me prenait
l'envie de la dénoncer à quelqu'un... A un gros
gendarme, par exemple !

Lorsqu'il n'y avait pas beaucoup d'assiettes à laver,
ou que j'avais vite fini, elle me donnait des souliers
d'homme à décrotter et à cirer. Deux paires, trois
paires, de grands souliers, des bottines à longues
rangées de boutons et à bouts pointus.

La première fois qu'elle m'initia à ce travail, je le
signalai à m'man Tine avec un air chagrin, mais fort
prudemment, n'osant pas encore trahir mon dégoût
et mon indignation.

— C'est très bien, me répondit-elle. Mme Léonce
est gentille pour nous, il faut aussi lui rendre un petit
service de temps à autre.

Et elle appela une fois de plus la bénédiction de
Dieu et de tous les saints sur cette brave dame.

Quelle défaite pour moi !

Cirer les souliers, j'aimais mille fois moins faire
cela que de laver la vaisselle. Peut-être était-ce
surtout parce que cela me retenait d'aller jouer avec
Raphaël pendant les quelques minutes qui me restaient après la vaisselle. Je m'étais habitué malgré
tout à concevoir la corvée de vaisselle comme la
tâche logique qui suit le repas ; tandis que cirer des
bottes après déjeuner, cela troublait ma digestion,
m'intoxiquait. Et cela me faisait arriver en retard à
l'école tous les après-midi.

En outre, depuis quelque temps, Mme Léonce me
recommandait d'arriver vite, après la classe du soir,
sans flâner en chemin, afin de lui faire quelques

courses dans les boutiques du quartier avant de partir pour Petit-Morne. Ce qui m'ôtait encore l'avantage de faire route avec ceux de mes camarades qui se rendaient à Fonds-Masson, à Courbaril, à Lemberton.

Et je me pris à détester de faire les commissions encore plus que de cirer les chaussures.

J'en étais venu alors à aimer surtout la classe du matin, dont je pouvais bénéficier sans être jamais grondé par la maîtresse pour cause de retard. Ces classes du matin étaient belles comme un spectacle et comme un jeu. Dans sa robe fleurie ou blanche, à la fois protégée et agrémentée d'un joli tablier, et avec ses deux longues tresses de cheveux que tantôt elle laissait couler sur sa poitrine, et tantôt elle rejetait par-dessus ses épaules, la maîtresse dessinait de grosses lettres sur le tableau noir. Puis, braquant dessus sa longue canne de bambou, elle articulait à fond chaque lettre ou syllabe, faisant jouer ses lèvres avec ses dents et sa langue. Enfin, couvrant la classe entière d'un large coup d'œil, elle nous faisait signe de répéter.

Alors, ensemble, nos voix reprenaient, une fois. Alors la maîtresse reprenait, et nous recommencions après elle. Et elle reprenait, et nous aussi.

Je commençais par regarder la bouche de cette femme, essayant de décomposer la charmante grimace qui accompagnait le son qu'elle émettait. Puis, au fur et à mesure qu'elle nous faisait répéter, sur son visage s'épanouissait progressivement la satisfaction d'entendre de toutes les bouches le son exact. Et dès lors, c'étaient les signes blancs, implacablement moulés sur le fond noir du tableau, et projetés au bout de sa canne de bambou que nous nous efforçions de graver dans nos têtes, les fixant avec intensité, tandis que nos voix pleines, faisant écho à la voix autoritaire et exaltante de la dame, se groupaient en un choral dont je jouissais avec avidité.

Je goûtais aussi la délicieuse rigueur avec laquelle nous passions de la lecture à l'écriture.

Alors, nous ayant mis en train, la maîtresse s'éclipsait dans son appartement contigu à la salle de classe, sans avoir omis de menacer de la plus cruelle volée le premier qui ouvrirait la bouche pour bavarder.

J'aimais l'émotion que faisait courir dans la salle le bruit des pas de la maîtresse qui revenait.

J'aimais la crainte qui nous envahissait lorsqu'elle passait en revue cahiers et ardoises.

J'aimais l'entendre dire : « Rangez vos affaires » pour nous faire entonner : « *En classe, fuyons la pares... se.* »

J'aimais la récréation.

Les filles jouaient sous la véranda et nous, les garçons, nous pouvions aller partout, et aussi loin que nous voulions, sous les manguiers et près des jardins des gens qui habitaient autour de l'école. Nous pouvions entrer dans l'église pour admirer les statues, et voir les colibris qui avaient fait leur nid sur les chaînettes de suspension de la lampe rouge du Père Eternel.

Certains même allaient arracher les franges dorées qui bordaient le dessus des autels.

On jouait à chat perché dans une pièce de canne, derrière l'église.

Et partout, c'étaient des futaies, des fourrés, des

buissons, se prêtant à tous les jeux, aussi bons à faire résonner nos cris qu'à nous cacher ou nous donner à nos propres yeux l'illusion d'être des gendarmes, des voleurs, des nègres-marrons, des poussins et des mangoustes, des chiens et des sarigues.

Il y avait une période où nous courions comme de jeunes bêtes en liberté, saccageant ces alentours sauvages. Puis, sans qu'on se fût rendu compte d'une transition ou d'un changement quelconque, on se trouvait à divers jeux rassemblés sur le terre-plein de l'église, près de l'école. Des jeux qui, pour être moins tumultueux, moins échevelés, étaient aussi passionnants, aussi animés de cris, d'interpellations, de protestations, de querelles.

Et là encore, Raphaël triomphait.

Mais, une fois que, le midi, j'avais mis les pieds chez Mme Léonce, c'en était fait du reste de ma journée.

Combien de temps allait durer cette torture ?

Je ne pouvais rien faire pour m'y habituer ni pour y mettre fin.

Un après-midi, j'étais arrivé à l'école avec plus de retard qu'à l'ordinaire, parce que, après la corvée de la vaisselle et des chaussures, il m'avait fallu balayer la cour. Je m'en étais plaint à Mme Léonce avec des larmes de colère qui en rejetaient la responsabilité sur elle. Mais Mme Léonce en avait profité pour m'incriminer de trop lambiner dans ces petits travaux qu'elle me donnait à faire.

Or, un soir, j'étais arrivé assez tard à Petit-Morne pour être resté à faire toute une série de courses pour Mme Léonce, et m'man Tine n'avait voulu rien entendre, m'accusant d'avoir musardé en chemin. Ce qui m'avait valu de rester à genoux dehors jusqu'au moment du dîner.

Combien de malheurs encore allait me porter cette détestable femme ?

Un jour, Mme Léonce venait de me donner mon déjeuner et de passer dans la salle à manger, lorsqu'elle revint à la cuisine avec une cruche en terre cuite à la main, et me dit :

— Tiens, va vite me remplir ça sous le robinet.

A peine a-t-elle parlé que je bondis pour m'exécuter. Tenant la cruche par son anse, je la plonge à demi dans l'eau du bassin, laissant émerger le goulot que je présente sous le robinet. Puis je retire ma cruche du bassin pour l'apporter vivement à Mme Léonce qui m'attend à la cuisine. Mais comme je lève le pied pour repartir : « poff ! » la cruche s'écrase sur le pavé de la cour. Elle n'a pourtant pas glissé de mes doigts, ma main ne s'est pas ouverte. Rien ne l'a heurtée. Mes doigts restent crispés sur un fragment de l'anse.

Tout abasourdi par le bruit de la poterie éclatée à mes pieds avec son jaillissement d'eau sur mes vêtements, j'entends aussitôt la voix de Mme Léonce qui s'écrie :

— Tu l'as cassée ?

... Et je ne distingue plus rien, ni de mes yeux, ni de mes oreilles, ni de mes mains, ni de mes pieds.

Je suis hors de la maison. Je cours, je cours. Mme Léonce, M. Léonce, des chiens, peut-être tout le monde aussi courent après moi. Je cours tout droit, dans la rue, sans regarder les gens qui me voient

courir, sans me retourner pour voir ceux qui doivent
essayer de me rattraper.

Je ne sais pas depuis combien de temps je cours. Je
ne sais pas où je vais ni jusqu'où j'arriverai.

Je traverserais n'importe quel obstacle en courant : des flammes, du charbon ardent, une rivière,
un champ de canne à sucre.

D'ailleurs, ce n'est pas de moi-même que je cours :
je suis comme une boule de feu lancée dans l'espace.

Pourtant, peu à peu, ma poitrine se durcit, tel un
poing qu'on resserre, s'alourdit d'un poids qui descend dans mes genoux, jusqu'à mes jarrets, et donne
à mes pieds nus la sensation des cailloux pointus que
je foule.

Je me sens comme un poids qui va s'écraser au sol.
Je ne peux plus courir, je suis perdu, ils vont me
tenir. Je n'en peux plus, je vais crier ! Je me retourne,
terrifié : personne.

Personne ne me poursuit.

Je me suis échappé. Me voilà sauvé !

Mais je ne puis encore m'arrêter : mon souffle
bruyant et précipité m'entraîne, et je continue de
marcher en tournant irrésistiblement la tête de temps
en temps.

Je continue jusqu'à ce que les maisons, les gens, la
rue, aient repris leur netteté, leur réalité non hostile
à mes yeux, et que seuls les martèlements de mon
cœur dans ma poitrine, la fatigue de mes jambes, et
les morsures des cailloux à la plante de mes pieds, me
fassent songer à chercher un refuge.

Alors, machinalement, je prends le chemin de
l'école.

L'école est fermée, la véranda est vide. Je suis

évidemment le premier arrivé. Je m'assieds sur le seuil de la classe et j'essaie d'apaiser mon désarroi.

Je veux avoir simplement l'air d'être arrivé le premier. Mais ma culotte est mouillée d'eau par-devant, et, comme ma main va la toucher, je retrouve dans mon poing encore bloqué un morceau de poterie, un reste de l'anse de la cruche !

Une sourde colère me soulève, si violente que les larmes m'en viennent aux yeux.

« Ce n'est pas moi qui ai brisé la cruche. Elle est tombée d'elle-même. » Et Mme Léonce m'en a accusé d'emblée : « Tu l'as cassée. » Et ce n'est pas vrai. Et je ne pourrais jamais dire comment c'est arrivé. Je ne sais pas.

« Mme Léonce croit que c'est moi. Elle me battrait, elle me considérerait encore moins qu'un petit chien. Elle me haïrait à me faire toutes les méchancetés. »

Je pleurerais tout haut, tant je suis en colère et tant mon cœur me fait mal.

Mais la maîtresse va peut-être m'entendre. Peut-être n'ai-je même pas le droit d'arriver à l'école d'aussi bonne heure.

Alors, j'essuie mes yeux avec la manche de ma blouse, et je vais jeter dans un buisson à côté le vieux morceau de poterie. Puis je reviens m'asseoir là, le cœur toujours gros, la tête vide, incapable de me distraire.

Enfin, arrive un petit groupe d'élèves, et au même moment la porte s'ouvre, la maîtresse sort et va tirer la chaînette de la cloche pour donner le premier son.

Je ne parus peut-être pas triste cet après-midi-là : je jouai comme d'habitude.

De temps en temps, le souvenir de ce qui s'était passé se présentait brusquement, faisait sursauter mon cœur, puis, la lecture, le chant, le jeu le chassaient et m'assuraient que j'étais à l'école, c'est-à-dire dans la plus agréable, la plus hospitalière des maisons.

Le soir, après la classe, j'eus à résoudre une angoissante question à laquelle, hélas ! je n'avais pas pensé.

Comment aller à Petit-Morne sans passer devant la maison de Mme Léonce ? Le bourg n'avait qu'une rue, et Mme Léonce habitait sur mon passage.

En aucune façon je ne saurais passer devant cette odieuse maison, même en courant, sans danger d'être vu, sinon rattrapé. Mme Léonce devait sûrement guetter mon retour de l'école, et je savais que si elle me voyait et m'appelait, je ne pourrais pas fuir : je me rendrais.

Je fus le dernier à quitter la cour de l'école. Mais je me décidai hardiment.

L'unique rue du bourg courait au pied d'un morne comme une rivière, et les maisons se serraient aux bords. Mais, au flanc du morne, s'éparpillaient des cases, parmi quelques cannes, des manguiers et de grands arbres-à-pain, formant un quartier appelé le Haut-Morne.

Il devait donc y avoir sous ces arbres des sentiers reliant les cases entre elles, et les reliant à l'une et l'autre extrémité du bourg. Par conséquent, on devait pouvoir longer tout le bourg par le Haut-Morne.

Alors, empruntant les sentiers où nous nous éga-
rions autour de l'école, je m'engageai dans l'épaisse
frondaison du Haut-Morne. Il me fallut beaucoup
d'instinct pour me guider, mais je parvins à m'en
sortir tout seul, et lorsqu'une piste me fit descendre
droit derrière la borne-fontaine où je lavais mes pieds
chaque matin en entrant au bourg, je sentis avec
soulagement, avec fierté, que je triomphais de ma
terrible mésaventure.

N'empêche que j'ai eu peur, en rentrant chez
m'man Tine.

En la voyant, j'eus soudain l'impression qu'elle en
savait quelque chose. Les parents ne savent-ils pas
tout ? Mais non ; elle n'en parla pas. Elle ne savait
rien. Et je m'efforçai de paraître tranquille et
confiant.

Dieu, que j'avais faim !

Quoique n'ayant pas déjeuné, je n'avais senti la
faim à aucun moment de l'après-midi, mais ce soir-là,
dès le moment où m'man Tine alluma le feu, mon
estomac fut mis à un supplice aussi douloureux que
celui de la plante de mes pieds sur les cailloux pointus
de la rue.

Alors que mes craintes s'étaient dissipées, la
sensation de la faim me montait à la tête, à me faire
défaillir si je ne me retenais pas. J'en souffrais
tellement que la faim que j'éprouvais ne semblait pas
être le manque de quoi que ce soit, mais quelque
chose de trop lourd, de trop aigu, de trop volumineux
qui m'envahissait et m'anéantissait.

Le lendemain, j'étais guéri et j'étais calme.

Je partis pour l'école.

Qu'allais-je faire ? Ne plus jamais passer devant la

maison de Mme Léonce à l'aller ni au retour.
Adopter définitivement le chemin du Haut-Morne.
Ne pas déjeuner le midi. Flâner autour de l'école
entre onze heures et une heure. Et puis, surtout, ne
jamais avouer à m'man Tine mon nouveau mode de
vie. Bien sûr, elle le saurait un jour. Un jour, elle
irait à Petit-Bourg, elle verrait Mme Léonce. Mais en
attendant, telle était la résolution que je prenais.

Pourtant cette attitude se révéla vite moins ascéti-
que que je ne l'avais prévu.

La faim, malgré mes efforts pour y rester sourd,
pour la tromper, en faisant le plein d'eau à la
fontaine, me poussa à déambuler dans le Haut-
Morne, et dans ces parages, tous les midis, une
aubaine m'échéait, comme par enchantement. Une
personne, me voyant passer, m'envoyait lui faire des
« commissions » à une boutique, et en récompense
me donnait deux sous. Ou bien, je découvrais un
goyavier chargé de fruits, un merisier tout rouge. Je
finis par repérer tous les arbres fruitiers des environs,
et, lorsqu'ils étaient assez éloignés des cases, je me
servais sans crainte ni remords. S'ils se trouvaient
près des cases, je guettais des occasions et je volais.
Je volais les oranges de Mam'zelle Edouarzine, les
mangues de M. Ténor, les grenades de Mme Sequé-
dan, les caïmites de Mme Uphodor.

Puis s'ouvrit la récolte. Dès lors, je n'avais plus
besoin d'user de stratagème ni d'expédients pour
déjeuner. Tout autour de Petit-Bourg, auprès
comme au loin, des champs de cannes à sucre étaient
livrés aux coutelas violents des « coupeurs », et
comme autant de mouches attirées par le jus sucré,

des enfants allaient se désaltérer de toutes les cannes qu'ils pouvaient sucer.

Je n'aurais pas alors donné mon déjeuner de cannes à sucre pour le plus beau poisson ni le plus gros morceau de viande de chez Mme Léonce.

O bonheur infini de n'être plus chez cette femme ! Maintenant j'aurais été privé tous les midis d'aller mordiller de la canne. J'en serais mort.

Je m'emplissais tellement de jus de cannes à sucre que, au premier son de l'école, lorsque je quittais le champ en courant, mon estomac chargé résonnait d'un bruit de liquide agité, tel un énorme grelot — d'un bruit pareil à celui que fait en trottant la panse d'un cheval qui vient de boire.

Je ne souffrais alors de rien : plus de crainte de Mme Léonce. Mon itinéraire du Haut-Morne s'affirmait garanti et, chaque jour, je trouvais mon déjeuner avec une complaisante facilité.

Il est vrai que je n'étais pas difficile.

Et tout cela demeurait absolument ignoré de ma grand-mère, de la maîtresse d'école, de mes camarades, de Raphaël lui-même qui, depuis longtemps, ne me voyait qu'à l'école.

C'était mon secret. Je sus bien le garder, ce secret ; ou plutôt, il sut bien me préserver. Il m'arriva pourtant d'en être peiné. J'ai eu faim quand même parfois, et j'ai été tenté de m'en ouvrir à un camarade. Mais, toujours, la crainte, la timidité, ou je ne sais quelle pudeur, m'arrêtèrent.

Enfin arriva une époque où les récréations devenaient très longues et les jeux plus passionnés, plus fous. En classe même, on chantait beaucoup plus qu'on ne lisait.

Je sus et je compris, je ne sais comment, que l'école allait cesser, et que pendant longtemps — plus longtemps que nous ne l'avions fait par deux ou trois fois déjà — les enfants allaient rester chez leurs parents.

C'est pourquoi la maîtresse faisait chanter plus de six fois par jour :

> *Vivent les vacances,*
> *les vacances,*
> *les vacan... ces !*

C'était pourquoi, un matin, m'man Tine avait recommencé de m'emmener aux champs avec elle.

Autant je prenais plaisir à passer la journée du jeudi dans les pièces de canne avec ma grand-mère, autant je me prêtais de mauvaise grâce à la suivre de nouveau chaque matin, dans tous ces champs qui m'ennuyaient et que je me pris à détester.

J'éprouvai tout d'abord un grand chagrin, une nostalgie de l'école. Quoique je fusse certain que pour le moment l'école était fermée et que j'y retournerais dès sa réouverture, ma présence dans les cannes m'accablait d'appréhension et de remords.

Il m'était pénible de passer des journées entières sans lire avec d'autres enfants, à haute voix, en chœur. Cela m'était étrange de ne pas entendre la cloche de l'école ; et celle de la plantation, à midi, me rendait le cœur gros. J'avais envie de voir et d'entendre la maîtresse.

Je souffrais de ne pas courir parmi l'essaim de mes camarades d'école, et de ne pas crier à m'assourdir et à m'égosiller.

Je pensais souvent à Raphaël.

Rester muet auprès de m'man Tine dans le champ où je n'entendais d'autre bruit que le grattement saccadé de la houe sur la croûte de la terre, et les remous du vent dans les feuilles, n'ayant rien à faire que m'asseoir, me lever, déchiqueter des herbes... Parfois, je passais des heures à attaquer et décimer des caravanes de fourmis... Je m'ennuyais.

Or, tous les jeux, sauf ceux que je pouvais pratiquer seul, étaient devenus rares pour moi depuis l'incident qui m'avait séparé de mes camarades de la rue Cases ; et depuis que j'allais à l'école, il n'existait presque plus de contact entre eux et moi. Presque plus d'amitié. Nous avions des scrupules réciproques à nous fréquenter. Nous étions, me semblait-il, frappés mutuellement d'une sorte de complexe d'infériorité. Nous n'exercions plus nos caprices tyranniques de la rue Cases. Plus de jeux, plus de maraudes, plus d'expéditions dans les « traces » lointaines, plus d'incursions massives dans les halliers profonds, cousus de lianes, et qui nous effrayaient par les multiples échos de nos voix.

Quoi qu'il en fût, je n'aimais pas aller aux champs tous les jours. D'ailleurs, cela durait trop, à mon avis, et je craignais vaguement de ne plus retourner à l'école.

Pour m'en consoler, chaque soir j'organisais une classe dans la cabane de m'man Tine, traçant au charbon de bois, sur la cloison, les lettres que je connaissais, les pointant d'une baguette de bambou, jouant simultanément à la maîtresse et aux élèves. Et je terminais le tout par un pot-pourri tapageur de toutes les chansons apprises à l'école, jusqu'à ce que

m'man Tine, d'abord charmée et fière, me criât
d'une voix brusquement agacée : « Il est nuit, assez
chanté ! »

M'man Tine recommença à parler d'écrire à ma
mère.

La rentrée des classes approchait et il me fallait un
costume neuf. Tous les dimanches, retour de Saint-
Esprit, m'man Tine soliloquait sur les différentes
étoffes qu'elle avait marchandées en vue de m'acheter un costume. Cette perspective aurait pu me
donner du cœur à endurer mes journées aux champs
si, en même temps, n'était pas arrivée l'affreuse
période des pluies. Etait-je devenu plus sensible à ces
ondées féroces, aux bruits épouvantables des orages ? Cette saison était-elle exceptionnellement violente ? Toujours est-il que je ne pouvais plus me
laisser mouiller avec la même passivité qu'autrefois.

J'éprouvais pour m'man Tine la même pitié, la
même désolation qui la tourmentait pour moi. Je
n'aurais pas voulu qu'elle se laissât mouiller. Mais
elle ne s'échinait que davantage à tirer la houe.

Mon chagrin se concentrait tellement qu'à la fin
les champs de cannes à sucre m'apparaissaient
comme un danger. Ce danger qui avait tué M. Médouze sans que personne n'eût vu comment, et qui
pouvait d'un moment à l'autre, surtout un jour
d'orage, tuer aussi ma grand-mère sous mes yeux.

Lorsque le soleil commençait à descendre et que
m'man Tine s'acharnait après ces touffes de « para »
rétives, une immense panique s'éveillait en moi.

J'avais fini par comprendre que Médouze était
mort de fatigue, que c'étaient les pieds de canne, les

touffes de « para » ou d'herbes de Guinée, les averses, les orages, les coups de soleil, qui, le soir venu, l'avaient foudroyé. Or, m'man Tine subissait aussi tout cela : le soleil, les orages, les mauvaises herbes, les pieds de canne, les feuilles de canne.

Sans doute, la rentrée des classes devait être toute proche, car m'man Tine préméditait encore de faire écrire à ma mère, et mon retour à l'école était chaque jour par elle-même débattu et arrêté. Car telle était m'man Tine pour ses projets : elle commençait par en parler, — à elle seule, et jamais à qui que ce soit, — une fois, deux fois, de loin en loin ; puis elle se mettait à les répéter avec passion et enfin, du même élan, elle passait à leur réalisation.

Et c'est ainsi qu'un beau jour, m'man Tine, laissant le travail plus tôt qu'à l'ordinaire, descendit à Petit-Bourg chez Mam'zelle Charlotte pour faire écrire une lettre à ma mère. Cette décision me combla d'une joie soudaine qui me fit entrevoir comme un triomphe mon retour à l'école, la fin de ces journées tristes et misérables sur la plantation.

Mais m'man Tine revint du bourg ce soir-là complètement bouleversée.

— Quand tu allais à l'école, où mangeais-tu le midi, José ? me demanda-t-elle.

Je ne lui connaissais pas une voix aussi calme, aussi profonde quand elle me réprimandait. Le ton dont elle me parlait était si grave et si ému que je me demandai avant de répondre si c'était le début d'un interrogatoire qui devait, comme d'habitude, aboutir à une fessée, ou bien si c'était quelque chagrin qui mettait dans la voix de ma grand-mère ce tressaillement qu'elle s'efforçait de maîtriser.

Je n'avais pas encore répondu à sa question.

Pour ce dont j'étais coupable, la question, me semblait-il, était mal posée. Je ne pouvais répondre.

Que ne m'avait-elle demandé si oui ou non j'avais brisé la cruche ? Ou pourquoi l'avais-je fait ? Ou pourquoi je m'étais enfui de chez Mme Léonce ? Puisque c'était bien là qu'elle voulait en venir, n'est-ce pas ?

A moins alors que cette Mme Léonce ne lui eût dit sur mon compte des choses que je ne pouvais même pas deviner.

— Hein ! reprit m'man Tine, chez qui déjeunais-tu quand tu allais à l'école ?

— Chez personne, m'man.

— Comment, chez personne ?

— Non, m'man.

— Et qu'est-ce que tu mangeais alors ?

— Rien, m'man.

Et pourquoi ne m'avais-tu pas dit que tu n'allais plus chez Mme Léonce ?

Je ne répondis à aucune autre question. D'ailleurs, m'man Tine n'insista pas. Elle ne me parla pas du pot cassé. Mais jamais je ne l'avais vue aussi désolée, aussi abattue.

Comme devenue presque hébétée, elle se confondait en lamentations :

« Le pauvre enfant ! Rester sans déjeuner, comme ça. Un ver aurait pu piquer son cœur. On aurait pu m'amener cet enfant mort, mort de faim ! Quelle honte pour moi ! Et qu'aurait dit Délia ? Quelle explication lui aurais-je donnée ? Et personne n'aurait voulu croire à mon ignorance, à mon innocence. La Loi m'aurait peut-être enchaînée, traînée, comme une grand-mère qui envoyait son petit-fils à l'école sans manger. Dieu qui m'entends, crois-tu que même un grain de farine j'aurais pas donné à cet enfant ?... »

Moi, je ne comprenais rien à cette réaction de m'man Tine. Elle ne m'avait pas administré la plus cinglante volée : je n'en revenais pas. Cet attendrissement me paraissait anormal. Mme Léonce ne lui avait-elle donc pas dit que j'avais brisé sa cruche ? Et n'étais-je pas coupable d'avoir fui, d'avoir toujours laissé croire que j'étais chez Mme Léonce, d'avoir vagabondé dans le bourg tous les midis ?

Non, je n'y compris rien.

Le lendemain, pendant toute la journée, m'man Tine me parla encore, dans le champ, avec cette voix sourde, endolorie, et cet accent qui peu à peu me prenait à la gorge.

Durant toute une semaine, m'man Tine descendait au bourg presque chaque soir, ce qui ne me contrariait nullement, car à chaque fois elle me rapportait soit un bonbon, soit une lamelle de pain que je mangeais — l'un et l'autre — comme dessert, après mon plat de légumes et de sauce.

Un jour, elle se mit à dégarnir ses étagères comme elle faisait lorsqu'elle nettoyait la case à fond. Mais, au lieu de laver ses tasses, ses verres et assiettes pour les remettre à leur place, elle les enveloppait dans des haillons et les mettait dans son panier de bambou. De la même manière, elle assemblait toutes les choses de la case.

Ce fut la visite de notre voisine, Mam'zelle Valérine, qui m'éclaira sur ce qui se passait.

— Alors, tu vas nous quitter, à ce qui paraît?
demanda-t-elle.

— Ah! oui, répondit m'man Tine. Mam'zelle
Charlotte est une personne qui aime pas les enfants :
c'est pas la peine que je lui demande pour que José
mange chez elle le midi. C'est Mme Léonce qui
pouvait me rendre ce service, et voilà que... Alors,
j'avais que ça à faire : l'école s'ouvre la semaine
prochaine.

— C'est quand est-ce que tu vas charroyer? Je
voudrais te donner un petit coup de main.

M'man Tine quittait la rue Cases-Nègres. Elle
allait habiter Petit-Bourg !

Je retournerais à l'école, et le midi j'irais chez
m'man Tine ; je mangerais chez elle. Je deviendrais
un enfant du bourg.

Ce qui fut fait quelques jours plus tard.

Tout se passa, à mes yeux, avec une facilité qui,
une fois de plus, renforça ma conviction que les
parents détenaient parfois des pouvoirs prodigieux
que les enfants ne comprendraient jamais.

Tout s'accomplit comme si m'man Tine eût été une
de ces vieilles femmes dont me parlait M. Médouze
dans ses récits et qui, chaque fois qu'un personnage
sympathique se trouvait malheureux, apparaissaient
pour le délivrer et exécuter ses désirs.

M'man Tine n'avait-elle pas été vraiment la fée qui
avait réalisé mon rêve ?

Tout s'était arrangé dans un ordre que mon
cerveau n'eût pas su créer et qui m'enchantait.

Nous habitions la Cour Fusil.

Deux longues baraques parallèles couvertes en

tuiles, divisées en compartiments, donnant sur une étroite impasse grossièrement pavée.

Le tout portant le nom du grand aristocrate local qui en était propriétaire : Fusil.

Ma mère avait certainement envoyé l'argent, car j'avais un costume neuf, et j'étais retourné à l'école.

Chaque matin, m'man Tine faisait exactement comme lorsque nous étions à Petit-Morne : le café, mon pot de café clair avec la farine de manioc ; les légumes pour mon déjeuner ; l'arrimage de son panier de bambou ; ses recommandations habituelles :

« Déchire pas tes vêtements, arrache pas tes boutons pour jouer aux billes, cours pas trop vite pour tomber et t'écorcher les genoux, remue pas les affaires dans la chambre. Fais rien pour m'endêver. »

Puis elle allumait sa pipe, chargeait son panier sur sa tête, se recommandait à Dieu, et partait pour Petit-Morne.

Car elle y restait attachée, comme la plupart des gens du bourg, d'ailleurs, qui allaient travailler sur les plantations environnantes.

A midi, je rentrais, déjeunais, prospectais la pièce de fond en comble et trouvais la boîte à sucre, y puisais avec adresse mon dessert.

Puis j'allais flâner, en quête de fruits, jusqu'à la première sonnerie de l'école.

Le soir, je m'attardais à jouer avec quelques camarades devant l'école, puis je rentrais à la Cour Fusil, après m'être assuré que je n'étais coupable de rien d'extraordinaire. Parfois j'allais à une borne-fontaine, au bord de la chaussée, pour me laver le visage, les mains et les pieds ; et, en attendant le

retour de m'man Tine, je restais à l'entrée de la cour
pour regarder les gens : les ouvriers d'usine, les
voyageurs revenant de Fort-de-France par un petit
bateau à vapeur qui, par la Rivière-Salée, reliait le
bourg à la mer, et toute la région à la ville.

C'était l'heure aussi où les autres locataires de la
Cour Fusil rentraient du travail. La plupart travaillaient peut-être à l'usine, non loin du bourg, puisque
beaucoup revenaient déjeuner à midi.

Je ne les connaissais pas tous. M'man Tine voisi-
nait très peu.

Je connaissais Mam'zelle Délice, pour l'avoir
entendue appeler, et surtout parce qu'elle avait
particulièrement frappé ma curiosité : une petite
vieille, toute courte, étroite, au visage réduit ; mais
qui était lestée du pied le plus volumineux qu'on eût
jamais vu.

Sous sa jupe fripée dépassaient une jambe et un
pied qui étaient comme le pied nu et la jambe
dépassant la jupe fripée de n'importe quelle vieille
femme noire ; mais à côté, l'autre jambe, à partir du
genou, s'enflait, s'arrondissait, se boursouflait à
éclater, prenant la forme d'une énorme saucisse
noire, puis s'étranglait à la rencontre du cou-de-pied
qui, cédant au même mouvement et dans la même
proportion, imitait la forme d'une demi-calebasse
renversée. De grosses verrues tenaient lieu d'orteils
et me faisaient chacune l'effet d'un caillou ; à tel
point que je m'étonnais autant de ne pas entendre ce
pied faire du bruit, que de l'aisance avec laquelle
Mam'zelle Délice marchait.

J'avais pourtant déjà vu des cas d'érysipèles et de
lymphangite à la rue Cases-Nègres, je vous le dis !

Mais cet éléphantiasis m'apparaissait comme le monstre le plus horrible.

C'était d'ailleurs, comme je devais l'apprendre ensuite, un cas de « quimboisement », un sort que jadis un galant dédaigné et blessé dans son orgueil avait jeté à Mam'zelle Délice.

Je connaissais aussi Mam'zelle Mézélie, dont la chambre touchait à la nôtre. Une grande femme qui était toujours chez elle vêtue d'une simple chemise, et qui m'envoyait souvent lui acheter du rhum lorsqu'il y avait un homme en dedans avec elle.

Il y avait M. Toussaint qui, lui, devait travailler sur une plantation : sur son pantalon il portait le tablier de sac comme les travailleurs de Petit-Morne.

Il y avait une femme dont les seins ballottaient comme deux courges dans son corsage. Elle avait un petit enfant qui pleurait presque toute la journée, parce qu'il restait seul tandis que la maman était au travail.

Le personnage le plus sympathique, le plus important à mes yeux, était M. Assionis, conteur, chanteur et tambourineur de sa profession, et dont la femme, Ti-Louise, quoique à peine plus jeune que ma grand-mère, avait une brillante réputation de danseuse de « bel-air ».

Il ne travaille ni à l'usine, ni sur aucune plantation. Il reste chez lui pendant la journée, et presque chaque jour on vient le quérir pour aller « chanter » la veillée d'une personne morte, auprès ou au loin. Alors, presque tous les soirs, il met son tam-tam sur son dos, prend son bâton et, accompagné de Ti-Louise, il part.

Il est parfois sollicité en plusieurs endroits en

même temps. On le supplie, on lui promet de part et d'autre des sommes énormes et toutes sortes de bonnes choses à manger et à boire dans la soirée. Alors, il se fâche, éconduit tout le monde et, plus tard, s'en va avec le plus tenace de ses clients.

Le samedi soir, il va jouer et chanter sur les plantations ; et c'est là que, entre deux laghias de la mort, Ti-Louise danse le « bel-air » comme une femme qui a vendu son âme au diable, dit-on.

Mme Popo était gentille aussi : elle vendait du corossol (1) le matin et fabriquait du « mabi » (2).

Enfin, la Cour Fusil se complétait d'autres personnes encore que j'entendais rire, parler, se disputer, et que j'avais vues très peu jusque-là.

Je n'avais jamais visité les autres chambres de la Cour Fusil, mais je les imaginais, de l'extérieur, pareilles à celle qu'occupait m'man Tine : aussi petites, aussi sombres, avec un parquet de longues planches disjointes et branlantes, qui faisaient tout danser à chaque mouvement et à chaque pas lorsqu'on bougeait. Aussi peuplées de cafards, de souris et de rats. Aussi perméables à la pluie et aux rayons du soleil.

Dans un coin, m'man Tine avait monté le lit : les mêmes quatre caisses de la rue Cases, avec les planches, la paillasse et les haillons. Sur une autre caisse placée au chevet du lit, elle avait posé son panier caraïbe contenant nos bons vêtements. Sa table, ses étagères, son matériel de cuisine, tout le

(1) Fruit charnu et juteux qu'aux Antilles on mange le matin.
(2) Bière de gingembre.

reste avait été disposé comme dans « la salle »,
quand nous habitions rue Cases-Nègres.

A ce que j'apercevais par les coups d'œil que je
jetais en passant chez les autres locataires, la pièce
était séparée en deux par un rideau d'indienne, de
papier peint ou de papier journal. La partie de
devant représentait « la salle », et certainement celle
de derrière le rideau était la chambre.

Je restai longtemps à me demander pourquoi
m'man Tine n'en avait pas fait de même. A la fin,
j'en conclus — je ne sais par quelle déduction — que
c'étaient les femmes qui avaient un homme chez elles
qui cachaient leur lit avec un rideau.

Quelque chose a changé dans mon train de vie : le
jeudi, au lieu de suivre m'man Tine dans les pièces de
cannes à sucre je reste au bourg. Je ne vais plus à
Petit-Morne.

Alors, comme la plupart des enfants du bourg, je
passe mon jeudi à me promener sur le bord de la
Rivière-Salée. Je m'amuse avec d'autres camarades à
capturer, pour jouer avec et les mutiler ensuite, de
tout petits crabes dont les trous criblent la berge, à
lâcher dans l'eau des bouts de bois en guise de canots
de course, et à pêcher la crevette.

J'ai appris à nager, à force de voir les plus grands
que moi se jeter à l'eau et, à grands renforts de
battements de bras et de pieds, parvenir à l'autre
rive.

Le nombre de mes camarades a considérablement
augmenté. Plus particulièrement je connais Michel,
un gros, que nous appelons Panse parce qu'il a un
ventre épais. Il est fort et ne pleure jamais. Michel a

un frère, au contraire frêle et très poltron, Ernest, et une petite sœur, Hortense.

Les trois font toujours bande ensemble.

Je connais Sosso, un que nous respectons beaucoup parce qu'il sait bien nager et nous fait des misères dans l'eau lorsque nous ne lui obéissons pas.

Et puis aussi Camille, dont la culotte ne se soumet à aucune bretelle, aucune ceinture, et s'échappe de son ventre aux moments les plus imprévus et dans les endroits les moins indiqués.

Raphaël reste toujours mon bon copain, mais nous ne nous fréquentons qu'à l'école. Il habite assez loin de chez m'man Tine et, d'autre part, sa grand-mère lui donne toujours de petits travaux domestiques à faire après la classe.

Michel, Ernest, Hortense, Camille, tous ceux-là je les apprécie surtout hors de l'école, près de la rivière, par exemple. Et Raphaël est presque exclusivement mon camarade d'école : nous ne nous voyons presque pas, une fois la classe terminée.

J'ai, dans le même genre, un autre camarade qui, en classe, est assis à côté de moi : Vireil. La maîtresse le bat souvent, lui reprochant d'être « fainéant comme un pou » et « bavard comme une pie ». Malgré tout, Vireil est un garçon qui m'étonne.

Bronzé, il a la peau et les cheveux (de longs cheveux noirs et souples) qui brillent comme s'il se fût baigné chaque matin dans de l'huile de coco. Son costume le serre aux épaules, à la poitrine, aux cuisses. Sa culotte menace toujours d'éclater au derrière, car il est épais et râblé. Il parle d'une voix qui fait se retourner tout le monde, et que la maîtresse entend toujours, même lorsqu'il s'efforce de chuchoter. Car sa voix est déjà celle d'un homme, d'un homme grand, qui travaille, monte à cheval, qui fume et parle aux femmes. Et, comme un homme, il a de longs poils raides sur le revers de ses mains et sur ses gros mollets. Vireil est un des rares élèves venant à l'école avec des souliers. C'est le fils d'un géreur, celui des Digues, je crois.

Nous aimons tous Vireil, et c'est pour moi un très gros avantage d'être à côté de lui. Vireil connaît des choses et nous en raconte d'éblouissantes, de saisissantes, qui nous ravissent, nous excitent, nous font frémir.

Des histoires de gens-gagés, par exemple. Des personnes qui, la nuit, se transforment en n'importe quelle bête ; parfois même en plantes et qui, sous cette apparence, font du mal aux autres, aux chrétiens, sur les ordres du diable.

Vireil a déjà entendu des bâtons-volants : des gens-gagés en forme de bâtons ailés qui, la nuit, survolent la campagne avec un bruit de vent qui parle, et sèment la maladie, le malheur, la mort même dans les cases.

Aussi, nous a-t-il recommandé de planter une croix en bois sur le toit de la maison de nos parents, car c'est, dit-il, la seule arme qui tue les bâtons-volants.

L'animal dont les gens-gagés revêtent le plus communément la forme est le lièvre. Une nuit, vous revenez d'une fête, par exemple, et brusquement quelque chose de blanc traverse d'un seul bond le chemin : un lapin ! C'est un gens-gagé ! Signez-vous.

Les gens-gagés se présentent quelquefois aussi sous forme de chiens énormes qu'on rencontre, la nuit, à un carrefour, les yeux projetant des lueurs aveuglantes, la gueule pleine de flammes.

Quel ne fut pas notre émoi le jour où Vireil nous apprit que, chaque nuit, le bourg est parcouru de haut en bas par un énorme cheval qui n'a que trois pattes. Dans un silence absolu, tous les gens du bourg, paraît-il, peuvent entendre les pas de ce monstrueux animal.

Vireil nous cite des noms de personnages du bourg réputés gagés ; des gens envers qui il faut être respectueux, dont il faut surtout se garder de rire ou de se moquer, tels que M. Julios, Mme Boroff, M. Godissart, Mam'zelle Tica.

Il nous a donné des recettes pour nous préserver des méfaits des zombis : toujours porter à même la peau, comme lui, une fibre de mahot autour des reins.

Confirmant ce que m'avait appris M. Médouze, Vireil nous a dit que tous les békés, tous les richards, sont des voleurs gagés.

Outre ces réalités vécues, ces témoignages personnels, Vireil nous dit des contes. Mais à la façon dont il les dit, les contes ne diffèrent nullement de la réalité.

« Il y avait un petit garçon qui n'avait pas de maman et qui habitait chez sa marraine. A la campagne, naturellement. Un endroit comme Courbaril. La marraine était méchante, méchante, et le battait. Polo, il s'appelait, le petit garçon. Le soir, après dîner, la marraine et son filleul mettaient leur linge de nuit et allaient se coucher. Comme il n'y avait qu'une seule et toute petite chambre, la marraine ne faisait pas un couchage à part pour Polo, et

les deux couchaient dans le même lit. Elle n'avait pas
de mari, d'ailleurs. Puis elle soufflait sur la lampe, et
Polo ne tardait pas à s'endormir. Polo dormait très
fort, mais, par contre, il était très matinal. Il s'éveillait aux premiers chants du coq. Comme il n'avait
nulle part à aller, il restait dans le lit ; mais il
entendait tous les bruits que fait le jour en s'ouvrant.
Et dès que la clarté était entrée par les fentes de la
palissade, il pouvait distinguer tout ce qui se trouvait
dans la chambre. Aussi bien, une fois, Polo, en
rouvrant les yeux, remarqua que sa marraine ne se
trouvait plus à côté de lui. Elle ne pouvait pas être
non plus dans la salle. Il n'y avait aucune lumière,
aucun bruit. Cela ne l'avait pas effrayé, mais il n'en
était pas moins intrigué, lorsque, tout à coup, il
entendit : « wou-wou ». Quelque chose qui volait
par-dessus le toit de la case. Puis, le bruit cessa et, en
même temps, Polo sentit comme si un gros oiseau
s'était posé sur la case.

« Ce coup-là, son cœur se mit à battre.

« Aussitôt, il entendit s'ouvrir la porte, et une
personne entra dans la chambre. »

— Sa marraine ! s'exclama Raphaël.

— Mais elle était sans peau, reprend Vireil.

— Ciel !...

« Troussée comme un lapin, elle entra doucement.
Polo ne bougea pas. La marraine alla derrière la
porte de la chambre, y décrocha quelque chose : sa
peau ! Elle la remit comme on revêt une veste et un
pantalon, se secoua un peu pour l'ajuster et redevint
comme elle était.

« Naturellement, la journée ne se passa sans que

Polo reçût une volée. C'était une femme méchante, vous dis-je.

« Depuis, Polo ne dormait pas lorsque sa marraine avait éteint la lampe. Peu après, il l'entendait se relever, rallumer la lampe. Puis elle se mettait nue, toute nue ; puis elle faisait quelques petits gestes, comme ça, comme ça, murmurait des paroles, des prières sans doute, et sa peau tombait, exactement comme un linge. Alors, elle la ramassait, la suspendait à un clou derrière la porte et : « wou-wou-wou », elle prenait son vol au-dessus de la case. »

— C'était donc un bâton-volant !

« Polo ne l'aimait pas du tout, cette femme, et depuis qu'il avait remarqué qu'elle était gagée il la haïssait encore davantage.

« Or, un jour, elle lui donna une telle volée de coups de liane, qu'elle l'écorcha jusqu'au sang. Et le soir, au moment d'aller se coucher, elle dit à Polo :

« — Laisse-moi mettre un petit remède pour toi sur ton bobo.

« Elle tenait à la main un coui rempli d'un liquide dont elle lava le bobo du petit. Dieu ! c'était de la saumure. Pensez donc si le pauvre petit bougre eut mal, et s'il hurla de douleur, et s'il pleura !

« Mais lorsqu'il fut couché, une idée lui vint.

« Il attendit que sa marraine se fût dépouillée de sa peau pour ses expéditions diaboliques aériennes, et à peine eut-elle pris son vol qu'il se leva, alla chercher le coui qui contenait le reste de la saumure, prit la peau, la plongea dedans, l'en imprégna à l'envers et la suspendit soigneusement à sa place.

« Au petit jour : « wou-wou-wou », la marraine rentre comme d'habitude, va derrière la porte, prend

sa peau, mais : « houyouyouyouï ! houyouyouyouï »,
gémit-elle, « houyouyouï ! » chaque fois qu'elle
essaie de la poser sur sa chair.

« Houyouyouyouï », fait Vireil.

Et sa grimace, ses crispations et ses contorsions
sont tellement impressionnantes, tellement suggesti-
ves, que le supplice de la marraine nous gagne en
même temps que la sympathie pour Polo nous
soulève, nous fait éclater et d'horreur vengeresse et
de rire triomphal. Et alors, voilà la maîtresse qui se
précipite sur nous.

Le temps de nous écarter, de nous recourber en
mettant un bras en bouclier, de crier : « C'est pas
moi, madame », la verge de bambou a brisé l'enchantement. Et tout le groupe, jusqu'à Vireil lui-
même, de sangloter de douleur.

Mais rien ne nous empêchera d'entendre la fin de
cette passionnante histoire.

Vireil, peu après, se dévoue, et nous souffle, une
main devant sa bouche :

— La marraine ne put pas remettre sa peau.
Quand vint le jour, elle mourut, car la lumière du
soleil tue les gens-gagés. Comme elle avait une belle
case et une grande propriété, Polo en hérita. Il s'est
acheté un beau cheval, et a épousé une femme
adorable.

Elève extraordinaire, Vireil ! Merveilleux camarade ! Si extraordinaire et si merveilleux pour nous
que la maîtresse a beau répéter, à tout instant, que
c'est le plus mauvais élève, notre béate admiration
pour lui demeure toujours entière.

L'école est mixte, mais nous ne pouvons pas jouer
pendant la récréation avec les filles, puisqu'elles

restent sous la véranda, surveillées par la maîtresse ;
et en classe il y a des bancs de filles et des bancs de
garçons. De sorte que ne pouvant nous amuser avec
elles, nous leur faisons des niches, nous les taqui-
nons, nous les baptisons de tous les vilains noms.

Plus chaude encore est la camaraderie qui me lie à
Georges Roc. C'est un visage brun, tout rond, des
cheveux raides, mais épousant le crâne comme une
calotte, de grands yeux noirs, toujours voilés de
mélancolie, et des lèvres lourdes et pendantes, Georges Roc n'est pas plus grand que moi. Il est peut-être
plus gras, mais ne doit pas être plus fort, en tout cas.
Il est toujours propre, changeant de costume le lundi
et le vendredi et, tout comme Vireil, porte des
bottines que d'ailleurs, tout comme Vireil, il enlève
pour mieux courir pendant la récréation.
    Ce n'est pas à l'école que nous avons fait connais-
sance. Ses parents habitent non loin de la Cour Fusil,
et chaque fois que je passais dans la rue, quelquefois
le midi et tous les soirs, je le voyais assis sous une
véranda.
    Un jour, ayant alors remarqué que nous étions à la
même école, nous avons engagé la conversation. Est-
ce lui qui a parlé le premier ou moi ? Et depuis,
quoique ne le recherchant pas particulièrement à
l'école, tous les midis et tous les soirs je vais le
rejoindre sous sa véranda pour causer avec lui.
    La maison des parents de Georges Roc est beau-
coup plus belle que les autres maisons avoisinantes.
Peinte de couleurs claires, la façade en est ouvragée
de fenêtres à persiennes. Je n'ai jamais vu la maman
ni le papa de Georges Roc.

Elle est toujours à l'intérieur, paraît-il, et lui, M. Justin Roc, il arrive le soir dans son auto ; et d'aussi loin que Georges en perçoit le klaxon, ou même le bruit du moteur, coupant toute conversation, il me crie :

— Mon papa ! Sauve-toi !

Aller causer avec Georges Roc a l'air de comporter quelque risque pour lui ou pour moi. En tout cas, mon camarade, bien qu'insistant pour que je vienne toujours, a l'air d'enfreindre une interdiction !

Pourtant, j'étais devenu très attaché à Georges Roc. Je l'aimais, pas pour la joie de jouer avec lui, pas pour un quelconque talent qui le distinguât, pas même pour sa gentillesse ; mais surtout parce qu'il était toujours triste, et que les choses qu'il me racontait me faisaient de la peine.

Jamais je n'avais éprouvé de mélancolie auprès d'aucun camarade. Georges Roc était le premier être se voyant, se sentant malheureux, que j'avais rencontré.

Dans mon cœur d'enfant de sept ans, il avait pris une place à part, la plus sensible et la plus sombre.

Tous les jours, Georges Roc avait du malheur. Tous les jours il avait pleuré ; et lorsque le soir, vers six ou sept heures, j'allais le rejoindre, c'était de ses malheurs qu'il me parlait.

Mam'zelle Mélie avait rapporté des choses sur son compte à sa mère, et celle-ci l'avait battu. Mam'zelle Mélie, cette vieille négresse en robe noire et aux jarrets secs, dont j'associais dans mon esprit la silhouette et le nom à ceux d'un merle, paraissait être chez M. Justin Roc une domestique comblée d'une estime qui lui conférait même certaine autorité sur Georges.

Ou bien, il avait sali ceci, jeté cela, n'avait pas fait telle chose, en avait dit telle autre, à cause de quoi on l'avait battu ou grondé.

Moi, j'en faisais bien d'autres, impunément, le plus souvent. Tandis que tout lui attirait des coups : le chat dont il tirait parfois la queue, ses souliers qu'il usait trop ou qu'il n'avait pas bien cirés, ses costumes qu'il salissait ou abîmait, ses dents qu'il n'avait pas brossées, ses ongles qu'il n'avait pas nettoyés, sa fourchette qu'il tenait mal à table. De sorte que Georges était dans un perpétuel chagrin ; et lorsque plus tard, à la suite des confidences et des révélations que m'apportait chacun de ses déboires, je connus son histoire, Georges Roc devint pour moi l'objet de la plus grande pitié.

Comment aurais-je imaginé qu'on pût avoir une maman toujours installée dans l'ombre et la fraîcheur d'une si belle maison, un père contremaître à l'usine, possédant une auto, et n'être pas le plus heureux des garçons ?

Il me fallut entendre Georges Roc, assis par terre, à côté de moi, sous la véranda, murmurer lui-même sa triste histoire.

Chez lui, on l'appelait Jojo, mais il n'en était pas plus cajolé. Son père, un grand mulâtre, portait moustache et chapeau Panama. Mais Mme Justin Roc, dont j'entendais quelquefois le pas et la voix derrière les persiennes, n'était pas sa mère.

Quelle ne fut pas ma stupéfaction lorsque Jojo m'avoua que sa vraie mère était Mam'zelle Gracieuse, cette femme qui habitait non loin de la Cour Fusil, non loin de la maison de M. Justin Roc, que je

voyais tous les jours, et pour qui j'avais même été
faire des commissions parfois.

Pourquoi Jojo n'habitait-il pas chez sa maman ?
Pourquoi ne l'avais-je jamais vu chez elle ? Pourquoi
n'y allait-il pas souvent ?

— Pourquoi n'y vas-tu pas à présent, par exemple,
où cette femme qui n'est pas ta maman vient de te
battre ?

Plus effarante et plus pitoyable encore fut l'explication de Jojo.

M. Justin Roc était le bâtard d'un vieux béké.
Avant d'être contremaître à l'usine, M. Justin avait
été géreur de l'habitation Reprise.

Mam'zelle Gracieuse était une travailleuse de la
plantation, et comme rien n'était plus facile aux
géreurs et aux économes de disposer selon leurs
désirs, leurs goûts et leurs appétits, aussi bien des
jeunes filles aux seins à peine bourgeonnants que des
jeunes femmes à la chair moelleuse et musquée,
courbées dans les champs, Gracieuse avait eu un
enfant de M. Justin.

Puisqu'elle était une jeune, grasse et belle
câpresse (1), à peau d'ambre, M. Justin en avait fait
sa maîtresse et reconnu l'enfant. Puis, ils étaient
venus habiter le bourg lorsque M. Justin avait été
promu contremaître. Dans un petit logement de trois
pièces, Gracieuse avait continué de vivre avec lui, à
la fois aimante, respectueuse et soumise, passant aux
yeux de ses anciennes camarades pour une femme
qui avait eu de la chance d'avoir été choisie comme la
maîtresse d'un mulâtre, d'un contremaître, et se

_____

(1) Octavonne.

trouvant en réalité dans la situation d'une bonne qui couchait avec son maître.

Ainsi vivait Jojo. J'étais encore à Petit-Morne sans doute. Et il n'était jamais battu, ne souffrait de rien, était gâté par son papa ; aussi libre, aussi heureux de tout que tous les garçons du bourg.

Puis, un jour, tout changea.

M. Justin Roc avait fait construire cette belle maison, y avait fait apporter des meubles neufs, il y avait eu une cérémonie, avec beaucoup d'autos, beaucoup de mulâtres, quelques békés, des dames en robes de cérémonie : M. Justin s'était marié.

Il avait amené Jojo habiter dans la belle maison, avec la nouvelle femme qui y était venue et qu'on appelait Mme Justin. Sa mère était restée seule dans une chambre au lieu de trois, et chaque fois que Jojo allait la voir, elle l'embrassait, avec des larmes aux yeux.

A mon sens, c'était regrettable, mais je ne voyais pas encore tout ce que ce changement comportait de réellement malheureux pour Jojo lui-même.

— Je pleurai un peu, moi aussi, me dit Jojo, puisque je voyais pleurer ma maman ; mais j'allais souvent chez elle et je ne sentais pas beaucoup le changement. Je passais l'embrasser tous les matins en allant à l'école, à onze heures à mon retour, l'après-midi à l'aller, et à quatre heures surtout je m'attardais longuement à manger le goûter qu'elle me réservait, et à jouer devant sa porte.

« Mais, je ne sais pourquoi, un jour, maman Yaya — c'est comme mon papa m'a dit d'appeler sa dame — me dit qu'elle ne voulait pas que je reste aussi longtemps chez ma maman. Alors, je raccourcissais ma visite après la classe du soir, mais dès que je me trouvais seul sous la véranda j'y courais — histoire d'y faire un tour, de voir ma maman, parce que je ne pouvais pas rester seul, comme ça, sous la véranda, alors qu'elle était là, tout près.

« Eh bé ! assez souvent, pendant que j'y étais, Mam'zelle Mélie (c'est maman Yaya qui l'avait amenée) venait me chercher, et chaque fois maman Yaya me grondait.

« Et tous les jours c'était la même chose, jusqu'à ce qu'un soir, sur le rapport de maman Yaya, mon papa me donna une fessée avec son large ceinturon de cuir : « Puisque tu es si désobéissant, me cria-t-il, je te défends d'aller chez ta maman Gracieuse sans ma permission. »

« Le lendemain, en allant à l'école, je le dis à m'man Gracieuse, et le soir, lorsque mon papa arriva, maman Yaya lui raconta que le matin, comme une vraie négresse des plantations, m'man Gracieuse était venue devant la maison, l'avait interpellée et injuriée.

« Elle s'en prit alors à mon papa, lui disant que s'il n'avait pas été si cochon avant son mariage pour fréquenter des négresses sales et vulgaires, je n'aurais pas existé pour lui valoir, à elle, du scandale. Et, ce soir-là, je reçus quelques gifles. Et depuis, Mam'zelle Mélie fut chargée, lorsque je me rendais à l'école, de m'accompagner bien au-delà de chez ma maman, afin que je n'y entre pas du tout.

« Un jour, m'man Gracieuse s'est battue avec Mam'zelle Mélie. Un autre jour encore, elle est venue ici invectiver la dame de mon papa et la maudire.

« N'empêche que chaque fois que je trouve une occasion je cours voir ma maman. Mais Mam'zelle Mélie m'épie et ne cesse de me cafarder à maman Yaya et à mon papa. Et alors, c'est sur moi qu'on passe tout : on trouve toujours quelque chose à redire de moi pour me battre ou me faire battre par mon papa. »

En conséquence, Jojo ne pouvait jamais dépasser les limites de la véranda pour aller jouer ailleurs, avec les autres petits garçons du bourg. Il était toujours soucieux, toujours tremblant, m'adjurant de fuir ou de me cacher chaque fois qu'il entendait bouger sa maman Yaya, parler Mam'zelle Mélie ou venir l'auto de son père. Et il me suppliait chaque jour de revenir le soir, moi qui jouissais de la liberté d'aller jouer un moment dans le voisinage, après dîner, contrairement à lui, à qui il était permis tout juste de rester accroupi sous la véranda jusqu'à l'arrivée de la voiture de son père.

Jojo ne me raconta pas tout cela d'une traite. Chacun de ses déboires l'amenait à des confidences qui faisaient apparaître insondable le malheur de mon camarade.

Parfois, j'aurais voulu me livrer avec Jojo à des jeux bruyants et diaboliques comme j'en avais l'habitude. Mais il était un garçon lié et condamné au silence. Il trouvait que je parlais toujours trop haut, et que je riais trop fort.

Jojo était à mes yeux d'autant plus à plaindre que, pour ma part, depuis que j'habitais le bourg, m'man Tine ne me battait presque plus. De loin en loin, je recevais une ou deux calottes, parce que j'avais fait sauter des boutons à mes vêtements pour les jouer aux billes avec Raphaël qui me gagnait toujours (il gagnait presque tout le monde, lui), ou pour avoir chipé du sucre quand le goût m'en prenait. D'autre part, m'man Tine, quoique ne me dispensant pas plus de caresses qu'auparavant, avait beaucoup plus d'attentions pour moi. Certains soirs, elle m'interrogeait sur ce que l'on m'enseignait en classe et me demandait de lui dire une petite histoire, une fable ou une chanson. De temps en temps, elle me donnait un morceau de papier imprimé dans lequel on lui avait enveloppé deux sous de sucre ou un sou de poivre, et me disait de le lire pour elle. Plus d'un soir, alors qu'à la lueur de notre lumignon à pétrole je livrais une bataille passionnée à un de ces bouts de papiers, je crois avoir surpris dans le regard de m'man Tine la plus profonde tendresse, rehaussée de l'admiration la plus touchante.

Ma vie commençait à devenir routinière. Je connaissais déjà le bourg, ses maisons, tous ses bosquets, les moindres petits sentiers des environs. Je ne redoutais plus les abords de chez Mme Léonce. Les personnes les plus remarquables d'une façon ou d'une autre m'étaient aussi familières que les arbres fruitiers les plus opulents.

Je n'avais plus rien à découvrir.

Le temps s'écoulait, impassible, ou plutôt n'avait pas l'air de passer du tout. Les gens, les choses, mes camarades restaient les mêmes, pareils à eux-mêmes.

Et si à l'école on apprenait des choses nouvelles, cela ne suffisait pas pour me faire sentir que je changeais ou que quoi que ce soit subissait un remous quelconque.

Quelques faits s'étaient si tranquillement rangés dans l'enfilade des choses qu'ils m'avaient paru tout naturels, presque sans valeur : mon passage de la classe de Mme Saint-Brix à l'école des grands, en haut du bourg, mon entrée au catéchisme, la disparition de certains de mes camarades, dont Vireil qui, au dire de beaucoup, était devenu si mal élevé qu'il avait mis enceinte une jeune fille de la campagne.

Rien de plus ne faisait avancer le temps.

D'abord, m'man Tine m'avait dit qu'elle me mettait à l'école pour que j'apprenne un peu d'A B C D et à signer mon nom.

Ensuite, quand je sus écrire mes nom et prénom et épeler quelques mots, elle me dit qu'ainsi j'étais sûr de ne pas aller travailler sur les plantations, et que j'avais des chances de devenir un ouvrier d'usine.

J'étais déjà très fier de cette perspective, quoique je n'eusse encore jamais vu une usine — d'où mon impatience de grandir.

Et voilà qu'à présent elle me disait qu'il fallait continuer pour aller jusqu'à la classe de l'examen. Ce qui avait beaucoup moins d'attrait pour moi, je l'avoue, car je ne savais pas, je ne voyais pas comment je pourrais en sortir.

Toujours est-il que je n'en étais que plus heureux d'être à l'école. J'avais toujours mes bons camarades, et tout y était sujet de gaîté et de joie.

Le catéchisme, cependant, était un peu ennuyeux et triste.

Depuis que, un dimanche après la messe, m'man Tine était allée porter mon nom au curé du bourg, tous les soirs, après la classe, je devais me rendre

chez Mam'zelle Fanny pour apprendre du catéchisme.

Mam'zelle Fanny, la « maîtresse de l'instruction »,
était une femme que tous les enfants redoutaient et
que toutes les grandes personnes respectaient.

Elle avait le pouvoir, semblait-il, de sauver ou de
perdre, par sa langue, n'importe qui, à son gré ; de se
transformer elle-même en ange ou en démon. Lorsqu'elle parlait au curé, elle était plus divine que la
Vierge. Lorsqu'elle causait avec M. le Maire ou un
maître d'école, elle était plus distinguée qu'une
marquise — telle que j'en avais vu sur les livres de
lecture. Mais lorsqu'elle injuriait quelqu'un dans la
rue, qu'elle se mettait en colère, ou qu'elle nous
battait, elle était pire et plus affreuse qu'une femme
« gagée ».

Quant à moi, elle me faisait souhaiter sa mort nuit
et jour, et j'avais juré depuis longtemps de la brûler
vive quand je deviendrais grand.

Je ne sais pour quelles raisons c'était Mam'zelle
Fanny qui avait à charge les âmes des enfants du
bourg. Elle qui détectait ceux qui pouvaient avoir
l'âge de raison, afin de les mettre au catéchisme
quand les parents ne l'avaient pas fait.

Je faisais donc partie des cours de Mam'zelle
Fanny, tout comme Jojo, Michel-Panse, Nanise et
une vingtaine d'autres.

Raphaël n'en était pas, parce que sa maman Nini
savait lire et lui enseignait elle-même le catéchisme.

Depuis lors, tous les soirs après la classe, je
rentrais en coup de vent chez m'man Tine et repartais
pour joindre mes camarades qui se réunissaient dans
la rue, devant la porte de chez Mam'zelle Fanny.

En général, elle n'y était pas à ce moment-là, car bien que ne travaillant ni sur une plantation ni à l'usine, Mam'zelle Fanny semblait avoir des occupations aussi multiples que dispersées. Mais, à son arrivée, nous devions être assemblés au grand complet. Sinon, le moindre retard exigeait des comptes précis et causait de longs et douloureux agenouillements.

Il nous fallait la voir venir du plus loin possible afin d'arrêter nos jeux et nous croiser les bras, et nous taire hermétiquement.

Mam'zelle Fanny était tellement irritable !

Un si grand silence planait sur nous que, sans doute, les camarades debout dans cette transe respectueuse se sentaient, tout comme moi, tentés de se jeter à genoux ou de faire le signe de la croix pour saluer Mam'zelle Fanny.

Mais nous entonnions simplement en chœur, et d'une voix aussi angélique que possible : « Bonsoir, Marraine Fanny. » Car, comme témoignage de l'affection unanime que nous étions censés lui porter, Mam'zelle Fanny nous avait imposé cette formule.

Puis, les bras solidement croisés, nous nous plantions en cercle sur une sorte de terrasse qui se trouvait entre la chaussée et le seuil de la porte.

Marraine Fanny entrait chez elle pour se débarrasser de tout ce dont elle était chargée, ensuite elle reparaissait, transfigurée, dans un grand recueillement, et, d'un geste gracieux et quasi pur, elle décrivait un émouvant signe de croix et déclenchait la prière.

Cette partie n'était pas très difficile. Il y en avait parmi nous qui la connaissaient, cette prière, et comme on récitait à pleine voix, ceux qui n'en connaissaient pas bien les mots n'avaient qu'à ne pas en perdre la cadence, car Marraine Fanny, malgré son air profondément inspiré, ne se départait pas d'une extraordinaire vigilance, suivant les lèvres et pouvant remarquer automatiquement la moindre défaillance.

Puis, ouvrant un petit livre qu'elle portait dans les plis de sa robe, elle commençait sa leçon de catéchisme.

Elle lisait une question, nous la faisait répéter. Puis elle en lisait la réponse, la reprenait lentement, nous la faisait répéter mot à mot. Ensemble nous répétions.

— Encore !

Une fois, deux fois...

— Encore !

Trois fois, quatre fois...

Et nous reprenions à haute voix, avec ensemble, à la même cadence ; si bien que, à force de la répéter, nous finissions par assouplir la phrase à un rythme chantant qui, de lui-même, nous entraînait inlassablement. Je remarquais alors que Mam'zelle Fanny avait disparu comme une vraie sainte, et c'est du fond de sa chambre ou de sa cuisine qu'elle nous criait : « Encore ! », et reprenait avec nous pour nous stimuler.

Pendant ce temps, elle allumait sans doute du feu, épluchait des légumes, repassait son linge.

Un moment après, elle avait reparu. Elle passait alors à une autre question de la même manière et, nous ayant lancés, s'en retournait à l'intérieur, à ses occupations domestiques.

Dans la rue, les passants nous regardaient avec le même respect voué au porche de l'église devant laquelle on passe, sinon au convoi funèbre qu'on croise ; et je suppose que ce spectacle devait rehausser Mam'zelle Fanny davantage dans l'estime du bourg entier, et même rendre sa position plus redoutable et plus enviable à la fois.

La leçon se prolongeait jusqu'à ce qu'il fît assez noir pour que Mam'zelle Fanny ne pût pas lire. Alors, pour terminer, elle venait reprendre sa place dans le cercle et conduisait la longue prière du soir dont la composition devait être, je crois, comparable à celle d'un menu copieux, avec son préambule agréable, les différentes parties plus ou moins longues et, à mon goût, plus ou moins difficiles, plus ou moins consistantes. Et les litanies finales qui étaient un véritable dessert, voire des liqueurs.

Mais c'était le lendemain soir que tout changeait.

Mam'zelle Fanny ayant fait sa leçon la veille, et ayant bien pris la peine de nous faire ressasser les réponses, passait maintenant aux interrogations. Et ce soir-là, c'était avec le martinet à la main qu'elle paraissait. Sans compter que, déjà, nous avions tout oublié de ce que nous avions ânonné la veille, l'air terrifiant de Mam'zelle Fanny, l'obsession de l'inévitable volée, rendaient impossible tout effort de mémoire.

Alors, interrogé sur la pénitence, par exemple, je commençais par : « La pénitence est un sacrement qui... », répétant ces mots chaque fois que le silence qui s'ensuivait me semblait vertigineux, m'attendant à recevoir le coup fatal sur la tête, sur le dos, souhaitant même qu'il tombe au plus vite, car l'angoisse et les tourments qui me torturaient pendant que je cherchais ou feignais de chercher la réponse m'étaient encore bien plus douloureux que d'avoir la peau flagellée.

Cela me délivrait, car Mam'zelle Fanny alors tout en la scandant sur mes épaules avec son martinet, donnait la réponse que je répétais ensuite une cinquantaine de fois. Puis elle attaquait le suivant.

Pas un seul de nous n'y échappait.

Et le lendemain soir nous n'avions pas plus de chance.

Je n'étais pourtant pas des plus malheureux à ce cours de catéchisme. Certains élèves, à la mémoire pauvre et qui avaient été recommandés à Mam'zelle Fanny par leurs parents, sortaient parfois avec les jambes en sang.

Jojo était de ceux-là.

En qualité d'élèves du catéchisme, nous étions astreints aux prières en commun qui s'organisaient à l'église, tous les vendredis pendant le Carême. Par conséquent, au lieu de nous rendre chez Mam'zelle Fanny, nous nous rassemblions devant la petite église. Y venaient surtout des femmes : presque toutes celles de Cour Fusil. M'man Tine n'y manquait jamais. Elle gardait sa tenue de travail, ayant toutefois, par décence, dénoué la ceinture de sa robe et jeté un foulard sur ses épaules.

La prière commençait à six heures, mais le curé n'y figurait pas. Les fidèles remplissaient les premières travées, et juste devant la sainte table se dressaient trois prie-Dieu sur lesquels allaient se prosterner le vieux M. Popol qui, le dimanche, assistait le prêtre,

Mam'zelle Fanny et Mme Léonce. Car cette dernière
était, à ce qu'il paraît, très forte aussi en prières et de
très bonne réputation dans le bourg.

C'étaient d'ailleurs les seules fois que je l'apercevais.

Nous, les élèves du catéchisme, nous ne nous
asseyions pas sur les banquettes qui nous étaient
réservées tous les dimanches ; mais comme l'assistance n'avait rien de comparable à la foule du
dimanche, nous nous mettions dans les bancs.

C'était M. Popol qui commençait la prière. Tantôt
il lisait dans un livre pas très grand, mais fort épais,
tantôt il récitait, les mains jointes, les paupières
rabattues. Tout le monde écoutait à genoux, mains
jointes, tête baissée. J'écoutais le murmure de sa voix
lente mais continue qui, peu à peu, me pénétrait et
engendrait dans ma tête des visions de vie céleste
avec des anges jouant de la trompette, des troupeaux
d'agneaux doux et blancs, des processions de saints
en longues robes bleues, rouges, jaunes et or...

Puis, c'était le tour de Mme Léonce...

Eh bien ! quand arrivait son tour, il commençait
déjà à faire noir. Une seule bougie placée près d'elle
et la lampe du Père Eternel traçaient une lueur
restreinte au milieu de l'église. Et puis, l'effort que
nous avions fait pour rester cois pendant la première
partie commençait à se relâcher.

En outre, Mme Léonce lisait d'une voix qui nous
faisait rire. « Une voix de chèvre folle », disait
Michel-Panse. Ou plutôt, trouvait Nanise, « une voix
de poule qui vient de poudre ».

Au même moment aussi, la plupart des fidèles, le
corps alourdi par les fatigues d'une longue journée de

travail, et maintenus depuis un moment au silence et à l'immobilité, commençaient à ballotter de la tête, transis de sommeil.

Alors, à la faveur de l'obscurité, naissait en nous une irrépressible envie de rire ; et, sans avoir échangé un seul mot, nous nous sentions tout près de nous esclaffer. Mais, de toutes mes forces, de toute ma volonté, je me retenais, serrant les poings, me mordant les lèvres, me contractant à broyer mes os.

Soudain, la prière changeait de ton, et la voix de Mme Léonce tombant en arrêt, l'assistance continuait par un murmure lourd et pâteux qui, parce qu'il nous avait surpris et qu'il était assez épais pour nous permettre de nous risquer, s'augmentait de nos ricanements libérés.

Dès lors, impossible de nous ressaisir, nous riions sans sujet précis, mais d'un rire que ni la crainte d'être entendus, ni la terreur de tous les saints qui devaient nous voir — malgré l'obscurité et malgré notre couleur — ne pouvaient refouler.

Parfois, dans son suprême effort pour ne pas laisser s'ouvrir le large rire qui lui montait aux gencives, l'un de nous lâchait un pet, et c'était la rupture de cette digue que nous opposions au débordement de tous nos ricanements.

Mais, prompte et violente, la sanction s'abattait sur nous. Mam'zelle Fanny, qui n'avait pas omis d'apporter son martinet, fouaillait dans l'obscurité, à grands coups sur le dos et même à la figure si on n'avait pas eu le temps de se baisser ; et, par les oreilles, elle emmenait deux otages qu'elle allait jeter à genoux devant la Sainte Table.

Enfin, c'était à elle, Mam'zelle Fanny, que revenait de terminer la séance.

Elle marmonnait précipitamment quelques paroles et entamait une longue énumération d'objets tels que : Tour d'Ivoire, Maison d'Or, Etoile du Matin ; de noms d'animaux et de saints — surtout de saintes. Elle en connaissait plus qu'il n'y avait d'habitants à Petit-Bourg. Après chaque nom, dans un même murmure de voix noires qui couvrait si bien nos riotements, tout le monde répondait : « Priez pour nous. »

A quelque temps de là, un soir, en sortant de la leçon de catéchisme, je trouvai la chambre de m'man Tine envahie par des voisines. Sur son grabat, m'man Tine dans sa vieille robe de travail, et les pieds tout engobés de bouc séchée, était étendue, les yeux fermés. Par intervalle, une plainte suppurait de sa bouche.

— Tu peux te vanter d'être un mauvais petit bonhomme, me fit Mam'zelle Délice. Ta maman rentre mourante et tu n'étais même pas là...

J'eus beau expliquer que j'avais été au catéchisme, tout le monde m'accusa d'être resté jouer.

Mais m'man Tine, qu'avait-elle ? On lui donnait à boire de la tisane, et on parlait de l'envelopper dans des couvertures de laine, et de lui donner à boire des infusions chaudes qui la feraient transpirer comme un couvercle de canari. On m'envoya acheter du rhum et de la chandelle molle. Quand je retournai, les gens continuaient d'entrer et de sortir, portant des tasses, des bols, des pots, des feuilles, des fleurs médicinales.

On fit du feu, on chauffa de l'eau, on me fit sortir

pour qu'on puisse enlever la robe sale et mettre à m'man Tine une chemise blanche dénichée dans le panier caraïbe. On alluma la lampe.

Plus tard, Mam'zelle Délice m'apporta à dîner.

Lorsque tout le monde fut parti, je pus enfin m'approcher de m'man Tine et lui dire : « Bonsoir, m'man. » Quoiqu'elle semblât profondément endormie, elle émit un gémissement, ouvrit les yeux, et demanda :

— As-tu mangé ?

— Oui, m'man Tine... Tu es malade ?

— Oui, mon iche, fit-elle ; le corps de ta maman n'est plus bon. Le corps de ta maman n'a que des os et des fatigues.

Je ne trouvai plus rien à dire et je restai longtemps appuyé au pied du lit, à regarder monter et descendre la poitrine de m'man Tine, et à contempler son visage qui ne portait aucune empreinte de souffrance, mais semblait être simplement évidé et dénué de vie.

La lampe à pétrole éclairait et fumait sur la table, et entre les soupirs de m'man Tine le silence se dilatait à m'oppresser. Je ne sais si elle avait dormi ou si elle s'était longuement assoupie, mais rouvrant soudain les yeux et me voyant à ses pieds, m'man Tine me dit :

— Tu es encore là ? Va donc te rincer les pieds, et fais ton couchage pour dormir.

Ce soir-là, j'avais peur d'aller dehors. Je n'allai pas me laver les pieds. Je pris mes haillons en paquet dans le coin où je les fourrais chaque matin, je les étendis sur le plancher, et j'allais peut-être me coucher aussitôt, tel que j'étais, lorsque la voix de m'man Tine me reppela :

— Déshabille-toi, mets ta golle de nuit et oublie pas de faire ta prière...

Le lendemain matin, ma grand-mère ne se leva pas. Les voisines revinrent avec des pots de café et des bols de tisane. M'man Tine ne se sentait pas capable d'aller travailler.

Je commençai à être assez intrigué, gêné et même contrarié, car Mam'zelle Délice (avec son gros pied, c'était elle la plus zélée de toutes) m'envoyait demander des médicaments aux noms difficiles à presque tout le monde, et, à la première sonnerie de l'école, au moment où je devais m'en aller, elle me fit remarquer que ma grand-mère était malade, et me signifia que je devais rester auprès d'elle.

Pendant plusieurs jours, je n'allai donc pas à l'école. Je passai mes journées dans la chambre à côté de m'man Tine, toujours prêt pour approcher le pot de tisane quand ses mains le cherchaient à tâtons sur la caisse qu'on avait placée à son chevet, pour recevoir la timbale de sa main lorsqu'elle avait fini de boire et pour lui apporter le premier objet qu'elle me demandait.

Si elle semblait endormie, je m'évadais à pas de loup et j'allais au dehors, assez près de la porte pour entendre son plus faible appel, et là, je m'amusais à des riens, comme je faisais dans les champs de canne à sucre.

Le matin, le midi, le soir, m'man Tine recevait les visites et les soins des voisines. Elles arrivaient toujours chargées de plantes de toutes sortes, et parfois elles discutaient assez vivement sur la tisane ou la décoction à faire.

Mam'zelle Délice m'apportait toujours mes repas

en même temps que des bols de bouillie de toloman pour ma grand-mère.

Enfin, quelques jours plus tard, Mam'zelle Délice qui, selon toute apparence, avait été chargée d'une démarche assez importante, vint rendre compte à toutes ces femmes assemblées près du lit de m'man Tine, que le « Séancier » (1) avait « vu » que ma grand-mère avait eu chaud et qu'elle avait bu de l'eau froide, ce qui lui faisait une pleurésie.

Tout le monde avait l'air découragé. Mam'zelle Délice suggéra de faire écrire à ma mère, en ville, mais m'man Tine ne voulut pas, prétextant que ma mère lui avait envoyé quelque argent il n'y avait pas longtemps, et qu'elle allait la trouver indiscrète ; ou bien qu'elle allait quitter sa place inutilement pour venir la voir, et qu'elle aimait mieux attendre qu'elle aille un peu.

Or m'man Tine geignait toute la nuit. Déjà, depuis plusieurs jours elle ne fumait plus sa pipe, et criait qu'elle étouffait.

Mam'zelle Délice proposa de faire appliquer des ventouses, et M. Assionis, qui était sans doute aussi le plus habile poseur de ventouses de Petit-Bourg, après avoir tranché la peau de m'man Tine et appliqué ses petites calebasses sur son flanc, déclara que son sang était déjà tourné en eau.

Et après un jour de va-et-vient fébrile dans la chambre et de longs colloques, les femmes amenèrent des hommes qui portaient un long bambou soutenant un hamac. On enveloppa ma grand-mère qui se lamentait et pleurait.

(1) Sorcier.

— Il faut y aller, mon amie chère, lui disait Mam'zelle Délice ; tu vas guérir.

On la coucha dans le hamac tandis que chaque extrémité du bambou reposait sur l'épaule d'un homme, on la recouvrit avec un drap jeté par-dessus le bambou et dont les pans flottaient de part et d'autre.

A ce moment, m'man Tine appela, en pleurant tout haut :

— José, José...

— José ! me cria-t-on, viens dire au revoir à ta maman.

On souleva le pan du drap, et m'man Tine enveloppa ma tête de ses mains froides, et pressa ma joue contre son visage glacé et mouillé de larmes.

Et, sans plus s'occuper de moi, on forma un cortège autour du hamac et le tout défila dans la cour et gagna la rue.

Je restai sur le seuil de la porte et n'eus même pas l'idée d'aller voir dans quelle direction on emportait ma grand-mère.

Elle était donc morte. Pourtant, M. Médouze... Peut-être y avait-il plusieurs façons d'être mort... Allait-elle revenir ? Ne la reverrais-je plus ? Mam'zelle Délice avait dit qu'elle allait guérir. Ah !...

Mam'zelle Mézélie, qui était peut-être la seule personne à rester à la cour, me voyant là, vint à moi et, passant la main sur ma tête, me dit :

— José, pauvre petit !

Alors, je me blottis contre elle et commençai à sangloter.

Elle m'emmena chez elle, me fit boire un verre d'eau froide et me donna du pain.

— La semaine prochaine, ta maman va revenir, on l'a amenée à l'hôpital pour être soignée. Elle va revenir guérie.

Lorsque Mam'zelle Délice revint, avec son pied qu'elle pouvait à peine traîner et qui semblait la tirer à partir de ses tempes, elle m'expliqua que m'man Tine était à l'hôpital de Saint-Esprit.

Mam'zelle Délice lava tout, rangea tout dans la case, me donna à manger, et le soir me demanda si je voulais venir coucher chez elle ou dormir seul chez m'man Tine. J'optai pour la seconde proposition.

— T'auras pas peur ? me demanda-t-elle.

Non, ma peur que m'man Tine fût morte étant passée, je ne craignais plus rien, et ce fut avec le cœur plein de tendresse que j'allai me blottir sur le grabat, à sa place.

Mam'zelle Délice s'occupait de moi, me donnait mes repas, me faisait changer de vêtements, lavait mon linge, me cajolait de temps en temps — me grondait aussi quand je m'étais sali ou qu'elle ne m'avait pas trouvé dans la cour à son retour du travail. Dès le lendemain du départ de m'man Tine, elle m'avait fait retourner à l'école.

Ce fut à Jojo seulement que je racontai mon chagrin, et je ne sais si je n'éprouvai pas quelque fierté d'être son égal par le malheur dont j'étais ainsi frappé.

Mais je ne tardai pas à sentir que l'absence de m'man Tine durait.

Je commençai même à souffrir, car je ne sais comment j'eus brusquement l'impression que les

gens, dans la cour, me regardaient comme si j'étais
une chose désagréable. Aucun d'eux ne pouvait me
voir passer sans m'envoyer faire des courses ; même,
ils abusaient de mon obligeance, et il me semblait
que plus il en était ainsi, moins ils avaient d'estime
pour moi.

Je ne changeais plus de vêtements le vendredi et,
avant la fin de la semaine, j'étais crasseux, dégoû
tant, honteux de moi-même. Et puis, j'avais toujours
faim. Une faim qui ne passait jamais. Le soir, après
dîner, j'aurais mangé encore deux ou trois fois ce que
je venais d'avaler. Heureusement, le sommeil venait
me dérober à la faim. Mais le matin je me réveillais
avec une faim plus revendicative encore. Je n'avais
plus mon grand pot de café clair bien sucré, avec de
la farine de manioc, mais un peu de café au fond d'un
pot en fer-blanc, un morceau de légume cuit de la
veille et grillé dans la braise le matin. Or, le matin
surtout, je n'avais pas le temps de parcourir le Haut-
Morne en quête de fruits.

A peine étais-je entré en classe que s'emparait de
moi une immense envie de manger, de me régaler
d'énormes pots de café sucré avec de grosses poi-
gnées de farine de manioc.

Et c'était justement alors que la maîtresse venait
prendre son petit déjeuner.

Car, après l'exercice de lecture, elle nous donnait
un devoir écrit et, pendant que nous étions ainsi
occupés, elle passait dans son appartement et revenait avec, dans un plateau, un grand bol de porcelaine et un gros morceau de pain.

La maîtresse casse le pain en petits morceaux dans
le bol. Le pain est doré et crisse sous ses doigts, en

laissant tomber de petits éclats de croûte que je ramasserais avec avidité pour les manger. Puis, plongeant une petite cuiller en argent dans le bol, la maîtresse porte à sa bouche des morceaux de pain enrobés d'un liquide onctueux, brun et laiteux, et qui sent la vanille, et qui doit être sucré, délicieux.

Je n'écris pas. Je regarde la maîtresse. La main dont elle tient la belle cuiller est fine et propre. Ses cheveux sont bien coiffés. Son visage est clair, velouté par un nuage de poudre, ses yeux brillent d'un éclat pur et tranquille, et sa bouche qu'elle entrouvre au passage de la cuiller est la chose à la fois la plus jolie et la plus cruelle.

Et puis, ce bol de porcelaine blanche à fleurs roses et bleues, cette cuiller en argent, ce plateau en acajou verni, comme tout cela doit parfaire la saveur de ce déjeuner ! Combien tout cela ajoute à mon supplice !

Ai-je réellement envie de goûter à ce chocolat au lait ? Je n'en ai jamais mangé, mais c'est à peine si j'en désire. Peut-être ne suis-je pas encore bon pour un tel déjeuner ? Des fois, m'man Tine fait du chocolat à l'eau avec du cacao brut, et l'épaissit de fécule toloman, ou bien en mouille mon pot de farine de manioc.

Mais mon estomac, toute ma poitrine m'en fait mal et ma main tremble, incapable d'écrire. J'ai le vertige.

La vue du chocolat au lait de la maîtresse me torture si odieusement que je n'éprouve que souffrance, sans désir. A tel point, en vérité, que j'ai la nette sensation d'être moins affamé une fois que, son déjeuner terminé, elle emporte le plateau chez elle,

puis revient sur sa chaise en criant : « Apportez vos
cahiers pour la correction. »

Mais lorsque, un peu plus tard, l'accès de faim me
reprenait, c'était sous l'apparence d'un grand bol de
chocolat au lait, fleurant la vanille, avec du pain doré,
que se présentait le mirage du soulagement suprême.

Je ne pouvais en vouloir aucunement à Mam'zelle
Délice. J'avais bien compris qu'elle n'avait pas les
moyens de m'en donner davantage. Je l'aimais beaucoup. Je lui étais devenu si attaché que je ne
remarquais même plus son pied monstrueux.

A cette même époque, un gros malheur s'abattit
sur Jojo, qui me fit oublier pendant plusieurs jours
mon triste sort. Mam'zelle Gracieuse avait quitté le
bourg, partie avec un homme qui avait de grands
jardins d'ignames et de patates douces à Chassin, de
l'autre côté de Petit-Bourg.

Sa belle-mère lui défendait de pleurer.

Un après-midi, il s'était caché dans un petit coin de
la maison pour sangloter, et Mam'zelle Mélic, l'ayant
surpris, s'était écriée :

— Mais qu'est-ce qui lui arrive, qu'il pleure, ce
Jojo ?

Et là-dessus, Mme Justin Roc l'avait mis en
pénitence jusqu'à l'arrivée de son père.

La maman de Jojo était donc partie loin aussi,
comme une personne morte ou qui est allée à
l'hôpital...

Et dire que, malgré notre chagrin, nous nous
délections certains soirs à rêver tout haut !

— Quand je serai grand me disait Jojo, mon papa
et maman Yaya seront morts. Je serai contremaître à
l'usine. Je vais acheter une auto plus belle que celle

de mon papa, et j'irai chercher m'man Gracieuse, et
je ferai une belle maison pour habiter avec elle. Mais
je n'épouserai pas une femme méchante comme
m'man Yaya. Je préfère rester avec maman.

Moi j'aurais une grande propriété, grande comme
toute la campagne alentour. Je ne planterais pas de
canne à sucre, sauf quelques pieds pour mon dessert
— car c'est bon à sucer, la canne à sucre. J'aurais
beaucoup de gens qui cultiveraient avec moi des
légumes, des fruits, qui élèveraient des poules, des
lapins, mais qui s'habilleraient, même pour travailler, de culottes et de blouses non déchirées, et qui
mettraient de beaux costumes le dimanche, et dont
les enfants iraient tous à l'école. M'man Tine ne
serait pas morte ; elle soignerait les poules, assemble-
rait les œufs. M'man Délia s'occuperait du ménage.

Je rêvais pour de vrai, puisque Jojo, me rappelant
à la réalité des faits, me disait, sans malice pourtant :

— Mais tu ne pourras pas avoir tout ça ; tu n'es pas
blanc, tu n'es pas un béké.

— N'empêche.

— Mais tes travailleurs, alors, ils seront presque
aussi bien nourris et logés que les békés ! Alors n'y
aura plus de nègres ; et les békés, qu'est-ce qu'ils
vont faire ?

Je restais dérouté, honteux, un peu triste.

J'étais à l'école le jour où m'man Tine revint de
l'hôpital. Elle était sortie toute seule, à pied. Je la
trouvai à midi, assise sur son lit, l'air fatigué et
rayonnant en même temps. Je fus surpris. Je
m'écriai : « m'man Tine ! », et restai debout sur le
seuil, incapable d'avancer.

— Viens, me dit-elle.

Alors, troublé et bouleversé de joie, je m'approchai d'elle en pleurant tout haut, dans un accès de larmes que je ne pouvais maîtriser.

Je ne fis pas ma Première Communion cette année-là ; conséquence de la maladie de m'man Tine. Je m'y résignai aisément non sans, malgré tout, la pénible impression que ceux de mes camarades, tels Jojo et Raphaël qui en furent, m'avaient dépassé.

J'appris très vite d'ailleurs à m'abstenir de beaucoup de fêtes et cérémonies destinées aux enfants, et toujours pour les mêmes motifs : pas de beaux costumes, pas de chaussures. Pas de chaussures surtout, puisque je n'avais pas encore fait ma Première Communion qui était, pour tous les gosses de ma catégorie, l'occasion d'étrenner leur première paire de souliers.

Tout autre fut ma réaction le jour où je dus cesser d'aller jouer avec Jojo. Un soir, nous étions sous la véranda et nous parlions tout bas comme d'ordinaire. Voyant de la rue venir Mam'zelle Mélie, nous nous taisons ainsi que, par prudence, nous faisons toujours, et nous restons immobiles, les yeux baissés, pour la laisser entrer dans la maison.

Cette fois-là, arrivée près de nous, elle s'arrête et demande à Jojo :

— Qu'est-ce que tu racontais, que tu as sursauté en me voyant ?

— Rien, répond Jojo, déjà tremblant.

— Rien ? fait Mam'zelle Mélie menaçante ; tous les soirs tu es en grande conversation avec ce petit nègre [Mam'zelle Mélie, dis-je, est, telle que je la vois, noire comme moi, sinon comme un merle] et maintenant tu ne disais rien. Eh ben ! tu t'expliqueras avec Madame.

Elle n'est pas plutôt rentrée que la voix de Mme Justin appelle Jojo.

Jojo sait, hélas ! ce qui l'attend, et c'est en pleurant qu'il se précipite.

A peine m'a-t-il quitté, en effet, que j'entends ses cris monter par saccades, si déchirants que, de colère et de frayeur aussi, je sors de la véranda pour aller me mettre, dans la rue, face à la maison, essayant de saisir ce qui se passe à l'intérieur et espérant que peut-être, après sa fessée, Jojo reviendra.

Heureusement que je m'étais levé : voilà Mam'zelle Mélie qui débouche du corridor avec une bassine dans les mains et, me voyant dans la rue, elle me crie :

— Tu as de la chance. Je t'aurais foutu une de ces douches pour t'apprendre à rester dans la case de ta mère au lieu de venir apprendre des vices aux enfants des autres !

Il me fallut attendre Jojo le lendemain à l'école pour savoir ce que cette vilaine femme avait raconté sur notre compte.

— Elle a dit que je ne parle que créole avec toi, et que tu m'apprends de gros mots.

Jojo m'avait toujours dit que Mme Justin lui défendait de parler patois, et comme il n'y résistait pas, nous étions convenus de baisser la voix autant que possible pour enfreindre l'interdiction de sa belle-mère.

Or, Mam'zelle Mélie ne s'exprimait pas autrement qu'en patois et j'étais étonné qu'elle nous désavouât avec un tel mépris. Pour ce qui était des mots orduriers qu'elle nous accusait d'avoir proférés — perfide invention —, Mam'zelle Mélie me parut alors d'autant plus odieuse que m'man Tine m'avait dit, et j'y croyais ferme, que les grandes personnes ne mentaient jamais.

Dorénavant, défense était faite à Jojo de jouer avec moi. Grand fut son désarroi de ne plus avoir un seul camarade d'école. J'en fus d'abord peiné pour lui, très gêné même. Mais moi, les camarades ne me manquaient pas. Tous mes premiers copains, et puis des nouveaux. Tel Audney, par exemple.

Il habitait le Haut-Morne, et son père avait un cheval.

L'une des tâches qui incombaient à Audney après la classe était d'amener boire le cheval, à midi, à un étang, au pied de l'autre versant du morne et, le soir, d'aller lui couper des herbes le long des « traces ».

J'étais devenu son compagnon et son aide.

En la menant boire, nous montions tous deux sur le dos de la bête et, le soir, tout en faisant des herbes, nous trouvions des goyaves et autres fruits sauvages.

Mais la partie la plus agréable des soins que nous devions donner au cheval consistait à le baigner le dimanche matin. Il fallait nous lever de bonne heure, enfourcher l'animal et le conduire au petit lac de Génipa. Le soleil était déjà levé, mais il ne faisait pas encore très chaud.

C'était le jour où presque tous les hommes travaillant à la plantation Poirier venaient se baigner et baigner les chevaux des géreurs et des économes. Certains en profitaient pour laver leurs vieux vêtements de travail. Tous se mettaient nus. Chacun

LA RUE CASES-NÈGRES

montait son cheval, le faisait entrer dans l'eau. La bête s'enfonçait, disparaissait dans l'eau, nageait, la tête levée ; et le torse de l'homme émergeait, évoquant cette figure moitié cheval, moitié homme, que je voyais sur des paquets de vermicelle.

Puis elle revenait au rivage, l'homme en descendait et, avec une torche de paille, la bouchonnait énergiquement, et allait refaire un tour dans l'eau pour la rincer. Nous procédions de la même façon sur notre monture.

C'était agréable d'être porté dans l'eau par le cheval qui nageait en s'ébrouant. L'eau, sous le soleil levant, était délicieuse à la peau.

Et je n'avais jamais rien vu de si simple et d'aussi beau que de grands nègres nus, debout à côté de robustes chevaux, et leurs images se reflétant dans l'eau d'un lac.

J'entrai en première classe, la plus forte de l'école. Et nous n'avions plus une maîtresse, mais un maître.

Sujet de joie pour la population aussi, car ce maître était un enfant de la commune qui, après avoir servi un peu partout dans l'île, venait d'être nommé directeur de l'école de Petit-Bourg.

Pour Jojo, l'émotion devait être plus grande : le maître d'école était son oncle, le frère de son père. Il s'appelait Stéphen Roc.

Le bruit avait vite couru parmi les élèves que c'était un maître qui « montrait » bien et battait fort.

Il ne frappait pas avec une verge de bambou, il ne donnait pas des coups de règles dans la paume de la main, il ne décollait pas les oreilles. Il tapait avec ses mains. Il lançait des calottes !

C'était un homme aussi impressionnant que peut l'être un directeur d'école aux yeux des petits campagnards de onze ans que nous étions.

C'était un homme bronzé, d'une très grande stature, chaussé de souliers noirs à bouts effilés et luisants. Il portait un pantalon de toile blanche, pincé par-devant de deux plis rigoureusement verticaux, et une veste de même tissu, garnie à sa petite poche supérieure d'une grosse chaîne de montre en or. Sa tête, qu'il portait haut et rigide, se caractérisait par deux dents en or assemblées parmi ses larges dents blanches, une moustache noire, une paire de pince-nez et un canotier.

Les mains de M. Stéphen Roc étaient longues, épaisses, aux ongles forts comme des becs de canard, nerveuses en même temps : la craie se brisait à tout instant quand il écrivait au tableau noir.

Oui, des calottes de ces mains-là devaient faire mal !

Déjà, rien que la voix qui montait de sa poitrine, fût-elle très faible, semblait toujours nous crier de prendre garde.

Pourtant, notre premier sentiment envers M. Roc fut une admiration aussi respectueuse qu'affectueuse. Nous, qui étions devenus à notre tour « les grands » de l'école, fiers d'avoir un tel maître, il nous était en même temps très agréable de le craindre. Et tout ce qu'il nous enseignait se présentait à nous sous un aspect passionnant et séduisant, même dans les difficultés.

Mais il n'en fut pas de même peut-être pour tous au bout de quelques jours. M. Roc avait sans doute

sondé chacun, et la réputation qu'on lui avait faite le
matin de la rentrée commençait à se confirmer.

Nous recevions déjà des calottes. J'en avais déjà
goûté à l'occasion de l'accord des participes passés.
Michel-Panse, qui était fort en problèmes, en prenait
chaque jour pour l'orthographe. Raphaël, toujours
pour le même motif : bavardage ; et Jojo, à tout
propos. Le maître le faisait réciter chaque leçon,
l'interrogeait, visitait ses cahiers sans répit : et tout
cela n'allait pas sans quelques calottes sur la nuque
ou les oreilles. Jojo tremblait sans cesse.

Il me semblait pourtant que ce n'était pas Jojo le
plus faible ni le plus paresseux de l'école ; mais le
maître le traitait de buse à la moindre défaillance, et
le fouaillait de ses mains toujours promptes à
frapper.

J'en vins à déduire, sans y trouver une justification
logique, que c'était à cause de sa parenté avec Jojo
qu'il le battait de la sorte.

Je ne m'étais pas trompé. Par la suite, Jojo même
me confia que son père et sa belle-mère avaient
recommandé à son oncle, le maître d'école, de le
faire travailler beaucoup, et surtout de le battre
lorsqu'il ne faisait pas bien.

Quoi qu'il en soit, Jojo, en raison de la constante
et terrible sollicitude du maître, me paraissait, une
fois encore, plus digne de pitié que d'envie.

Si nous nous étions vus le soir, comme auparavant,
peut-être m'aurait-il conté tout ce qu'il souffrait
entre la maison de son père où il vivait sans joie,
toujours en passe d'être battu, et la classe où, chaque
jour, s'abattaient sur lui au moins une bonne douzaine de claques. Mais nos rapports à l'école

n'avaient pas, dis-je, le caractère intime de nos
entretiens sous la véranda de son père et, ou bien
nous jouions le plus follement possible pendant les
récréations, ou bien nous passions des jours entiers
dans un semblant d'indifférence. D'ailleurs, est-il
dans l'esprit des enfants de parler de choses tristes
quand les jeux et les ébats les invitent ? Même, j'ai ri
ou souri des fois lorsque Jojo, pris à un traquenard,
sanglotait après que la lourde main de son oncle avait
fait éclater quelques taloches sur son crâne.

A vrai dire, notre vie était changée. On eût dit que
la seule présence de notre maître d'école y avait
apporté quelque chose de viril. Nous avions des
leçons à apprendre. Nous avions beaucoup de cahiers
qu'il fallait tenir tous très propres. Nous avions
beaucoup de livres appartenant à la Caisse des
Ecoles, et qu'il ne fallait pas abîmer. Et tout était régi
par la crainte des calottes de M. Roc, et par le souci
que M. Roc et nos parents nous inculquaient depuis
la rentrée : celui de l'examen du Certificat d'Etudes
Primaires.

En ce qui me concerne, il y avait aussi un autre
souci : celui de ma Première Communion.

J'avais résolument quitté les cours de catéchisme
de Mam'zelle Fanny. Raphaël qui avait fait sa
Première Communion l'année précédente, et qui
était maintenant enfant de chœur, m'avait prêté son
livre de catéchisme, et j'étudiais tout seul, à haute
voix, et tard le soir, près du lampion à pétrole, pour
rassurer m'man Tine qui doutait que je puisse y
parvenir tout seul.

Le reste n'avait pas changé.

Nous n'avions renoncé à aucun de nos divertissements, et nous étions demeurés friands de tout ce que nous avions aimé. Non sans tribut parfois. N'avions-nous pas été condamnés, une fois, à payer collectivement les tuiles que nous avions brisées en lançant des cailloux à un manguier près de la maison de Mme Sequéran ? Michel-Panse, Ernest, Audney et moi, n'avions-nous pas été surpris un jour, par un géreur, à couper des cannes à sucre dans un champ, alors que ce n'était même pas la récolte, ce qui avait valu à nos parents quinze francs d'amende pour chacun de nous ? Et ce même Michel, ne traîna-t-il pas, pendant de longs mois, une plaie qu'il s'était faite au pied en allant cueillir des pommes-lianes dans un fourré ?

Nous faisions tant de choses qui nous amusaient et nous attiraient des anathèmes ou des raclées, et nous sentions la vie si touffue autour de nous !

Par les beaux soirs, nous jouions au clair de lune.

Les soirs de clair de lune, c'était une manière de fête nocturne dans le village.

Après dîner, tout le monde s'asseyait devant les maisons, les uns sur des sièges, les autres à même le seuil. Les groupes devisaient, disaient des contes, tiraient des « timtims ». Les solitaires chantaient ou fredonnaient. Des couples se promenaient dans la rue.

Les enfants s'assemblaient et grouillaient en sarabandes dans tous les endroits pouvant servir de terrains de jeux.

Ainsi, très tard dans la nuit, le bourg célébrait le clair de lune. Il y avait, me semble-t-il, des propos qu'on ne tenait qu'au clair de lune, des jeux qu'on ne jouait et qui n'auraient pu être joués qu'au clair de lune, et pas en plein jour, ni par nuit noire.

Parfois aussi, un son de flûte impossible à localiser (était-ce du côté de chez M. Toï, dans le Haut-Morne ? Etait-ce chez M. Mamès, de l'autre côté de la Cour Fusil ?) s'insinuait dans l'air serein, comme un fil d'argent, ou s'épandait mollement, tel un long soupir de la lune même. Jamais aucun son ne m'a paru s'identifier aussi intimement avec la clarté de la lune que celui de ces flûtes de bambou dont jouait, pour la nuit en fête et recueillie en même temps, quelque petit garçon noir, assis au seuil d'une case difficile à imaginer.

J'étais des plus tumultueux, de ceux qui ne pouvaient pas rester à rêver près de leur maman, en regardant la lune voguer dans un ciel pervenche et traverser de temps en temps sans roulis ni tangage de gros flots nuageux.

J'appartenais à la bande frénétique de ceux qui se réunissaient devant l'église, près de l'école des « petits », notre ancienne école. Quand parmi nous il y avait beaucoup de filles, on jouait à la ronde. De ces rondes démesurées, bien scellées par nos mains. Et nous chantions d'une voix innombrable et légère comme des vols de petits oiseaux, des chansons que nous n'avions jamais apprises, et qu'on chantait parce qu'il y avait clair de lune et qu'on était nombreux et joyeux.

Et puis, nous jouions à l'anguille pour palper les ombres dormant sous les arbustes, aux « boulines » pour nous asseoir côte à côte très serrés, à cache-cache pour courir un peu, « à mon sac » pour le plaisir de taper avec un boudin d'étoffe les uns sur les autres.

Nul doute, nous aurions continué jusqu'au jour si,

soudain, la voix de nos parents ne nous appelait les uns après les autres. Et c'était tout en jouant ou en chantant que nous courions aux bornes-fontaines pour laver la poussière de nos pieds et rentrer.

Sur ces entrefaites, approchait l'époque de la Première Communion, et bien que ne faisant pas partie de l'école de Mam'zelle Fanny, je savais toujours mes leçons.

M'man Tine me parlait de cette Première Communion prochaine avec l'ardeur qu'elle mettait dans ses soliloques, en faisant des projets qui lui tenaient beaucoup à cœur. Elle ne cessait de composer dans son esprit, et d'évaluer tout haut le trousseau qu'il me faudrait : un costume blanc pour entrer en retraite, un autre pour recevoir l'absolution de mes péchés ; des caleçons, des chaussettes blanches, des mouchoirs de poche. Et puis, surtout, la tenue de communiant : un costume en piqué blanc, brassard de soie, chapeau de paille blanche, gants, cierge, chaussures. Toutes choses aussi blanches que neuves ! C'était obligatoire, indispensable pour goûter à la blanche hostie.

Tant de choses, tant de linge et de costumes pour moi ! C'était à me faire mourir de convoitise et d'impatience. Mais je ne voyais pas comment m'man Tine arriverait à me procurer tout cela. Il est vrai que ceux que j'avais déjà vus faire leur Première Communion n'avaient pas été mis autrement, quoique leurs parents fussent des travailleurs des champs ou d'usine.

Il est vrai que m'man Tine parlait non seulement d'écrire, mais d'aller à Fort-de-France trouver m'man Délia pour lui parler et lui faire comprendre qu'il était temps que je fasse ma Première Communion. Il est vrai aussi qu'elle priait beaucoup depuis longtemps pour obtenir la grâce de me faire faire cette Première Communion, et qu'elle semblait avoir la certitude que Dieu l'y aiderait.

Eh bien ! c'est à croire que vraiment cette catégorie de femmes que sont les vieilles mères noires et pauvres détiennent, dans le cœur qui bat sous leurs haillons, comme un pouvoir de changer la crasse en or, de rêver et de vouloir avec une telle ferveur que, de leurs mains terreuses, suantes et vides, peuvent éclore les réalités les plus palpables, les plus immaculées et les plus précieuses. Car déjà, à chaque dimanche, retour de Saint-Esprit, m'man Tine rapportait soit un coupon de tissu, soit une paire de chaussettes.

Et après en avoir longuement parlé d'avance, bien entendu, m'man Tine décida de m'emmener voir ma marraine. Un enfant ne fait pas sa Première Communion sans aller embrasser sa marraine, aussi loin que celle-ci se trouVe.

Je n'avais jamais vu ma marraine. Je savais qu'elle s'appelait Mme Amélius, et qu'elle habitait une campagne appelée Croix-Rivail, de l'autre côté du bourg de Trou-aux-Chats.

Nous partîmes un matin. C'était pendant les vacances de Pâques. Lorsqu'elle avait ainsi une « route » à faire, m'man Tine évitait et me défendait d'en parler la veille, afin que les esprits malins ne la fissent se réveiller trop tard. Nous partîmes donc de bonne heure. Par des sentiers humides de rosée, nous traversâmes des savanes où des bœufs couchés som-

meillaient encore. Nous franchîmes plusieurs mornes. Nous passâmes par plusieurs habitations où des
chiens aboyaient et des coqs chantaient. Sans parler,
m'man Tine marchait devant, sa jupe retroussée à
cause de l'herbe mouillée, moi, trottant nu-pieds
derrière elle.

Quand s'épanouit le soleil, m'man Tine se mit à
parler, évoquant des souvenirs de ma marraine
qu'elle n'avait pas vue depuis des années et qu'elle
n'avait peut-être rencontrée que deux fois depuis le
jour de mon baptême. Elle citait aussi nombre
d'habitants de Croix-Rivail qu'elle doutait de retrouver, tellement il y avait longtemps qu'elle n'en avait
entendu parler.

Nous marchâmes ainsi pendant toute la matinée, et
justement j'allais peut-être m'affaisser : j'avais faim
et soif, mes jambes n'en pouvaient plus. Nous
arrivâmes en un endroit où la terre se divisait en
petits jardins qui enchâssaient des cases abritées par
des manguiers. C'était Croix-Rivail.

Des enfants par paquets étaient debout devant les
cases. Nous rencontrions un homme, une femme, de
temps en temps, à qui m'man Tine demandait le
sentier pour aller chez Mme Amélius. On lui assurait
chaque fois que c'était tout près ; on lui indiquait le
chemin, et nous repartions. Mais après avoir parcouru ainsi bien du chemin et sauté par-dessus un
ravin, escaladé un morne et traversé l'ombre humide
d'une grande cacaoyère, il fallait redemander et
repartir.

C'était une vieille femme noire et maigre, ma
marraine.

Elle ne me fit pas autant de gâteries que me

l'avaient laissé entrevoir les soliloques élogieux de
m'man Tine. Elle m'embrassa, trouva que j'avais
grandi, reprocha à m'man Tine de n'être pas venue
auparavant avec moi. Elle nous offrit à déjeuner des
ignames, de la morue à l'huile et des gombos (1) —
moi qui n'aimais pas les gombos ! — et parla tout le
temps de ses malheurs.

Depuis la dernière fois qu'elle s'était rencontrée
avec m'man Tine, elle avait perdu son mari, sa fille
aînée et Gildéus, son frère. Elle mit tout son temps à
raconter la maladie de chacun d'eux, ses chagrins
successifs, et les tracas qui en résultaient quant aux
biens laissés par chacun.

Lorsque ce fut au tour de m'man Tine de lui
annoncer que j'allais faire ma Première Communion,
elle accueillit la nouvelle en s'écriant, comme si
c'était un comble à ses déboires :

— Mais, Amantine, pourquoi as-tu attendu si
longtemps pour me le faire connaître ?... Que c'est
malheureux ! Moi qui aurais voulu faire un si beau
cadeau à mon grand filleul — son costume de
Première Communion, par exemple — voilà que
c'est aujourd'hui que tu me l'amènes. Seulement
quinze jours avant !

A ce sujet il n'y eut pas de reproches qu'elle ne fît à
m'man Tine qui, d'ailleurs, se confondait tant et plus
en excuses.

Enfin elle ne voyait pas ce qu'elle pouvait décem-
ment m'offrir. Elle était désolée.

Quand m'man Tine voulut prendre congé, ma
marraine mit une poignée de grains dans une boîte en

_____
(1) Sorte d'asperges.

fer-blanc, sortit, l'agita, rassembla ainsi ses innombrables volailles devant sa maison, et d'une main
leste saisit un poulet haut sur pattes. Elle le caressa
en disant toujours de sa voix de commisération :

— J'ai rien, rien à offrir à mon beau filleul, Tine,
ma chère ; je lui donne ce poulet. Si tu en fais pas une
fricassée pour le déjeuner de Communion, il devien-
dra une belle poule, une bonne pondeuse ; et si José a
de la chance avec moi, ça pourra à la longue lui
rapporter autant qu'un bœuf.

Elle arracha une touffe de cabouillat qu'elle tordit
et dont elle lia les deux pattes du poulet. Cherchant
encore ce qu'elle pourrait bien m'offrir, elle trouva
une noix de coco et recommanda à m'man Tine de
m'en faire une confiture. Puis une poignée d'amidon
de manioc préparé par elle-même, pour apprêter
mon linge.

J'étais très heureux, je crois. D'ailleurs, en dépit
de la fatigue que j'en éprouvais, j'étais toujours très
heureux de voyager de la sorte avec ma grand-mère.
M'man Tine aussi paraissait contente. Etait-ce du
voyage ou d'avoir revu ma marraine ? Etait-ce des
cadeaux ?...

Pour me faire plaisir, elle me laissa la poule dans
une main ramenée sous mon aisselle et la noix de
coco dans l'autre ; et elle mit le petit paquet de
« moussache » dans sa poche.

Nous marchions vite au retour. M'man Tine
consultait à tout instant le soleil et répétait :

— Avant qu'il touche la tête du morne, là-bas, il
faut que nous soyons à Belle-Plaine.

Nous suivions au flanc d'un morne un sentier que
bordait un champ de cannes. La joie de porter mes

cadeaux me donnait du cœur à marcher. A un moment, mes doigts fatigués de tenir la noix de coco se desserrèrent sans doute et le fruit se mit à dégringoler dans l'herbe, vers le pied du morne.

Devant mon désarroi, m'man Tine m'assura que j'allais le trouver, et me dit :

— T'as qu'à descendre le chercher là, dans les halliers.

Je débarrasse alors mon autre main de mon poulet ligoté, que je couche sur le bord du sentier, pendant que ma grand-mère est debout à m'attendre, et je m'apprête à descendre dans le fourré où a roulé la noix de coco. Mais aussitôt, m'man Tine pousse un cri, jette ses bras en l'air, trépigne : le poulet s'est sauvé !

Son lien d'herbe s'est défait, et il fuit en caquetant devant m'man Tine qui, affolée, essaie de lui barrer la route en tous sens.

Retournant sur mes pas, je me jette aussi dans la poursuite. Mais aussitôt, la bête gagne le champ de cannes à sucre et disparaît.

M'man Tine la chercha longtemps, et moi-même je faillis m'égarer. La noix de coco, on n'y pensa plus.

Nous rentrâmes au bourg ; il faisait nuit.

Cet incident avait bouleversé m'man Tine, et ce soir-là elle le rumina à haute voix presque à en pleurer, disant que j'étais un pauvre petit nègre qui n'avait pas de chance du tout, du tout.

Personnellement, j'en gardais une indifférence absolue, frisant l'inconscience.

Le lendemain matin, la première chose que m'man Tine constatait, c'est que des rats, pendant la nuit, avaient rongé la poche de sa robe pour manger le petit paquet d'amidon qu'elle y avait oublié. Anéantie de stupeur, elle n'en dit presque pas un mot.

Oh ! mon beau souvenir de Première Communion !

Quand j'eus raconté ce voyage à mes camarades d'école, l'un d'eux s'écria instantanément :

— Ta marraine, je parie que c'est une gagée !

C'était l'avis de tous. Le mien aussi, d'ailleurs. Ma marraine resta longtemps dans mon esprit sous cet aspect diabolique. Elle est morte, je crois, sans que je l'aie jamais plus revue.

Ce premier dimanche de la fête patronale de Petit-Bourg ne devait pas, hélas ! se passer sans une autre émotion encore plus brutale pour moi et pour tous les élèves de notre classe.

Dès le samedi soir, comme chaque année, un camion bancal et bruyant était arrivé avec des chevaux de bois. L'après-midi, le manège — le même petit manège aux chevaux équarris, roides, ravaudés avec de larges bouts de planches et des clous, bariolés et enguirlandés —, le manège qui, entre ses apparitions, avait parcouru l'île de village en village, était monté, là, sur la place du marché, coiffé de son chapeau pointu de toile à voile, au milieu de l'effervescence de tous les galopins du bourg. Et comme chaque année, ce samedi soir, veille de fête, le manège avait offert trois parties gratuites aux enfants.

Nous étions pris d'un besoin d'argent plus dévorant que ceux que j'avais jamais éprouvés jadis, le samedi soir, à la rue Cases-Nègres ; car, dès le samedi soir de fête, il fallait s'assurer les sommes nécessaires — au moins quinze à vingt sous — pour deux ou trois

parties de manège. Cette année-là, avec ma Première
Communion, inutile de compter sur les libéralités de
m'man Tine. Or, plus désavantagé que mes camarades, je n'avais ni grand frère, ni oncle, ni tante, ni
parrain, ni marraine pouvant me tirer d'embarras.
Mais comme j'étais extrêmement de bon service pour
tout le monde, j'espérais les récompenses déjà pro-
mises de quelques braves personnes.

Des camarades, comme Michel-Panse, Raphaël, se
vantaient d'avoir même réalisé des économies : l'argent des crevettes qu'ils pêchaient ou des crabes
terrestres qu'ils capturaient et qu'ils vendaient parfois. D'économies, je n'en avais jamais. Je dépensais
mes sous en macarons, gâteaux et autres friandises,
comme tout le monde, et surtout pour ma marotte :
les fournitures scolaires. J'aimais les beaux cahiers
pour copier les poèmes et les chansons qu'on apprenait en classe. J'achetais de belles feuilles de buvard
— une pour chaque cahier — de l'encre rouge et de
l'encre verte pour les titres des poèmes, des crayons
de couleur pour l'illustration des chansons, des
compas pour faire des rosaces, des gommes à effacer.
Jamais m'man Tine n'avait eu à s'occuper de mon
matériel scolaire.

D'autre part, m'man Tine l'ayant formellement
défendu, je ne pouvais demander des sous aux
grandes personnes comme le faisaient la plupart de
mes camarades, et je me trouvais à certains moments
dans des situations des plus angoissantes.

Je m'éveillai le dimanche matin avec l'unique pièce
de cinq centimes que m'man Tine m'avait donnée
pour mettre à la quête et que, conformément à la

consigne donnée par mes camarades, pour cette
période-là, j'avais soin de garder.

Plus tard, ma grand-mère me demandait :

— Combien d'argent as-tu ?

— Rien, m'man.

Pour me sauver du désespoir, elle me tendait un
sou, en me disant :

— Moi, tu sais, j'ai pas d'argent à te donner pour
les chevaux de bois... Tiens, pour acheter du sucre
d'orge...

Un peu plus tard, encore une ou deux autres pièces
venaient s'ajouter, au hasard d'une rencontre, par
chance. Sur le conseil de mes camarades, je rôdais
autour des tables de jeux et des ajoupas qui avaient
poussé sur la place du marché, à côté du manège. Les
plus expérimentés de mes camarades ne préten-
daient-ils pas que les gens qui jouaient ou ceux qui se
saoulaient laissaient parfois à leur insu tomber des
pièces de monnaie ? Beaucoup de garçons avaient
déjà trouvé ainsi des dix sous, deux francs même.
Mais je ne trouvais jamais rien. Rien, que des cosses
de cacahuètes vides et des capsules de bouteilles.
Alors, je m'arrêtais devant un jeu — un des nombreux trays formant autant d'îlots de joueurs debout
dans cet océan de gens qui se promenaient en tous
sens.

Mes jeux préférés étaient le rouge-et-le-noir, l'en-
tonnoir, le pataclac. Je voyais des gens gagner, j'y
rencontrais Raphaël ou Michel-Panse, — toujours
pleins de chance, — ceux-là, qui gagnaient ou qui
avaient déjà atteint dix-huit sous, un franc, alors
qu'ils étaient venus avec pas plus de deux sous. D'un
cœur décidé (car les plus chanceux nous avaient

volontiers livré leur secret pour gagner : ne pas être
indécis ni avoir peur), je misais un sou, que je
perdais, hélas ! puis un autre sou qui résistait, attirait
un autre sou, le perdait, puis un sou à nouveau, mais
qui (était-ce parce que, dans ces hauts et ces bas,
mon cœur avait commencé à battre un peu fort ?)
finissait par flancher et disparaître.

A part la partie de manège gratuite de la veille, je
n'en avais pas encore fait un seul tour, alors que les
chevaux de bois tournaient depuis le matin, après la
messe, et qu'il était midi passé.

L'orchestre qui accompagnait le manège subju-
guait le bourg entier. Au loin, seuls nous parvenaient
les coups de tam-tam qui scandaient la valse au
rythme duquel tournait le manège. Mais c'était
comme autant de coups de gong invitant à la joie,
autant de coups frappés à mes entrailles, et qui, à la
douleur de ma situation alarmante et quasi désespé-
rée quand l'argent n'arrivait pas, et qui, à tout
instant, comme une voix enjôleuse et une force
irrésistible et perverse, nous ramenaient tous sur la
place du marché. A mesure qu'on approchait se
révélaient les baguettes rythmiques, le shasha, et, au
moment même où apparaissait le toit pivotant et
bordé d'oriflammes, le son de la clarinette éclatait
dans ma tête, dans mon ventre, me prenait, m'attirait
plus vite.

Alors, à voir des femmes qui, sous l'effet de la
musique, marchaient en roulant des épaules et
secouant des fesses, des hommes dont les reins
s'imprimaient d'un roulis étrange, à voir de près
tourner les chevaux de bois montés d'enfants en
robes blanches et à nœuds rouges, d'enfants en

costumes neufs, d'enfants à chaussures vernies, d'enfants noirs, aux rires clairs et chauds, et sentir au fond de moi la convulsion des coups de tam-tam, forts et doux comme un sang épais, je demeurais dans une sorte de transe d'où j'étais long à revenir.

Quand arrivait le soir, les notables, en grande toilette, venaient faire un tour, les ajoupas s'étaient illuminés, et tout ce qui constituait la fête et environnait la fête avait pris un éclat et des résonances plus troublants, et pas un sou n'avait échoué dans ma main. Aussi le Diable lui-même (celui qui était sur mon catéchisme) m'aurait offert dix sous contre mon âme qu'allait prochainement sanctifier la Première Communion, que je n'aurais pas refusé.

Cette année-là j'allais inventer, pour monter au manège, un moyen auquel je n'aurais pas songé les années précédentes.

Le manège était mû par deux hommes qui, de l'intérieur, entraînaient à force de bras et en courant le plancher circulaire qui supportait les chevaux de bois. Mais de négligeables galopins avec qui nous ne jouions pas poussaient avec les deux hommes.

Cette aide bénévole leur donnait, en compensation, l'avantage de monter en manège sans payer, car une fois que l'impulsion donnée au plancher tournant avait atteint son paroxysme, ils sautaient dessus et, accroupis ou debout, s'en trouvaient presque aussi bien que sur les plus beaux chevaux du manège.

Si j'allais !... Cela me paraissait un peu difficile parce qu'il fallait sans doute pousser fort : les deux hommes suaient et leurs pieds nus creusaient le sol tout en rond. Cela semblait requérir beaucoup d'habileté pour sauter sur le plancher au moment où le

manège était lancé, à grands coups de tam-tam, à une
telle vitesse que, sur les chevaux, on ne pouvait
même pas regarder la foule, et que la foule, à terre,
ne pouvait pas distinguer ceux qui tournaient. Mais
je me sentais capable. Lorsque cette partie serait
finie, je n'aurais qu'à grimper sur le plancher, le
traverser et aller prendre une place de pousse à
l'intérieur.

Pourtant, mes pieds ne se décident pas encore à
faire ce simple pas. Des scrupules, des scrupules... Si
m'man Tine... A coup sûr elle me battrait à m'estropier si elle me surprenait ; mais outre que j'ai toutes
les chances de ne pas être vu par elle — puisque, à
cette heure, m'man Tine est à la Cour Fusil —
aucune défense expresse ne m'a encore été faite
d'aller pousser les chevaux de bois. Gros avantage
vis-à-vis de ma conscience et de ma grand-mère.
Pourtant, tout de même...

Brusquement, je me retourne : quelqu'un a posé la
main sur mon épaule. Oh ! est-ce possible ? Jojo !
Jojo à qui je ne pouvais penser en ce moment ! Jojo
tout seul à la fête, sans l'accompagnement de ses
distingués parents ou la garde de Mam'zelle Mélie.
Et sans sa culotte de velours bleu, son blouson de
soie blanche à col de matelot, ses chaussures à
barrettes et ses chaussettes blanches à baguettes.
Jojo, en tenue d'écolier, habillé comme moi, presque, avec de gros souliers en plus. Comment ?
Pourquoi ?

— Je te cherchais, s'exclama-t-il.

Les yeux de Jojo brillent d'un éclat triomphal.
Il ne répond pas à mes questions, il me montre

discrètement, mais avec un tressaillement de joie, un billet de cent sous pelotonné au creux de sa main.

— Je l'ai trouvé, me dit-il.

— Où ça ?

— Chez moi, dans la salle à manger. C'est peut-être maman Yaya, ou mon papa qui l'a laissé tomber sans faire attention.

Comme il a de la chance, quand même, Jojo ! Chez lui il trouve de l'argent !

— Ce matin, je l'ai trouvé. Alors, je l'ai caché dans ma chambre, et comme je savais qu'on n'allait pas m'amener à la fête à cause du zéro qui est sur mon cahier, lorsque tout le monde est allé se coucher, j'ai ouvert doucement la fenêtre et...

Dieu ! se peut-il que Jojo soit si brave, si intrépide !

Mais ce qui importe pour l'heure, c'est de dépenser au plus vite les cinq francs, pour que Jojo s'en retourne chez lui de la même manière dont il s'est échappé.

D'abord, acheter des gâteaux. Mais qui de nous deux ira affronter Mam'zelle Choute, la marchande, avec ce gros billet de cent sous. Jojo, naturellement, puisque c'est à lui. Non, il a peur. Mam'zelle Choute peut-être le remarquera, parlera à Mam'zelle Mélie. Jojo est méfiant. Les grandes personnes, ça parle tant des enfants !

Donc, c'est à moi d'aller. Moi, au contraire, je crains que Mam'zelle Choute ne me soupçonne d'avoir volé cet argent. On est tellement soupçonneux à l'égard des enfants noirs ! J'ai peur, moi aussi. J'incite Jojo, et l'envie de nous régaler de tout ce qui nous tente finira par l'emporter.

Nous choisissons des gâteaux à la confiture de noix

de coco, des sucres d'orge en forme de bonshommes, des galettes de moussache, des cornets de caca-huètes.

Tout en mangeant et en croquant, nous nous élançons sur les chevaux de bois. Une partie, deux parties, trois parties consécutives. Oh! griserie libé-ratrice de mes refoulements puérils! Puis nous nous offrons une bouteille de limonade gazeuse que nous allons vider à la régalade dans l'ombre, adossés au pignon d'une maison.

Nous tentons notre chance à divers jeux, abandon-nant à la perte du premier sou, ou bien nous retirant après le premier sou gagné. Nous nous arrêtons devant un bal pour écouter, embellies par la voix de l'accordéon, des chansons composées dans le bourg même, et que les enfants bien élevés ne chantent que loin de l'école et des oreilles de leurs parents. Des hommes et des femmes dansent avec des mimiques troublantes des danses d'amour et des danses de joie.

Nous avons vu de nos yeux deux hommes se disputer au milieu d'un attroupement de personnes impuissantes à les calmer, et l'un sillonner la chair de l'autre d'un coup de rasoir leste et violent.

Enfin, avec les derniers dix sous, nous avons fait chacun une dernière partie de manège et, les jeux, la foule, le manège, devenus alors moins attractifs, nous sommes descendus vers le bas-bourg pour aller nous coucher.

A l'entrée de la Cour Fusil je pris congé de Jojo.

Ayant trouvé la chambre de m'man Tine, je n'eus qu'à appuyer sur la porte, car seule une grosse pierre à l'intérieur la tenait fermée.

Quelle ne fut pas ma déception de ne pas voir Jojo en classe le lendemain ! Non seulement il me tenait à cœur de savoir comment il avait pu regagner sa chambre, mais j'étais avide de me retrouver avec lui pour évoquer notre soirée de la veille.

Pour ma part, j'étais ravi. Tout ce que me racontaient les autres de leur dimanche de fête ne me causait aucune envie ni regret. C'était dommage que Jojo ne fût pas là.

L'après-midi il ne vint pas non plus, et dans mon impatience de le revoir, s'insinua un commencement d'inquiétude. Jojo ne manquait jamais l'école.

Le soir, à mes risques et périls, j'allai rôder devant la maison de M. Justin Roc. Mais, à aucun moment, Jojo ne sortit. Je n'osais pas croire à un malheur. L'aurait-on surpris en rentrant, et battu tellement qu'il ne pouvait pas marcher ? On l'aurait su à l'école. Aucun de nous ne recevait une volée sans, par ses cris, se trahir à l'égard d'un camarade de son voisinage, qui se chargeait volontiers de corporter la nouvelle en classe.

Eh bien ! la nouvelle qui fut portée le lendemain à l'école, la voici :

Jojo avait marronné.

Le croirais-je ?

Jojo s'était sauvé de chez son père. Comme un nègre marron, il s'était enfui dans les bois... Toute l'école en faisait gorge chaude.

Seul, j'en étais atterré. J'avais peur. J'étais complètement égaré. Je ne comprenais pas que Jojo eût déserté de lui-même. Et à quel moment ? Après m'avoir quitté, sans être retourné chez son papa, ou après avoir été surpris et battu ? S'était-il enfui pour

échapper aux coups, ou bien sa maman Yaya l'avait-
elle chassé ?

Personne ne savait à l'école. On ne faisait que
répéter, que s'exciter à propager la nouvelle :

— Georges Roc a marronné. Georges Roc a
marronné !

L'explication que je cherchais, c'est à la Cour Fusil que Mam'zelle Délice, qui était une amie de
Mam'zelle Mélie, me l'apporta en racontant aux
locataires de la cour cet événement qui défrayait les
commérages du bourg.

Au milieu de la nuit, Mme Justin entend un bruit
d'objet qu'on a laissé tomber. Elle éveille son mari.
Elle craint que ce ne soit un cambrioleur. M. Justin
va voir et trouve Jojo qui n'a pas eu le temps de
refermer la fenêtre, et qui essaie de se glisser dans
son lit.

— Comment, c'est toi, Jojo ? D'où viens-tu ?
demande le père. Hein, d'où ça que tu viens ?

Jojo, qu'on croyait être en chemise de nuit et
couché dans son lit, est vêtu de son costume d'école
qu'il avait la semaine dernière, et ses chaussettes à
ses pieds et ses souliers à terre.

Se préparait-il à sortir ? Venait-il de rentrer ?

— Tu étais sorti ? C'est pas mal, dit M. Justin.
Demain matin, nous allons régler cela.

Le lendemain matin, point de Jojo.

— Il a dû aller rejoindre sa mère, insinue
Mam'zelle Délice.

Et cette hypothèse fixa mes idées et dissipa mon
trouble.

Dès lors, Jojo, aussi longtemps que je me souvien-
drai de lui, restera dans mon esprit comme un petit

prisonnier, un enfant volé qui, un jour à l'aube, s'évada tel un nègre marron, pour aller retrouver sa mère et sa liberté. Mais une grande tristesse et un vrai remords me revenaient souvent.

Je regrettais cette soirée de fête passée presque clandestinement avec Jojo. Que n'avais-je été aussi son complice et son compagnon au moment où, de désespoir, il s'enfuyait par les grands bois et les immenses champs de canne à sucre ?

Et, dans ma tête, Jojo courait en pleurant, tour à tour égaré par la peur et guidé par l'instinct ; et dans mon cœur pesait le sentiment de culpabilité d'avoir partagé les gâteaux, les friandises, les tournées de manège qu'il m'avait offerts avec les cinq francs dérobés à son père, sans rien endurer de sa mésaventure.

Et maintenant, était-il heureux ou malheureux de s'être sauvé ? Avait-il retrouvé sa mère ? Allait-il à l'école ? Se présenterait-il au Certificat d'Etudes ?

Je l'imaginais aussi errant encore, famélique et nu. Mais chaque fois que je rencontrais Mam'zelle Mélie et que je pensais à Mme Justin, tout me portait à croire que Jojo était heureux chez sa vraie maman.

L'absence de Jojo avait changé de beaucoup l'atmosphère de la classe. Maintenant, il arrivait à M. Roc de faire une leçon sans s'interrompre pour calotter qui que ce soit. Jojo manquerait au moment de la correction de la dictée, de la correction des problèmes surtout, et à chaque leçon, car c'était par lui que tout commençait. Vraiment, la classe parut d'un calme étrange pendant quelques jours. Puis elle devint fiévreuse et austère.

Le maître nous retenait le soir après quatre heures

pour la préparation de l'examen. Des dictées difficiles, de gros problèmes, des noms de fleuves et de
montagnes, des noms de batailles, des dates de
victoires.

Nous étions dix soignés à ce régime. Dix que, selon
l'expression consacrée par les habitants du bourg,
M. Roc allait envoyer à Saint-Esprit. Le maître nous
gonflait avec une telle vigueur que les quatre ou cinq
jours d'absence que me valurent les cérémonies de
ma Première Communion et le nouveau Sacrement
m'avaient à peine distrait des soucis de ce souverain
examen.

Non seulement M. Roc ne se lassait pas de nous
faire ressasser nos livres, il nous prêchait matin et
soir les vertus du diplôme du Certificat d'Etudes, qui
était le plus indispensable à l'homme le plus humble,
celui sans lequel on ne pouvait pas aborder les autres
examens ni exercer un travail lucratif. Sans le Certificat d'Etudes, nous tomberions tous dans les petites-
bandes et tous les sacrifices de nos parents auraient
été vains.

M. Roc croyait-il lui-même à l'efficacité de ses
prêches sur nous, sinon en remarquait-il tout l'effet ?
Pourtant, nul doute que réchauffés de la sorte,
exhortés, c'est dans un état d'âme de véritables héros
que nous vécûmes jusqu'au jour de l'examen.

La veille, un dimanche, toutes les filles et beaucoup de garçons avaient communié — sauf moi, et à
ma honte. Car pour ne pas confesser au curé que, par
une fente de la cloison, j'avais vu notre voisine
Mam'zelle Mézélie toute nue sur son lit avec un
homme qui la touchait, j'avais déjà cessé de commu-
nier.

Puis, l'après-midi, Mam'zelle Fanny les avait tous réunis devant sa porte, comme pour le catéchisme.

Pour n'avoir pas communié et pour avoir rompu avec cette marraine spirituelle depuis longtemps, je ne pouvais pas en être. Alors, curieux de savoir ce qui allait se passer, j'allai me poster de l'autre côté de la rue, dans un buisson. Il fallait bien s'en douter : c'était pour une réunion de prière. Debout, en demi-cercle, face à Mam'zelle Fanny, encadrée elle-même dans l'embrasure de la porte, les bras croisés, ils priaient tout haut pour réussir à l'examen qu'ils allaient subir.

D'abord, une pointe de regret de n'être pas du nombre : n'était-ce pas une chance de succès que je perdais ? Ils invoquaient des saints que je savais être réputés pour leur bienveillance envers les candidats aux examens : saint Expédit, saint Michel, saint Antoine.

Mam'zelle Fanny, les mains jointes, les yeux au ciel, laissait couler de sa bouche des suppliques émouvantes.

Et moi seul ne bénéficierais pas de toute la grâce qui, en ce moment-là, par l'organe de Mam'zelle Fanny, descendait et se répandait sur mes camarades, pour éclairer leur esprit, aviver leur intelligence et les faire triompher. Mais je m'en consolai bien vite. Le matin, m'man Tine avait communié à mon intention, et l'expérience m'avait déjà prouvé, en maintes circonstances, que tout ce que m'man Tine demandait à Dieu elle l'obtenait. Alors, à moitié envieux, à moitié dédaigneux, je les laissais s'époumoner à réciter des litanies, ainsi en public, et je rentrai à la Cour Fusil, parce que le maître nous avait recommandé de nous reposer beaucoup ce jour-là.

Je m'endormis pendant que m'man Tine préparait tout ce dont j'allais avoir besoin le lendemain.

Animée d'une dévotion qui grossissait d'autant à mes yeux l'importance de l'événement que j'allais vivre, elle avait repassé mon costume de Première Communion, brossé mes bottines noires que je n'avais mises que cinq ou six fois. Le sommeil m'emporta pendant qu'elle faisait frire la morue pour me faire des sandwiches à emporter.

Après qu'elle m'eut réveillé, de grand matin, elle me fit boire une timbale d'un café très fort, et lorsque je fus habillé et muni de mes fournitures, je partis dans le petit jour. M. Roc nous avait tous convoqués pour cinq heures devant sa maison.

Nous avions toujours apprécié M. Roc, malgré les retentissantes calottes sur le crâne de Jojo, et ses soufflets qui nous faisaient tinter les oreilles. Mais je ne crois pas que nos sentiments eussent jamais atteint ce degré d'affection qu'il y avait en nous tous ce matin-là, pendant que nous marchions seuls sur la route, aux côtés de cet homme, cette espèce de berger, ne cessant de prodiguer à chacun de nous des recommandations qui trahissaient combien, plus que nous, il était soucieux et ému.

La journée s'écoula avec l'évanouissement de toutes nos craintes, une exaltation de nos espoirs.

Notre maître d'école était satisfait dans l'ensemble des comptes rendus de notre dictée, des brouillons de nos problèmes et de notre rédaction. Il avait même repris confiance en Germé, celle qui était incurablement obsédée par la manie de mettre un *s* à la fin de chaque mot, et en Louisy qui s'embrouillait à la moindre règle de trois.

C'était le soir, et dans l'obscurité de la cour d'école de Saint-Esprit nous attendions la proclamation des résultats.

Nous restions littéralement liés ensemble dans la foule d'élèves et de parents qui emplissait la cour.

Seul, M. Roc nous quittait et revenait. On n'en finissait pas d'entendre épeler, dans la rumeur ambiante, tel mot de la dictée, ou énoncer les résultats des problèmes.

Nous n'éprouvions guère de fatigue à rester debout à piétiner depuis si longtemps, mais certains, comme moi, en avaient mal aux pieds. Aussi, profitant de l'obscurité, je fus des premiers à me soulager de mes bottines. Je les avais attachées ensemble par les lacets, et les tenais bien fort pour ne pas les perdre.

Plus le temps passait, plus une nervosité mal contenue nous gagnait, se traduisant chez certains par un bavardage intarissable, en plongeant d'autres dans un silence frisant l'hébétude.

Soudain, il y eut un brouhaha, un bond de la foule en avant, un silence : une fenêtre du premier étage s'était ouverte, et son rectangle de clarté encadrait à contre-jour deux bustes d'hommes ? L'un d'eux commença aussitôt à prononcer des noms d'élèves.

Au fur et à mesure, des frissons, des élans refrénés, des exclamations étouffées agitaient la foule. Je ne bougeais pas. Mon sang, mes entrailles avaient été broyées ensemble par l'apparition de ces deux hommes, et je demeurais fixe et suspendu à la voix qui, de la fenêtre magique, libérait des noms qui descendaient sur les élèves comme une pluie d'étoiles. Il y en avait une interminable constellation, et plus il en passait, plus je me détachais de la foule qui, déjà, explosait autour de moi.

Je ne voyais que l'embrasure éclairée de la fenêtre et n'entendais que la seule voix de l'homme qui lisait les résultats... Hassam José !

Ce nom, échappé de la bouche de l'homme, me frappa en pleine poitrine, avec une violence à me faire voler en éclats.

Jamais je ne m'étais entendu appeler de ce ton solennel. Jamais je n'avais senti avec autant d'acuité tout ce qui liait mon être à ces quatre syllabes. Mais ce nom n'eût-il pas été prononcé que j'aurais été tourné en pierre peut-être.

Mes camarades s'embrassaient, m'embrassaient.

— Nous avons tous réussi ! Tous les dix ! criaient-ils.

Je ne sautais pas, je ne criais pas, je me laissais entraîner, souriant, sans trouver rien à dire. M. Roc était très excité et presque submergé par les manifestations des élèves. Il ne faisait que répéter dans un sourire qui ressemblait plutôt à une grimace : « C'est bien, c'est bien », et nous regardait avec des yeux étincelants derrière ses lunettes, et se tournait sans cesse, commençant une phrase, s'interrompant, se retournant, nous criant : « Il est tard, mes enfants, dépêchons. »

Sous la lueur des réverbères, toutes les rues de Saint-Esprit étaient inondées d'élèves et de clameurs.

M. Roc nous amena chez un garagiste et loua un taxi dans lequel on s'entassa tous les dix avec lui.

M'man Tine, comme tous les gens de la Cour Fusil, était déjà couchée quand j'arrivai à Petit-Bourg. Elle ne dormait pas ; à peine eus-je touché la porte qui, comme à l'ordinaire, était fermée par une pierre placée derrière sur le plancher, qu'elle avait allumé son lampion, et me demandait :

— José, qu'as-tu fait, mon iche ?

Je lançai mes bras en l'air et je dansai.

— Ah ! merci ! fit m'man Tine en joignant ses mains sur son cœur.

Ce fut tout. Elle se recoucha, me dit que mon dîner était dans un plat couvert sur la table et que mon couchage devait être bien doux, puisqu'elle me l'avait passé au soleil toute la journée.

La semaine d'après, alors que les classes étaient pratiquement terminées et que nos activités à l'école consistaient en plus de jeux que de travail, M. Roc me donna à mettre une lettre à la poste en m'expliquant que c'était une demande pour un autre examen auquel je devais me présenter peu après : le Concours des Bourses.

Moi seul, parmi les dix lauréats du Certificat d'études, les autres ayant dépassé l'âge requis. Ce concours devait avoir lieu à Fort-de-France. Si je réussissais, j'irais à une école de Fort-de-France, au lycée. M. Roc me disait tout cela sans transport, sans un sourire, mais avec une gravité sous laquelle je sentais je ne sais quelle joie anticipée, et dont la chaleur rendait d'autant plus impressionnante la perspective qu'il me présentait.

Pour ma part, je n'entrevoyais même pas comment pourrait se réaliser ce dont me parlait le maître d'école. Par conséquent, ce ne fut pas ma candida-

ture au Concours des Bourses qui me préoccupa
beaucoup pendant les jours qui suivirent.

Lorsque nous cessions de jouer, c'était pour faire
des projets d'avenir, mais d'avenir immédiat.

Raphaël irait au Cours Supérieur à Saint-Esprit,
où était déjà son frère Roger, pour préparer le
Brevet Élémentaire.

Mérida, une qui était chanceuse, celle-là! disait
que la receveuse des Postes la mettrait à côté d'elle,
au bureau, pour lui apprendre à téléphoner.

Deux autres, parmi les filles, allaient apprendre la
couture à Rivière-Salée. Il n'y avait que Laurette qui
fût sans projet : ses parents hésitaient à l'envoyer à
Saint-Esprit, de peur qu'elle ne prît contact avec les
garçons, chemin faisant.

M. Roc avait détruit mon propre rêve. Pour le
moment je n'avais que ce singulier rêve d'emprunt de
réussir au Concours des Bourses pour aller au lycée.
Alors, plus tard, je pourrais être avocat, médecin...
Mais y croyais-je sincèrement ?

Toujours est-il que j'étais heureux à l'idée d'aller
subir un examen à Fort-de-France, parce que, par la
même occasion, je pourrais voir ma petite mère,
m'man Délia.

Après une démarche auprès de M. Roc, m'man
Tine avait décidé :

— Eh ben! va falloir que je m'apprête mon jupon
à broderie anglaise pour ce voyage.

J'avais souvent vu la mer au loin. Du Haut-Morne,
on domine une plaine marécageuse, traversée par
une large rivière aux eaux lentes, et la mer, au loin,
dans laquelle elle s'abandonne. La mer, c'était pour

moi une chose visible, belle, mais inaccessible
comme le ciel, son frère. Or, le lac Génipa, où je me
baignais souvent, quoique très petit, m'avait donné
une telle idée de ce que pouvait être la mer, vue de
près, que je ne fus pas particulièrement ému ce jour-
là où, dans la petite embarcation à vapeur qui reliait
Fort-de-France à Petit-Bourg, je me trouvai en plein
océan. M'man Tine m'accompagnait. Des voyageurs
de la campagne, nu-pieds et coiffés de chapeaux de
bacoua (1), et des gens soigneusement habillés, cau-
saient à haute voix, riaient, mangeaient, se parta-
geaient du pain et des fritures.

Mais je ne regardais qu'à l'extérieur. C'était un
grand bain d'espace. Ce vide entre le ciel et l'eau
m'impressionnait. Etrange aussi, la vigueur avec
laquelle l'eau bougeait en tous sens, comme un
troupeau de bêtes bleues, sans peau et nerveuses, qui
aboyaient, écumaient et bavaient, frappaient le petit
bateau de leurs flancs mous et visqueux, et fuyaient,
crinières au vent, pour assiéger et faire ballotter les
pirogues éparses autour de nous, et qui ne semblaient
aller nulle part.

A la longue, m'man Tine remarquant sans doute
que je commençais à me sentir bouleversé par cette
agitation perpétuelle, me fit poser la tête sur ses
genoux et je m'endormis.

Lorsque, encore tout ankylosés, nous nous trouvâ-
mes sur le débarcadère, je me demandai si m'man
Tine parviendrait à trouver l'endroit où avait lieu
l'examen. La ville me paraissait plus vaste, plus
bruyante que les plus grandes forêts, les plus grosses

(1) Grosse paille.

plantations, les usines les plus monstrueuses que j'aurais pu imaginer. Que de rues! Que d'autos!

Mais m'man Tine, moins troublée que moi, prit son temps pour mettre ses souliers, rajuster sa toilette, draper son jupon et puis, me tenant bien fort par la main, s'aventura vers la ville.

Nous nous arrêtions à chaque carrefour. M'man Tine demandait le chemin à un passant, puis nous repartions.

Ma grand-mère était une femme prodigieuse. Nous arrivâmes au lycée de jeunes filles : c'était là que se faisait l'examen. Même ambiance qu'à Saint-Esprit le jour du Certificat d'Etudes : des élèves massés dans la cour, avec des maîtres et des parents, l'appel, la montée dans les salles.

La dictée me parut facile. Quant aux deux problèmes, si faciles par rapport à ceux auxquels M. Roc nous avait rompus que, lorsque je revins dans la cour, après la composition, et que j'entendis les autres candidats clamer les chiffres qu'ils avaient trouvés, je me rendis compte que j'en avais manqué un. J'en fus tout de suite très affligé, mais je m'efforçai de ne pas le laisser voir à m'man Tine. Et je n'y pensai guère plus, car nous devions tout de suite aller voir ma mère.

A mon retour à Petit-Bourg, je n'avais pas caché à M. Roc l'étourderie par laquelle j'avais mal fait mon deuxième problème. D'abord, il me rabroua, puis il se ravisa :

— Tant pis, l'essentiel était le Certificat. Or, vous le tenez déjà.

Mais qu'allais-je faire ?

Plus d'une fois j'avais entendu m'man Tine demander :

— Mon Dieu, comment ferai-je pour envoyer cet enfant au Cours Supérieur ?

Elle ne connaissait personne pouvant m'accorder l'hospitalité à midi. Personnellement, je me sentais capable de m'en passer. L'expérience que j'avais subie chez Mme Léonce en était peut-être pour beaucoup, et je me voyais très bien déjeunant, sous la véranda de l'école, du repas le plus frugal que j'aurais apporté le matin. Mais là où je me butai à me fendre la tête, ce fut sur la question des souliers. Au Cours Supérieur, on n'y allait pas nu-pieds. Bien sûr, il y avait mes bottines de Première Communion, et je pourrais en allonger la durée en les portant à la main, sur la route entre Petit-Bourg et Saint-Esprit, et les mettre juste pour rentrer en classe ; mais de toute façon elles s'useraient. Et après ? Il me vint une fois l'idée d'aller travailler pendant les grandes vacances dans les petites-bandes, afin de gagner de quoi me payer une paire de souliers. Vergène et son frère, par exemple, le faisaient bien chaque année pour s'acheter un costume neuf à la rentrée des classes. Je n'y pus céder. Ce n'était pas ma faute : aucune sympathie pour les champs de cannes à sucre. En dépit de tout mon plaisir à mordiller et à sucer des bouts de canne à sucre, un champ représentait toujours à mes yeux un endroit maudit où des bourreaux qu'on ne voyait même pas condamnent des nègres, dès l'âge de huit ans, à sarcler, bêcher, sous des orages qui les flétrissent et des soleils qui dévorent comme feraient des chiens enragés ; des nègres en haillons, puant la sueur et le crottin, nourris d'une poignée de farine de manioc et de deux sous de rhum de mélasse, et qui deviennent de pitoyables monstres aux yeux vitreux, aux pieds alourdis d'éléphantiasis, voués à s'abattre un soir dans un sillon et à expirer sur une planche crasseuse, à même le sol d'une cabane vide et infecte.

Non, non ! Je renie la splendeur du soleil et l'envoûtement des mélopées qu'on chante dans un champ de canne à sucre. Et la volupté fauve de l'amour qui consume un vigoureux muletier avec une ardente négresse dans la profondeur d'un champ de canne à sucre. Il y a trop longtemps que j'assiste, impuissant, à la mort lente de ma grand-mère par les champs de cannes à sucre.

Par conséquent, mon idée d'aller dans les petites-bandes eut à peine le temps de prendre corps. D'ailleurs, elle n'aurait pas abouti. M'man Tine s'y serait formellement opposée et m'aurait même battu pour avoir conçu un tel projet.

Les grandes vacances allaient commencer, et la perspective de mes randonnées dans la campagne, des parties de pêche, des cueillettes de fruits et du vagabondage le plus effréné, l'emporta sur mes soucis.

Les grandes vacances commençaient à peine lorsque, un soir, la femme qui balayait les classes et faisait le ménage de M. Roc vint me chercher chez m'man Tine, à la grande stupeur de cette dernière, de la part de mon maître d'école.

Lorsque j'entrai chez lui, M. Roc était à table.

— Petit garçon, me dit-il en avalant une bouchée, vous êtes un veinard, vous savez. Tenez, je viens de recevoir cela.

Et prenant un papier bleu qui était posé près de son assiette, il le déplia en me disant :

— Vous avez été reçu au Concours des Bourses.

Il me tendit le télégramme. Ses yeux brillaient et sa bouche entrouverte montrait le bord de ses dents. Expression qui n'était pas tout à fait un sourire, mais que je lui avais connue en des moments de grande joie.

Et il répéta :

— Veinard, va !

TROISIÈME PARTIE

J'avais obtenu de la Colonie un quart de bourse d'étude.

Dans les bureaux du Chef de Service de l'Instruction Publique, où ma mère Délia et moi nous avions appris la nouvelle, une jeune employée nous avait affirmé que les bourses, c'était une affaire de piston, et qu'elle s'étonnait que par une chance inouïe, sans intercession de bras longs, ni recommandation aucune, il m'eût échu cette part.

A l'économat du lycée, un peu plus tard, nous nous entendîmes expliquer que, pour bénéficier de ce quart de bourse, il faudrait payer encore quatre-vingt-sept francs cinquante par trimestre, pour ma scolarité.

Nous étions, l'un et l'autre, écrasés par ce désappointement.

Mais ce que je ne comprenais pas, c'était que ma mère ne manifestât aucun signe de découragement ni d'abandon. Je sentais en elle une angoisse plus âpre encore que la mienne, et pourtant je la voyais s'acharner à marcher par la ville, à ricocher de bureau en bureau, me traînant après elle, demandant sans cesse ce qu'elle devait faire. Comment entrer dans le lycée où il fallait que ma mère payât quatre-vingt-sept francs cinquante tous les trois mois, et pendant plusieurs années — environ sept ans, avait-on dit ?

Je ne comprenais pas pourquoi, non plus, ma mère ne voulait pas tout simplement abandonner la partie, puisque, somme toute, il y avait les Cours Supérieurs et les Cours Complémentaires gratuits.

Mais à tout instant, elle proférait :

— *Ils* sont trop méchants ! C'est parce que nous sommes des petits nègres, pauvres et seuls, qu'*ils* t'ont pas donné une bourse entière. *Ils* savent bien que je suis une malheureuse femme et que je ne pourrais pas te payer le lycée. *Ils* savent très bien que te donner un quart de bourse d'études, c'est rien te donner du tout. Mais *ils* savent pas quelle femme de combat je suis. Eh bé ! j'abandonnerai pas ce quart de bourse. Tu iras dans *leur* lycée !

La cause de mon chagrin n'était pas tellement le doute qu'elle n'y parvînt, mais de voir ma pauvre m'man Délia si désespérément engagée dans une lutte au-dessus de ses forces, contre des gens qui semblaient être nombreux et puissants autant qu'invisibles.

Quatre-vingt-sept francs cinquante ! Ma mère comptait et recomptait sans cesse le contenu de sa bourse de cotonnade bleue. Je lui remis les cent sous que m'avait donnés m'man Tine le jour de mon départ de Petit-Bourg, ce matin de notre séparation, au moment où elle m'embarquait dans le petit bateau à vapeur. Ma mère recomptait encore, balbutiait, réfléchissait, et avec l'air plus décidé que jamais à relever le défi, elle répétait comme pour se donner du courage à elle, aussi bien qu'à moi-même : « Tu y entreras ! »

M'man Délia occupait une excellente place chez des Blancs créoles de la Route Didier. Elle y faisait la lessive et le ménage, partageait avec une cuisinière, un chauffeur et un jardinier les restes des repas des maîtres, avait une chambre meublée d'un lit en fer, pourvu d'une literie propre et souple ; et elle gagnait cent francs par moi. Très peu de bonnes, avait-elle confié à m'man Tine, étaient aussi bien payées. Pas même à la Route Didier où se trouvaient les Blancs les plus riches et les meilleurs domestiques nègres.

Or, à cause de moi, elle a dû commencer par sacrifier cette place, louer une chambre et faire de la lessive.

Nous habitons alors le quartier Sainte-Thérèse.

Un certain Dr Guerri, propriétaire de ces grands terrains à peine déboisés qui s'élèvent à l'out de Fort-de-France, y découpe et loue de petits emplacements à tous ceux qui désirent se construire une baraque.

Toute une noire population d'ouvriers — l'excédent des autres quartiers à taudis, à paludisme et à fièvre typhoïde de la ville — y accourt et, sur l'initiative de chacun, avec un zèle épique, y installe un vaste campement. Cinq ou six chemins ont été tracés, empierrés à la diable et baptisés de noms dont personne ne sait l'origine ni la signification. Le long de ces rues, continuent à s'aligner les baraques-types du quartier : grandes caisses ayant contenu des voitures d'importation américaine posées sur de fragiles pilotis de maçonnerie ou de pierres sèches, ou bien sur de simples béquilles de bois, et coiffées de huit feuilles de tôle ondulée. Souvent, la toiture consiste en une multitude de bidons de fer-blanc plus ou moins rouillés, défoncés, coupés, aplatis et couchés comme des écailles de poisson.

Et déjà, cela fait office d'épiceries, de boutiques de tailleurs, de boucheries, en même temps que de paisibles demeures. Tout autour, jouent des enfants, sans crainte de tout renverser dans leurs ébats. Et par devant, un dimanche après-midi, un homme s'installe en chaise-longue pour fumer, sans arrière-pensée, ou cultive avec sa femme quelques fleurs assez humbles et pas trop pauvres cependant pour offrir un témoignage sincère de soin et d'amour.

Au milieu d'un large espace, un amoncellement de déblais, derrière lequel une grosse partie de la population de Sainte-Thérèse travaille à l'édification d'une église dont nous serons les paroissiens.

Ce quartier me plaît beaucoup. Pas que je le trouve beau à contempler, mais je suis très content d'assister à l'arrivée et à l'implantation de tous ces gens qui, de l'air le plus détaché, et dans un unique souci de l'immédiat sans doute, enfoncent dans ces terrains vagues, avec la vigueur d'un acte d'amour, leurs inexpugnables racines d'homme.

Quelques personnes, déjà propriétaires en ville de demeures plus solides et plus représentatives, ont fait construire à Sainte-Thérèse des baraques en style du quartier, que prennent en location des gens qui ne peuvent pas bâtir. Ma mère est de cette dernière catégorie ; mais elle est si contente d'être à Sainte-Thérèse, si heureuse d'entrevoir le jour où elle pourrait acheter une caisse à auto et six feuilles de tôle galvanisée pour se faire une petite maison de deux pièces !

A proximité du quartier, passe la Rivière-Monsieur. C'est là que, de mardi à jeudi, ma mère va laver. Les autres jours de la semaine sont consacrés au raccommodage et au repassage.

Elle a des grosses et des petites lessives. Les petites sont payées chaque samedi soir, à la livraison ; les grosses, à la fin du mois.

Donc, je suis parvenu à entrer au lycée, moyennant les quatre-vingt-sept francs cinquante, ou plutôt un peu avant d'avoir versé cette somme.

A l'une de nos démarches à l'économat, le caissier avait dit à ma mère qu'elle n'était pas tenue de payer au moment même de mon entrée, et qu'elle pouvait bénéficier d'un délai de quelques jours.

Alors elle m'y avait conduit et laissé, espérant que, de toute façon, elle rassemblerait à temps l'argent nécessaire.

Mais quinze jours s'étaient écoulés et M. l'économe m'avait fait appeler pour me le rappeler.

Puis, deux jours après, nouveau rappel et menace de ne pas être reçu. Alors, j'étais resté deux jours à Sainte-Thérèse.

Enfin, après une journée et une nuit de repassage, et une matinée consacrée à la livraison du linge, ma mère me donna, un lundi matin, une enveloppe contenant des billets qu'elle avait pris soin de défroisser au fer chaud, grâce à quoi je suis retourné au lycée Schœlcher, en passant par la caisse de l'économat.

Je trouve ce lycée très grand, fourmillant d'élèves, charpenté de professeurs.

Ce qui me change le plus de mon école de Petit-Bourg, c'est d'être encagé pendant les classes dans des salles dont les fenêtres ne voient point d'arbres, et d'être captif, aux heures de récréation, dans une cour emmurée, dans laquelle, vu le nombre des élèves, il n'est même pas possible de faire une bonne partie de barres.

Et puis dans cette foule d'élèves (des tout petits de la Maternelle jusqu'aux grands que j'avais pris pour des professeurs) je me trouve seul comme je n'ai jamais été. Personne que je connaisse, personne qui m'ait adressé la parole ; personne à qui j'oserais parler en confiance.

Le premier jour, j'étais habillé de mon costume de Première Communion, avec mes bottines noires ; la semaine suivante du costume blanc avec lequel j'avais reçu l'absolution ; et peu à peu, j'en suis venu à mes vieux costumes de l'école communale et à une paire de chaussures à semelles de caoutchouc.

Quelle différence auprès de tous les autres élèves vêtus de costumes témoignant de trousseaux soignés, et équipés de cartables de cuir, de stylos à bagues d'or, de montres !

A côté de moi s'assied, dans la salle d'étude, un garçon qui porte un bracelet d'identité, gravé à son petit nom : « Serge. » Un nom d'enfant propre et frais, d'enfant à peau claire. En tout cas, pas un nom de petit garçon noir et mal mis. Un nom de gentil garçonnet à culotte de velours et blouson de tussor, à chaussures basses de couleur marron, aux cheveux lisses et parfumés, séparés par une raie penchée, et qui porte une montre en or à son poignet.

Son père le dépose et revient le chercher en voiture à la porte du lycée. Et lorsqu'il pleut, le concierge qui me regarde avec de si gros yeux, aimablement lui apporte un imperméable pour qu'il traverse la cour.

Ils sont beaucoup de ce modèle-là, ceux de ma classe de sixième et ceux que je vois s'assembler ou jouer ensemble.

Personne ne me ressemble. Personne n'a d'ailleurs jamais fait attention à moi.

Serais-je repoussant à ce point, quant à ma tenue ?

Je crois plutôt que c'est mon repli sur moi-même, mon absence de gaîté, contrastant avec leur comportement aisé, leur joie d'être entre eux, de se trouver dans ce lycée comme chez eux, qui m'isole. Certainement, s'il y en avait un qui fût né à une rue Cases-Nègres, un dont les parents maniaient la bêche ou le coutelas, je l'eusse reconnu et approché. Mais je suis le seul de mon espèce.

Pendant tout le premier trimestre, mes rapports avec mes camarades de la sixième n'ont guère évolué.

Je ne bavarde pas en classe. Je ne m'amuse pas pendant les récréations. Impossible, jusqu'à présent, de rompre avec mes complexes et mes regrets. Car je regrette aussi Petit-Bourg et mon ancienne école, et tout ce qui compose l'un et l'autre. Je regrette de ne pas être au Cours Supérieur de Saint-Esprit où j'aurais gardé la plupart de mes camarades.

Qu'est-ce que je fais dans ce lycée ?

On a dit à ma mère que je pourrais en sortir avec assez de savoir pour aller en France et devenir

médecin, avocat, ingénieur. En rédigeant ma candi-
dature au Concours des Bourses, M. Roc me l'avait
insinué ; mais je ne me sens pas très porté à faire
quelque chose dans ce goût-là. Les autres, les Serge,
oui. Mais moi...

C'est à cause de cet abandon sans doute que mon
premier trimestre a été pauvre en résultats. Je n'ai eu
que le tableau d'honneur du premier mois.

Lorsque, à la veille de Noël, ma mère reçut mon
bulletin trimestriel, ce fut pour elle un sujet de gros
chagrin : toutes mes notes étaient médiocres. Et
parmi les appréciations défavorables, celles du professeur de mathématiques : « Elève peu intéressant. » Moi qui, avec M. Roc, réussissais toujours
mes deux problèmes.

— José, me dit ma mère, tu vois donc pas combien
je m'épuise à frotter des piles de linge et combien je
me dessèche à repasser de jour comme de nuit ? Tu
sais pas que c'est pour payer les quatre-vingt-sept
francs cinquante de tes études et que tu dois travailler
en classe pour que cet argent ne soit pas perdu ; pour
que je me tue pas inutilement ! Voilà que tu viens de
jeter là quatre-vingt-sept francs cinquante, puisque
t'as pas une seule bonne note dans le trimestre. Oui,
c'est comme si tu avais jeté à la mer tout l'argent de
ta maman, y compris les cinq francs que m'man Tine
t'avait donnés...

Ma mère ne me réprimanda pas avec plus de
colère ; mais elle m'aurait battu que je me serais pris
à détester le lycée, à haïr les professeurs et tous les
élèves : c'étaient eux, les uns et les autres, qui
m'avaient empêché de travailler.

Personne ne s'occupe de moi, on ne m'interroge pas. A Petit-Bourg, les maîtres vous obligent à apprendre vos leçons et à faire vos devoirs, sinon les calottes surviennent. Mais dans ce lycée, on en fait aussi peu qu'on veut.

Ma mère n'avait même pas élevé la voix et, en l'écoutant, j'eus l'impression qu'elle pleurait. Comme si ses mains écorchées par le frottement des gros linges saignaient, que ses bras, épuisés par le fer à repasser, lui faisaient mal, ou que c'était moi qui l'avais frappée, à ses mains écorchées, à ses bras endoloris, elle, ma maman !

Alors je m'effondrai en sanglots.

Je pleurais pour ma mère qui avait eu envie de me voir être un bon élève, et que j'avais déçue et peinée.

Mais lorsque je m'essuyai les yeux, j'aurais voulu retourner immédiatement au lycée. J'étais décidé à travailler.

Pendant tout le trimestre, j'avais caressé l'espoir de retourner à Petit-Bourg aux vacances de Noël. A tout instant, je pensais à mon village, opposant sans cesse mes sujets de mélancolie au souvenir de la vie turbulente et insouciante que j'y menais, et m'efforçais de retenir tous les détails de ma nouvelle existence scolaire, aux fins de les conter à mes anciens camarades. Puis, à l'approche des vacances, la pensée des fêtes de Noël alluma en moi une joie qui dura plusieurs jours. Les veillées de cantiques chez les parents de mes amis, surtout chez le père d'Audney ; la nuit de Noël où j'irais, avec toute la marmaille, à la messe de minuit, à Grand-Bourg, pour ricaner et manger des petits pâtés de porc, des cacahuètes, et, en revenant à Petit-Bourg, crier dans la nuit, à pleine voix :

Jésus est né 'jourd'hui
Ouaïe, aïe, aïe !

Et puis, le lendemain, aller chez tante Norbéline, à Courbaril. La musique des accordéons et des shashas circulerait par toute la campagne, dans l'air et dans les gens, comme une même sève ardente, et de toutes les cases émaneraient les mêmes fumets de porc rôti, de pois d'Angola et d'igname. Et ces éclats de gaîté aiguisés par l'alcool ! Je me régalais surtout de ce boudin épicé qui, selon moi, justifiait le mieux les fêtes de Noël.

Ensuite il y aurait le Jour de l'An.

Pour moi, jour morose celui-là.

Jour ensoleillé et doux, tout chantant de trompettes, gonflé de ballons de baudruche, colorié de jouets, parfumé de nougats et de dragées, autour de moi, tandis que je n'ai jamais rien. Ni trompette, ni ballon, ni dragées ; et il fait gris dans mon cœur.

Je ne suis pas envieux, mais tout cela m'emplit d'une inévitable mélancolie qui m'enlève le goût de baguenauder dans les rues.

Quoi qu'il en soit, j'aime le Jour de l'An en raison de cette mélancolie même et d'un sentiment que, ce jour-là, m'inspire m'man Tine.

Ma grand-mère se lève de bonne heure, me donne un costume blanc et met une robe neuve. Un coupon de tissu qu'elle s'était fait mettre de côté dans un magasin de Saint-Esprit, et qu'elle a payé sou par sou, pendant une bonne partie de l'année avant d'en prendre livraison et de s'en faire confectionner une robe. Une robe d'indienne à pois — pour attirer la prospérité — ou à de nombreuses petites fleurs, sentant bon l'apprêt, sentant la bonne année.

M'man Tine m'emmène à la messe de l'Aurore. Il fait sombre, l'air est frais et réellement nouveau.

L'église est toujours bondée et débordée de fidèles.

Après la messe, m'man Tine m'embrasse. Une des rares fois qu'elle m'embrasse.

— Bonne année, me dit-elle ; pour que tu grandisses et deviennes un homme.

Elle me donne deux sous et une orange.

Puis elle me laisse et s'en va de porte en porte chez les voisins de la Cour Fusil et chez ses vieilles connaissances, pour porter à chacun, à chacune, ses souhaits et une orange.

Elle rentre vers midi, chargée de plus d'oranges qu'elle n'était allée en offrir, et ne sort plus de la journée.

Ce jour-là, elle ne parle presque pas. Presque pas de monologues à mi-voix.

Elle s'adonne à la préparation du déjeuner avec une tendresse infinie, quoique ce ne soit jamais copieux.

Nous mangeons un peu tard, et, l'après-midi, elle s'allonge sur son lit (la seule fois de l'année que, sauf en cas de maladie, elle se couche le jour) et elle fume une bonne pipe dont la fumée calme emplit la case d'une odeur qui, en moi, engendre une sensation de bien-être absolu et dissipe en mon cœur la grisaille du matin.

Mais, cette année-là, ma mère m'avait gardé à Sainte-Thérèse.

Elle eût pourtant bien aimé m'envoyer voir m'man Tine malgré mon mauvais bulletin, car sans aucune allusion de ma part, elle me dit :

— Avec cette année qui finit et l'autre qui commence, tes espadrilles à acheter, le lycée à payer, la marée est basse. Alors tu enverras une belle carte postale illustrée à m'man Tine.

Je n'en eus point de chagrin, car ma philosophie était telle que mes désirs n'allaient même pas errer au-delà de ce que mes parents pouvaient me payer.

Mon second trimestre au lycée atteste une différence avec le premier. Un progrès. J'apprends mes leçons à fond, j'ai acquis progressivement plus d'assurance. Je me suis éveillé. De temps en temps, les professeurs m'interrogent.

Et j'ai un camarade.

Nous nous asseyons côte à côte dans presque toutes les classes et en étude. Il s'appelle Bussi, Christian Bussi.

Il a essayé de m'entraîner à jouer pendant la récréation. J'ai cédé une fois. Mais ces jeux me semblent insipides. Je trouve la cour trop petite et puis, habitué à gambader dans l'herbe, je n'aime pas courir dans cette cour empierrée.

En réalité, je ne joue guère. Pourtant, chaque matin, mon camarade et moi nous nous cherchons ; on se rencontre dans la cour.

C'est Bussi qui, pour ainsi dire, me présenta tout le personnel du lycée. Il y connaît déjà tout le monde, ayant été en septième année l'année précédente.

Il connaît particulièrement le sobriquet de chacun, depuis Foetus, le proviseur, jusqu'à un garçon de salle, Violoncelle. Je m'en amuse de bon cœur, mais jamais je ne me suis laissé tenter de désigner un professeur ou un surveillant par son sobriquet.

Est-ce timidité ou quelque complexe qui me fait croire que les autres élèves, les Serge et les Christian, le peuvent, mais que je ne dois pas me le permettre ?

Autre sujet de réjouissance : la vente de gâteaux par la concierge à chaque récréation.

Cinq fois par jour, l'essaim des élèves s'abat sur la fenêtre par laquelle la concierge débite ses gâteaux, puis se disperse dans la cour pour jouer et se promener, tout en mordant avec appétit dans de longs morceaux d'une espèce de pain d'épice à la confiture.

Et cinq fois par jour je suis obligé d'endurer ce spectacle sans y participer. Je n'ai jamais le sou. Je suis obligé de rester à l'écart, et la vue de ces gâteaux que ces élèves achètent dans un tumulte de joie et dévorent avec gourmandise et légèreté autour de moi, me bouleverse de convoitise. De convoitise seulement, le matin par exemple ; car, à ce moment, je n'éprouve que l'envie d'en manger comme les autres. Mais le soir, pendant la longue récréation des externes surveillés, comme je n'ai jamais de goûter, la faim qui d'elle-même me persécute déjà sans pitié, me torture encore plus férocement lorsque je vois cette foule heureuse qui se gave de bons gâteaux, et cause, et rit. Alors, mon mal en est si avivé que bientôt ce n'est pas de mon estomac que je souffre, mais d'un vide vertigineux, alourdissant ma tête, transformant mon entourage en un cauchemar, en un ignoble complot contre ma faim.

Aussi, je commence par m'emplir d'eau sous un robinet, dans un coin de la cour, et de temps en temps, j'y retourne, essayant de noyer mon estomac pour le faire taire. De même, je tâche de me dissimuler dans la foule pour échapper à Bussi. Je ne me sens pas l'envie ni la force de parler. Il m'en coûte déjà assez de paraître tranquille, indifférent, repu même, comme tout le monde. Mais Bussi parvient à me dépister. Je l'aperçois, il m'a vu ; impossible de me dérober. Il arrive, tenant un long morceau de pain dont la mie blanche et légère comme une mousse a été fendue en deux pour recevoir des œufs frits.

Il me paraît plus impressionnant avec ce grand demi-pain entre les doigts qu'Asselin, que j'ai connu dans mon enfance à Petit-Morne. Je le trouve terrible.

Mais Bussi est un gentil camarade. Voyant que je ne goûte pas, il me tend son pain d'un geste naturel.

— Casse-le.

— Non, dis-je, merci.

— Casse-le donc avec moi.

Il braque son pain sur moi. Ce pain doré et blanc, spongieux et bourré d'œufs frits, sentant bon.

Non, je maintiens mon refus, et d'un air blasé ; car à son insistance, ma faim submergée ou refoulée par je ne sais quel orgueil cabré devant ce qui pourrait être un mouvement de pitié de la part de ce garçon, ma faim n'existe plus. Mais lui-même il rompt le pain et me tend un morceau, un gros morceau, bien gonflé de jaunes d'œufs.

— Allons, fais pas de façons, tiens.

Je mets mes deux mains derrière moi, et, avec un calme sourire, je m'accroche à mon refus.

Alors, pour en finir, Bussi hausse les épaules, pirouette, donne un gros coup de dents à son pain et nous parlons d'autre chose. Nous arpentons la cour. Cela me détend de la lutte que je viens de soutenir.

Tout en parlant, Christian Bussi mange.

Au bout d'un moment, coupant court notre conversation, il me dit :

— Tu n'as pas voulu partager mon goûter, et voilà que j'en ai trop. Ma maman me donne toujours trop à manger.

Il me montre, en effet, d'un air rassasié, un gros tronçon de son énorme sandwich et, d'un geste de dégoût, le lâche, le rattrape prestement, avant qu'il ait touché terre, d'un coup de pied qui le projette vers un coin de la cour.

Et je trouve assez d'empire sur moi-même pour paraître indifférent à son geste et sourire niaisement comme pour applaudir à l'habileté avec laquelle il a « shooté » le pain.

Mais ce n'est plus contre la faim que je lutte en ce moment ; c'est contre une soudaine et féroce impulsion de flanquer aussi, de toutes mes forces, un coup de pied à Bussi. Car ce qu'il vient de faire résonne en moi comme si c'était moi qui l'avais reçu, en plein dans le derrière ; ou plutôt, comme si c'était un petit garçon, exactement semblable à moi, dont Bussi eût botté le derrière, en ma présence.

Là-dessus, Christian a tiré de sa poche de pantalon son joli porte-monnaie et, en me disant : « Excuse-moi », il a couru vers l'échoppe de la concierge. Puis il revient en mordant goulûment dans une grosse tranche de gâteau large de deux doigts, et cette fois, se dispensant de la peine inutile de m'en offrir, il renoue notre bavardage, qui se poursuit jusqu'à la fin de la récréation.

Alors, comme tout le monde, nous nous précipitons aux urinoirs puis aux fontaines. Bussi, pour se laver les doigts, laissant dans le bassin le reste de son gâteau ; moi, pour me remplir d'eau une dernière fois.

Aux vacances de Pâques qui suivirent, je n'allai pas à Petit-Bourg. Pour les mêmes raisons qu'à Noël. Mais mon second bulletin trimestriel fut meilleur que le premier. Ma mère était heureuse.

Fort de mes bonnes notes et pour me consoler de ne pas la voir, j'écrivis une longue lettre à m'man Tine : je travaillais beaucoup. Bientôt je serais grand, je réussirais à des examens et elle n'irait plus travailler dans les cannes à sucre, ni ailleurs.

J'écrivis aussi à Raphaël, lui dépeignant le lycée comme un établissement aussi vaste et colossal que nous apparaissait l'usine de Petit-Bourg, et lui proposai quelques projets de promenades et de parties de pêche pour les grandes vacances.

Le troisième trimestre fut plus agréable.

J'avais enfin l'impression que je comptais dans la classe, cela me mettait à mon aise, me donnait de l'assurance. Et d'eux-mêmes, s'étaient évanouis mes complexes et mes craintes.

La fin du trimestre surtout avait été facile : souvent de longues heures de permanence, et comme nous n'avions rien à faire, nous jouions à de ces petits jeux qui consistent, pour deux partenaires, à tracer, à tour de rôle, des arabesques sur une feuille de papier, selon des conventions diverses. Certains répétiteurs toléraient le bavardage à voix basse et, le soir, je passais toute la séance d'étude à lire.

C'est Christian Bussi qui avait créé et qui entretenait en moi ce goût de la lecture : ses parents lui achetaient des livres ; il me les passait tous.

Dès lors, le monde commença à s'élargir autour de moi, au-delà de toute limite tangible.

Le monde, sous l'effet de ces ouvrages pour la jeunesse, se divisa en deux : un monde de tous les jours, banal, brutal, inexorable aux désirs, et un monde spacieux, logique et surtout bienveillant, attachant, désirable.

L'acte de la lecture en lui-même, n'était-ce pas un plaisir plus substantiel que celui de jouer ou de manger, par exemple, même lorsqu'on avait grand-faim ?

Cette fois-là, j'étais enfin monté à Petit-Bourg et mes vacances commencèrent d'une façon ravissante.

J'avais retrouvé tous mes camarades — sauf Jojo, hélas — et nous avions repris ensemble tout ce qui faisait nos délices avant notre séparation.

Mais j'ai apporté un passe-temps nouveau et magique : m'étendre ou m'asseoir pendant de longues heures, des après-midi entiers, à l'ombre de gros arbres, dans le Haut-Morne, au bord de la rivière, n'importe où, et m'enfoncer dans la lecture, jusqu'à me soustraire à tout ce qui m'entoure.

Livres rapportés de Fort-de-France, livres trouvés chez mes camarades ; très vieux livres amputés des couvertures et des premières pages, et que j'ai quémandés à M. Roc.

Au plaisir palpitant de découvrir et de poursuivre une aventure enfermée dans les feuillets imprimés, s'ajoute la joie étrange d'être, moi, étendu à plat ventre, les coudes fichés dans l'herbe, la tête entre mes mains, pendant que la brise, soufflant dans les innombrables instruments de la verdure, rend musical le silence ; et d'assister, que dis-je ? de participer à cette aventure !...

Bientôt, la chambre de m'man Tine fut peuplée de livres : sur les soliveaux, sur des étagères que j'avais fixées partout. Encore un trait qui la distinguait des autres chambres de la Cour Fusil.

Aussi, depuis quelques jours qu'est arrivé le mois de septembre, tonnant et ruisselant, au lieu d'être à mon plaisir habituel de patauger dans les caniveaux et les chemins creux, je suis couché en pelote sur le gravat de m'man Tine (je peux en user impunément maintenant, d'autant plus que ce séjour, après une longue absence, me confère toutes les gâteries) et pendant que dans les ustensiles que j'ai disposés un peu partout à terre et sur le lit, goutte l'eau s'échappant des fissures et des trous de la toiture, je lis. Et la pluie, et sa fraîcheur, et son orchestre diffus et immense au dehors, et ses gouttelettes se heurtant en musique autour de moi, superpose son charme à celui où mon imagination évolue.

Je jouis de cette sensation d'être, par le livre, coupé en deux : le corps baignant dans la lancinante euphorie de la pluie ou du silence, et la tête passée à travers un monde que je suis très souvent obligé de transposer un peu à l'image du mien pour l'élargir davantage.

Je préfère les romans. J'admire le don, le pouvoir, que possède un homme de faire un roman.

J'aimerais bien faire ça un jour. Mais comment y arriver ?

Je n'ai jamais fréquenté ces personnes à cheveux blonds, aux yeux bleus, aux joues roses, qu'on met dans les romans.

Les villes, avec leurs voitures automobiles, leurs grands hôtels, leurs théâtres, leurs salons, leurs foules, les paquebots, les trains, les montagnes et les plaines, les champs, les fermes, où se passent les romans, je n'en ai jamais vu. Je ne connais que la rue Cases-Nègres, Petit-Bourg, Sainte-Thérèse, des hommes et des femmes et des enfants plus ou moins noirs. Or, cela ne convient certainement pas pour en faire des romans, puisque je n'en ai jamais lu de cette couleur-là.

Je ne sais pas si je me suis beaucoup assagi, ou si c'est m'man Tine qui, par tendresse, se montre délibérément plus complaisante maintenant. Elle ne me réprimande plus. Elle est, pour moi, d'une telle douceur que je me demande si je n'aurais peut-être pas grandi bien davantage que je ne me vois moi-même et si je ne serais pas beaucoup plus près que je ne le crois d'être un homme.

C'est peut-être à cause de son cœur, alors plus pénétrable, que la condition de m'man Tine m'apparut avec une acuité douloureuse, anormale. Anormale et honteuse, depuis cette scène au lycée : un professeur avait demandé à chaque élève son identité et les noms et professions des parents. Sans aucune arrière-pensée, j'avais naïvement donné ceux de ma mère, blanchisseuse, avec mon adresse en ville ; et aussi naïvement, c'était le nom de m'man Tine qui était sorti de ma bouche, comme parente principale. Mais, à sa « profession », j'avais bafouillé. D'abord je ne connaissais pas, en français, le nom du métier qu'elle faisait. Non, cela n'existait certainement pas en français.

— Profession ! me criait le maître, pressé.

— Médecin, instituteur, ébéniste, employé de commerce, tailleur, couturière, pharmacien, avaient dit les autres élèves.

Pour moi, impossible de trouver le nom du travail que faisait ma grand-mère. Oserais-je dire : « Elle travaille dans les champs de canne à sucre », que toute la classe éclaterait de rire. Des choses comme cela, il n'y a rien de tel pour faire pouffer ces élèves-là.

— Cultivatrice, bredouillai-je enfin.

Ce mot, de lui-même, m'était échappé et je lui fus reconnaissant d'être venu à mon secours.

Heureusement que l'occasion de faire état de la profession de mes parents ne s'est jamais présentée à nouveau.

Mais à présent, plus fort et plus profond qu'au temps où je l'accompagnais dans les champs, un sentiment de commisération m'envahit chaque fois que, le soir, pendant ce mois de septembre orageux, m'man Tine rentre, ses haillons et sa peau flétrie, trempés comme une éponge, et chaque fois que, voulant m'envoyer à la boutique, elle cherche en vain, dans tous les coins de la chambre, le sou qui lui manque.

Depuis sa maladie, elle était toujours souffreteuse.
Elle se plaignait souvent de points au dos, d'étouffe-
ments. Lorsqu'elle avait été mouillée par les ondées,
je la voyais se lever la nuit, faire des infusions et
grelotter de fièvre.

De plus, m'man Tine restait toujours une vieille
très soucieuse de la propreté. Elle aimait que tout fût
rangé, bien tenu. Pourtant sa chambre était sale. Or,
elle avait beau laver souvent les haillons de son
grabat, rincer le moindre ustensile aussitôt après
usage, balayer le parquet chaque matin avant de
partir, la chambre n'en paraissait pas moins noire,
crasseuse, humide, sentant aussi bien la vase, le bois
pourri que, de temps en temps, un crapaud mort sous
le plancher. Enfin, tous les miasmes qui s'identifient
aux nègres ou à la misère.

Aucune répulsion pour l'un ou l'autre de ces deux
états où se trouvait m'man Tine, mais maintenant,
plus de compréhension, semblait-il, existait entre ma
grand-mère et moi.

Ainsi, à un âge où je me sentais naturellement
voué à tant d'insouciance, tous mes élans étaient en
même temps freinés par la constante souffrance, par
une sorte d'écrasement qui pesait de plus en plus sur
ma grand-mère d'une façon odieuse.

Plus je considérais m'man Tine, plus j'avais l'intuition qu'elle était soumise à une peine injuste et qui,
parfois, la faisait paraître plus effrayante que
pitoyable.

Et pourquoi ? Pourquoi ne pas habiter une maison,
porter des robes non déchirées, manger du pain et de
la viande, et ne pas toujours murmurer ces longues

paroles tristes qui s'enroulaient autour de ma gorge et m'étranglaient ?

Et qui donc l'obligeait à être de la sorte ?

Me référant à des histoires d'avares que m'avait contées Vireil, j'avais cru, pendant longtemps, que du moment qu'on était une grande personne et qu'on travaillait, on acquérait une certaine « fortune » pour acheter tout ce dont on avait besoin ; mais qu'il y avait ceux qui en faisaient usage, et les autres, les avares, qui cachaient tout, préférant se loger, se vêtir et se nourrir mal.

Longtemps, par conséquent, j'avais cru que m'man Tine avait de l'argent, peut-être des sacs d'or cachés quelque part, sous terre, et qu'elle s'obstinait à n'y toucher jamais. Maintenant, combien je regrettais de ne plus y croire !

En vérité, quelque chose se révélait à moi nettement anormal. Pas dans le métier assez bizarre qu'exerçait m'man Tine, mais dans ces perpétuelles sensations de dénuement, de honte et de mort lente émanant de ce métier.

Et l'angoisse dont m'étreignaient ces considérations ne se relâchait un peu qu'à la chaleur de mes rêves de devenir un homme, pour que m'man Tine n'aille plus travailler aux plantations de cannes à sucre.

La rentrée des classes et mon retour au lycée eurent lieu pour moi sous le coup de cette détermination.

Elle fut aussi marquée par une grande surprise à mon passage à l'économat : compte tenu de mon travail et de ma conduite au cours de l'année précédente, mon quart de bourse d'études avait été complété, et je bénéficiais au surplus d'une demi-bourse d'entretien. Au lieu de payer quatre-vingt-sept francs cinquante par trimestre, j'allais toucher soixante quinze francs tous les mois.

Peu après se produisit encore ceci :

Un soir, je viens de rentrer, et nous sommes en train de dîner à notre table de bois blanc que ma mère a débarrassée de tout le linge qui s'y entassait. Et, tout à coup, on a frappé à la porte. D'ordinaire, nous n'avons jamais de visite, sauf de notre voisine qui, elle, au lieu de frapper, s'annonce en appelant.

Ma mère va ouvrir, et la voilà qui s'exclame joyeusement :

— Elise, c'est vous, ma chère !

Entre une femme noire, d'un certain âge, correctement vêtue ; et ma mère me dit :

— José, viens dire bonjour à Mam'zelle Elise.

Elle se confond en excuses, ma mère, quant à la tenue de la chambre qui est petite et qui surtout se trouve dans un ordre pas très apparent. Le lit, par exemple, s'effondre sous un amoncellement de linge roulé en pelotes et des piles de pièces repassées.

La visiteuse s'excuse d'être venue si tard.

— Mais c'est, ajoute-t-elle en s'asseyant, pour une affaire très sérieuse.

— Rien de grave ? s'enquiert ma mère.

— Non, fait-elle, c'est que j'ai pensé à vous au sujet d'une chose qui vous intéressera peut-être.

La curiosité alertée par le ton circonstancié de Mam'zelle Elise, je m'arrête de manger.

— Eh bé ! voilà, poursuit-elle : Firmin, vous vous souvenez de Firmin, le chauffeur de chez Pailly ?

— Firmin! dit ma mère, celui qui venait causer avec vous sur la route, les dimanches après-midi?

— Lui-même, acquiesce Mam'zelle Elise. Eh bé! il a de bonnes intentions pour moi, et je crois que nous allons nous entendre.

— Je suis très contente pour vous, négresse. Il me paraît un garçon sérieux, et il doit certainement vous aimer beaucoup.

— Eh! oui, il est très gentil, renchérit Mam'zelle Elise. Alors, voilà : je vais me mettre en ménage avec lui, et je quitte chez Lasseroux. Nous allons habiter l'Ermitage où nous avons trouvé une chambre. Il gardera sa place, et comme je me débrouille pas mal dans la couture, il m'a acheté une machine à coudre, et j'espère que je perdrai pas mon temps. Et toi, qu'est-ce que tu deviens, négresse?

— Je me débrouille comme je peux, dans la lessive, dit ma mère, en montrant les tas de linge posés partout.

— Oh! mais tu en as pas mal.

— Deux grosses et deux petites.

— Et tu te tires d'affaire?

— Les grosses à soixante francs par mois, les petites à douze francs par semaine.

— Mais ça doit te faire du travail, ma pauvre!

— Tu parles! fait ma mère. Tiens, regarde mes doigts. Quant à mes bras, mes épaules, je crois que c'est plus ni chair ni os, mais rien que des rhumatismes... Que veux-tu? J'ai un enfant qui grandit. Surtout qu'il est au lycée!...

Elle raconte à Mam'zelle Elise combien elle vient de traverser une année pénible, à cause de ces quatre-vingt-sept francs cinquante.

— Et si vous trouviez une bonne place ? dit Mam'zelle Elise.

— Vous savez que je peux plus me placer ; avec mon fils dont il faut que je m'occupe... Et puis, les békés deviennent de plus en plus exigeants, de plus en plus méfiants...

— C'est ennuyeux, fait Mam'zelle Elise, visiblement déçue. J'étais venue vous proposer ma place. Car M. Lasseroux ne voulait pas entendre parler de mon départ. Vous comprenez, depuis le temps que je suis à son service. Mais il a fini par s'y résigner, à condition que je lui donne une personne de confiance et de savoir-faire. Je n'en vois pas d'autre que vous, ma chère.

Ma mère certifie que ce n'est pas possible.

— Vous y gagneriez pas moins qu'avec vos lessives, pourtant. M. Lasseroux me donne deux cents francs par mois, pour mes gages et mes frais de nourriture, plus cent francs de fournitures pour sa lessive et le nettoyage de la maison. Et comme il est célibataire et prend ses repas au cercle, malgré l'entretien que réclame sa villa, je trouvais le temps de faire la lessive de Firmin. Alors vous pourrez de même garder une petite lessive ou deux. Et puis, vous dis-je, M. Lasseroux n'est pas un béké qui embête les nègres. Suffit que sa maison soit en ordre. Vraiment, c'est une place comme vous n'en avez jamais fait. Un célibataire, pas de femme pour vous héler à longueur de journée, vous faire pirouetter tout le temps autour d'elle, et mettre la maison sens dessus dessous chaque semaine. Je crois que c'est une place qui vous irait tout à fait, négresse.

— Je puis pas, conteste ma mère ; je regrette...

J'ai déjà ma chambre ici, mes petites affaires dedans ;
j'ai mon fils. Et puis, en admettant même que le
patron m'accorde que je rentre chaque soir chez moi,
ça ferait trop de fatigue. La Route Didier, c'est à
l'opposé de Sainte-Thérèse. Impossible, voyez-
vous...

Mam'zelle Elise se lève, assez ennuyée de n'avoir
pas obtenu l'accord de ma mère, et s'en va.

Nous nous étions remis à manger. A moi aussi, ce
refus m'avait causé un certain malaise. Pendant la
discussion, j'avais eu envie de souffler à ma mère
d'accepter ; et après le départ de la visiteuse, j'étais
encore tenté de lui reprocher d'avoir refusé. Mais je
n'étais pas très hardi à l'égard de ma mère. Notre peu
de familiarité me rendait plutôt timide avec elle.

Aussi ne manifestai-je ma désapprobation que par
un mutisme boudeur qui dura toute la fin du repas et
jusqu'à l'heure du coucher.

Le lendemain matin, au moment où, comme
chaque matin, ma mère me tendait ma tasse de café,
elle me demanda :

— Ecoute, José, tu as entendu ce que la dame qui
était venue hier soir a dit à maman ?

— Oui, m'man, répliquai-je, tu aurais dû
accepter.

— Et toi ? fit ma mère, surprise par ma réponse
catégorique.

— Eh bien ! je dormirai ici, tout seul. Je n'aurai
pas peur, tu sais.

— Mais pour ton manger ?

— Je le ferai moi-même.

Ma mère ne dit plus rien et demeura songeuse.

Moi aussi, j'y réfléchis pendant toute la matinée, en classe.

Pourquoi aimerais-je que ma mère aille à la Route Didier ? Je ne sais pas. Je voudrais qu'elle ne fasse plus de lessive : de peur de voir saigner ses doigts, de l'entendre se plaindre de son bras, de son épaule. Elle partirait donc à la Route Didier, dans une place où elle serait bien ; la peau de ses mains ne s'userait plus et ne rôtirait plus... Le matin, je ferais mon café, je me laverais et partirais pour le lycée. Le midi, comme je ne dispose pas de beaucoup de temps, je déjeunerais de pain et de margarine. Le soir, à sept heures, après l'étude, je préparerais mon dîner : du riz ou du chocolat. Je resterais un moment à lire. Je ne lirais pas trop tard, afin de ne pas user beaucoup de pétrole. Le jeudi et le dimanche, j'irais voir maman.

Ce n'était pas très difficile, et j'envisageais cette solution avec une secrète joie.

Mon plan n'avait pas été si mauvais, puisqu'il coïncida avec celui que me proposa ma mère, le soir même. A cela près que, le café, je n'aurais pas à le faire. Notre voisine, qui avait aussi encouragé ma mère à prendre la place, offrait de me donner chaque matin un bol de café clair.

M'man Délia alla trouver Mam'zelle Elise et se hâta de prendre la place de bonne à tout faire chez M. Lasseroux, à la Route Didier.

Je restai seul, m'appliquant à être irréprochable.

Ma mère m'avait laissé du charbon de bois, des provisions, quelque menue monnaie, et j'en usai exactement comme elle me l'avait prescrit.

Bien plus que le jour où m'man Tine m'avait amené voir ma mère, la Route Didier me fit une impression délicieuse, ce premier matin où j'allai voir m'man Délia dans sa nouvelle place.

A peine sortie de la ville, la route devient un large ruban qui se déroule, uni et montant, entre des rangées d'arbres et des haies d'hibiscus alternées, derrière lesquelles, de place en place, se découvrent des pavillons et des villas aux couleurs claires, entourées de pelouses et de parterres.

Des autos qui reflétaient toutes les couleurs du paysage remontaient ou descendaient silencieusement.

Je marchais, allégé par la sensation de calme et de bien-être qui émanait de ce mariage du soleil avec la fraîcheur, des ombrages avec la couleur, du silence avec la vie.

Chez M. Lasseroux, m'avait dit ma mère, c'était « Villa Mano », et pour trouver, je m'attardais volontiers à la grille de chacune de ces coquettes habitations. Dans le jardin, un nègre tondait la pelouse ici, taillait des hibiscus là, ou bêchait méticuleusement des plates-bandes.

La « Villa Mano » m'apparut, haussée de clochetons, au fond d'une petite allée blanche, gravée dans une spacieuse pelouse fleurie de roses et de zinnias.

Je me dirigeai discrètement, et non sans une irrépressible méfiance, vers les communs. Ma mère me reçut à la cuisine avec une joie qui paraissait être à la fois celle de me revoir après quelques jours de séparation, aussi bien que de m'accueillir en ce charmant endroit. La cuisine était grande comme deux fois notre chambre et bien peinte, et décorée d'ustensiles polis comme des miroirs.

Le patron était déjà parti pour son bureau, à Fort-de-France. La voiture n'était pas dans le garage. Ma mère en profita pour me faire faire le tour du propriétaire.

Derrière la maison, s'étendait une pelouse carrée, faisant jaillir en son milieu un jet d'eau autour duquel rayonnaient des palmiers nains et des manguiers. Le tout entouré d'une haie d'hibiscus élevée et taillée, compacte comme un mur. L'air et le silence étaient d'une exquise pureté.

Dans un coin de la pelouse, adossée à la maison, une volière contenait les ébats multicolores d'une poignée de petits oiseaux.

M. Lasseroux, tel que ma mère me le dépeignait, aimait trois choses en ses loisirs : ses oiseaux, son aquarium et son installation de T.S.F. qu'il s'était fait aménager dans son studio. Il fumait beaucoup de cigarettes parfumées. Il aimait aussi les fleurs, en cueillait dans son jardin, et composait lui-même des bouquets qu'il disposait dans les pièces de la maison. Il n'aimait guère le monde et recevait très peu d'amis.

De surcroît, affirmait m'man Délia, c'était un bon patron, donnant ses ordres sans arrogance, et pas du tout tracassier.

Pourtant, malgré ma détermination de supporter allégrement ma nouvelle existence solitaire à Sainte-Thérèse, cette situation me pesait depuis que ma mère travaillait à la banlieue opposée, et que nous ne nous voyions qu'une ou deux fois par semaine.

Dans les premiers jours, m'avaient soutenu une secrète fierté de pouvoir me bien conduire, me débrouiller tout seul, et un grand soulagement à la pensée que ma mère était dans une bonne place. Mais, peu à peu, s'insinua en moi une terrible impression d'abandon. L'absence de ma mère me torturait de mélancolie dans cette chambre dont je ne prenais même plus la peine d'ouvrir les fenêtres, où tout se couvrait de poussière, où je rentrais pour manger, coucher et repartir, sans avoir personne à qui parler, sans personne pour me guider par des paroles douces ou même véhémentes.

Certains jours, muni des trente ou quarante sous que me donnait m'man Délia à chacune de mes visites, pour acheter mon pain le matin, du sucre et autres denrées, je cédais à l'envie de manger des gâteaux au lycée, et cet écart financier m'amenait à manquer de pain certains jours, ou de pétrole le soir. Situation au milieu de laquelle, non seulement la faim me tenaillait, l'obscurité me rendait malheureux, mais où je me sentais affreusement pareil à un pauvre orphelin.

Sans que je m'en fusse même aperçu, un chagrin me gagnait, et aussi un relâchement dû peut-être à la sous-alimentation. Car la gestion des sous que me donnait ma mère, dis-je, laissait beaucoup à désirer ; et les heures, la qualité, la quantité de mes repas s'en ressentaient.

En classe, aucune ardeur. Le temps me semblait long, et je n'avais plus cette confiance dans le pouvoir de l'école de me faire un jour améliorer la situation de mes parents.

J'avais perdu mes meilleures places sans aucun
regret, aucune réaction.

Et je passais ainsi le temps, indifférent, sans guide
et sans contrôle.

Souvent, je manquais la classe, parce que je ne
réussissais pas à me lever le matin. Ou bien parce que
l'après-midi il faisait trop chaud.

Alors, quand je ne restais pas couché dans la
chambre, j'allais flâner par la ville, tout seul, ou en
compagnie de camarades que je n'avais pas en haute
estime, mais que j'étais fort aise de trouver en
pareille occasion ; surtout à la saison des mangos, où
il fallait se rendre à pied dans des vergers situés à plus
de deux kilomètres de la ville.

Maintenant, je connaissais Fort-de-France à fond.

Ma prédilection allait aux quartiers populeux : le
Bord du Canal, les Terres Sainville, le Pont Démosthène. Tous ces conglomérats de baraques noires,
fichées de guingois dans des terrains marécageux, et
où grouillaient d'une vitalité déconcertante des
enfants en guenilles, des femmes criardes, toujours
en éruption de querelles, ou en verve de chansons,
des hommes au torse nu, à l'air oisif et indolent, et
que je trouvais — que j'ai toujours trouvés, sans
pouvoir le justifier — plus admirables que toute la
partie présentable et honorable de la population.

J'aimais surtout la rade.

C'était le quartier qui m'avait le plus vivement
impressionné à mon arrivée à Fort-de-France ; et je
lui restais toujours très attaché.

Le Bord de Mer n'offrait pourtant aucune séduc-
tion en son aspect. C'était d'abord un long bourrelet
de débris vomis par la mer sur le sable noir et vaseux,

mélangés aux ordures ménagères de presque toute la
ville. Puis, derrière, de l'autre côté d'une rue cintrée,
une parade de magasins d'alimentation en gros, aux
façades plus ou moins démantelées.

Mais, pour moi, la rade, c'étaient surtout des
bateaux de toutes dimensions — des vapeurs et des
voiliers — ancrés non loin de la côte et déversant
dans des gabarres pansues des cargaisons venant de
tous les ports de France et des Antilles.

Une foule de négociants arrogants comme des
buildings, d'employés attentifs et zélés, et surtout de
débardeurs manipulant avec une étonnante rapidité
les lourdes caisses, les sacs massifs, les énormes
tonneaux que les gabarres, mues au moyen de
vergues, venaient décharger sur le rivage.

Spectacle grandiose d'hommes à la peine : sous un
soleil criard, tout y était mouvement.

Partout l'effort grondait, se répercutait en craquements de caisses soulevées et rejetées, en puissants
roulements de tonneaux pleins, en entassements
sourds de sacs de farine, de sel ou de céréales. Des
chariots grinçaient, des camions roulaient, se frayant
un passage à coups de klaxon.

Des hommes, en une chaîne sans fin, portaient sur
leur tête des sacs de cent kilos, foulaient le bitume de
la chaussée à une vitesse qui eût fait croire à une
lourde machine lancée à fond de train. Je frémissais à
l'idée que le moindre faux pas de l'un d'eux, ou mon
approche imprudente sur leur passage, pourrait causer une catastrophe !

Et dans cette rade, où il n'y avait pas un quai, pas
une grue, c'étaient ces nègres herculéens, vêtus d'un
pagne de sac ou d'une vieille culotte, ruisselants et

fumants de sueur, qui, par leur seule ardeur, engen-
draient ces bruits, effectuaient ce travail, dégageaient
ce souffle chaud, déclenchaient cette trépidation
titanesque, communiquant à tout le quartier une
rumeur mécanique, entretenue par des pulsations de
cœurs humains.

C'était surtout l'après-midi que j'allais flâner au
Bord de Mer. Je restais longtemps à regarder un
cargo qui arrivait lentement, scrutant la rade et la
ville de ses écubiers étonnés, et venant subreptice-
ment prendre place parmi ses devanciers. Ou bien,
un autre qui sifflait, là-bas, à demi camouflé par les
plus rapprochés, ayant aspiré sa longue chaîne d'an-
cre et déjà pirouettait lourdement et s'éloignait, les
flancs lourds de fûts de rhum et de sacs de sucre.

Je regardais les hommes qui, au moyen de palans,
pêchaient, au fond des cales, des sacs, des caisses,
des tonneaux, du bois de Norvège, des camions
entiers qui, portés à terre, se réveillaient sous la main
d'un chauffeur et se mettaient en marche.

Admirable aussi, la manœuvre des colosses noirs
arpentant d'un bout à l'autre et pied à pied les
rebords des gabarres, le corps incliné sur de longues
vergues pour donner l'impulsion. Puis les gabarres
ayant échoué sur les graviers du rivage, la ruée fauve
des nègres s'emparant du chargement pour le porter,
le rouler, l'entasser sur une grande place qui s'étendait entre la mer et la rue.

Et peu à peu, à la chaleur de leurs efforts, ils
entraient dans une transe qui donnait à leurs expressions, leurs gestes, leur allure, une intensité et une
vivacité effarantes. Parfois, au paroxysme de l'effort,
un docker lâchait une galéjade qui déclenchait le rire

dans toute l'équipe, imprimant au travail encore un élan surhumain.

Volontiers, je baguenaudais au Bord de Mer, jusqu'à ce que le travail fût terminé. Les magasins se fermaient. Les camions avaient disparu.

Sans que je m'en fusse aperçu, le calme s'était répandu dans le quartier. Les débardeurs restaient seuls sur la place, au pied des montagnes de marchandises qu'ils venaient de débarquer. Patinés de poussière et de crasse, ils avaient l'air de bronzes véritables. Pour étancher la soif cuisante qui devait les consumer, ils vidaient ensemble, et sans remords, des bouteilles de rhum fort. Puis, laissant tomber leurs pagnes ou leurs culottes, ils se précipitaient à la mer, en s'ébrouant comme des pur-sang. Debout dans l'eau, jusqu'au ventre, ils se frottaient la peau pour se décrasser, tout en parlant et riant d'une voix qui s'imprimait vigoureusement dans le silence.

Le soleil, longtemps appuyé sur la ligne de démarcation de l'eau et du ciel, avait disparu, fondu, croirait-on, à sa propre chaleur.

Et tout le crépuscule était pour ces nègres nus — les uns debout, les autres nageant — les silhouettes des cargos immobiles et les collines mauves, au fond de la rade.

Les baigneurs sortaient de l'eau sans se soucier de cacher leurs corps entiers et nus. A cette heure, personne ne passait plus en cet endroit. Ils se dispersaient derrière les tas de marchandises, d'où ils ressortaient, un à un, habillés de pantalons de toile blanche ou de drill bleu, de fraîches chemisettes de cotonnade, et chaussés.

Ils s'en allaient vers la ville, et la nuit s'avançait de toutes parts.

Je m'étais souvent privé de manger pour acheter une canne à pêche, une ligne et un hameçon et, avec quelques virtuoses de l'école buissonnière, j'allais passer des après-midi entiers sur les appontements de l'ancien carénage. Encore un quartier à mon goût.

Comme le Bord de Mer, sous de gros arbres poussés au hasard, il y avait des bateaux et de petites embarcations. Il y avait surtout des amoncellements de ferraille, des ancres marines et des chaînes ankylosées par la rouille, des carcasses de navires, des bouées en forme de toupies, couchées sur leurs flancs passés au minium ; toutes sortes de débris hétéroclites sur lesquels on pouvait se percher, ou qui offraient souvent les refuges les plus propices à notre oisiveté clandestine.

Le Carénage touchait au quartier Pont Démosthène moins sympathique, selon moi, car là vivait un monde à qui je n'enviais rien. C'était là une enfilade de cafés et d'hôtels sombres, où des hommes d'équipage de toutes couleurs des navires en rade, entraient, happés par des femmes maquillées et mal vêtues, passaient des heures à boire dans une viscosité de fumée, de rires édentés, de musiques usées, montaient et descendaient les escaliers, et sortaient en titubant ou en jurant.

Il n'avait pas l'air déplaisant le matin, lorsque j'allais à l'école. Les cafés s'ouvraient, les bords de la chaussée se jalonnaient de bonnes femmes vendant des noix de cocos fraîches, du corossol doudou, des bananes macang'ya, et des hommes et des femmes pressés, en tenue de travail, se croisaient pour se rendre vers la ville ou à la Transat. Ce moment lui donnait au contraire un aspect vigoureux et sain qui appelait une forte amitié.

Mais notre rendez-vous de choix pour l'école buissonnière était le jardin Desclieux, le Jardin des Plantes.

Tout nous y attirait : l'espace, l'ombre, la verdoyante complicité de ses bosquets, ses arbres fruitiers, ses manguiers surtout.

Certains amateurs de l'école buissonnière préféraient la Savane, immense pelouse naturelle entourée de manguiers dont on pouvait aisément faire tomber les fruits à coups de cailloux, et enchâssant la statue de Joséphine, Impératrice des Français. A mon sens, la Savane s'avérait surtout propice à de tumultueuses parties de football.

J'étais de ceux qui appréciaient davantage le jardin Desclieux. Ce lieu qui offrait tout à la fois l'aspect d'un petit parc à l'anglaise et d'un jardin à la française, outre les rendez-vous d'amour et les promenades des bébés auxquels il se prêtait avec grâce et candeur, était aussi merveilleusement fait pour l'école buissonnière.

Là, on se sentait en sécurité, et selon l'humeur et la saison, on pouvait, se dérobant à toute surveillance, se livrer à la cueillette des mangos qui jaunissaient aux arbres, admirer un vieux crocodile qui pourrissait dans un bassin grillagé, ou bien deux singes enchaînés à des guérites juchées sur des poteaux.

On pouvait encore s'asseoir sur un banc, en face d'un parterre, pour respirer le parfum des tubéreuses, s'allonger dans l'herbe, bavarder, rire.

J'aimais surtout m'isoler dans un fourré pour lire et épier de temps en temps les amoureux.

Je me faisais en effet un malin plaisir de suivre l'évolution de certaines idylles, depuis les premiers rendan vous juaqu'au jour da la dispute fatalo et de la disparition des deux personnages.

Parfois, quelques semaines plus tard, j'en retrouvais un, jouant une nouvelle pastorale avec un nouveau partenaire.

Il y avait aussi de ces liaisons qui duraient depuis le début de l'année scolaire. Elles étaient détestables à mes yeux par l'impression de monotonie dont elles risquaient d'entacher l'aspect du jardin.

Ce qui nous rendait ce jardin plus attirant encore, c'étaient les personnages livresques que tous nous y transportions. Toutes les évocations romanesques ou bucoliques de mes cours de littérature ou de mes lectures allaient s'y réfugier et, là, se concrétisaient, pour apaiser la soif engendrée en nous par les plus beaux vers que nous avions étudiés.

Souvent, le soir, pour me rendre à Sainte-Thérèse, au lieu de la grand'route, j'empruntais, à partir du Pont Démosthène, un raidillon qui escaladait le Morne-Pichevin et traversait un plateau d'où l'on découvrait la ville et la baie.

Ce chemin du Morne-Pichevin était de beaucoup le plus court pour se rendre à Sainte-Thérèse.

Là poussaient aussi, avec la même vivacité, par la même prolifération, des baraques du même type que celles de Sainte-Thérèse. Mais ce que j'appréciais en ce quartier naissant, ce n'était pas seulement l'avantage qu'à le traverser j'arrivais plus vite chez moi, c'était surtout le spectacle de ces gens qui, mus par un besoin de bien-être et d'indépendance, bâtissaient pêle-mêle des cabanes que leur satisfaction triomphale faisait paraître belles comme toute œuvre de pionniers.

C'était un phénomène qui eût intéressé ma mère, ma grand-mère. A l'unanimité, des hommes avaient pris une résolution et, aussitôt, avec des moyens de fortune, commençaient de l'exécuter.

Sans doute ces nègres qui, en dehors de leurs heures de travail, bâtissaient gaiement ces cabanes de planches parmi les buissons de ce plateau, possédaient encore beaucoup plus de souffle, de force et de désir pour construire de vraies demeures et toute une cité, aux dimensions et aux couleurs mêmes du rêve hardi qui inspirait leurs sordides réalisations.

Grand fut mon chagrin de quitter le quartier Sainte-Thérèse.

Ma mère avait obtenu de son patron l'autorisation de me laisser passer quelques semaines avec elle pendant les vacances et, à l'instigation d'une de ses camarades, elle avait loué une chambre près de la Route Didier. Car précisément, à la hauteur où se trouvait la maison de M. Lasseroux, il y avait, enfouie dans un pli de terrain, en contrebas de la route, une petite agglomération d'une vingtaine de cabanes que louaient des chauffeurs d'autos et des bonnes du quartier, vivant en ménage ou non logés par leurs employeurs pour des motifs quelconques.

Ce village nègre se nommait le Petit-Fond et appartenait à des Blancs presque sans fortune qui l'avaient construit à cette intention, trouvant ainsi un moyen sûr, discret et honnête de s'assurer quelques revenus.

Malgré leur ressemblance avec celles de Sainte-Thérèse et du Morne-Pichevin, les baraques qui constituaient ce minable îlot me rappelaient plutôt la rue Cases-Nègres.

Toujours est-il que je fus d'abord tout réjoui du privilège qu'avait eu ma mère d'y obtenir une chambre et d'y transporter par un vieux camion brinquebalant et arthritique le lit de fer, la table de bois blanc, les deux chaises, l'escabeau, les deux étagères et les quelques hardes et la vaisselle qui meublaient notre chambre à Sainte-Thérèse.

Longue aussi fut ma peine d'avoir perdu ma liberté. Mais avec la rentrée des classes, se dissipa mon malaise à m'adapter à ce nouveau quartier. Car la Route Didier, tel qu'on prononçait ces trois mots, n'était-ce pas ce qu'il y avait de plus merveilleux, de plus désirable et de plus respectable ! Quartier prestigieux, ô combien !

En tout cas, la circonspection, le conformisme, l'obséquiosité qui marquaient l'attitude et les moindres propos des domestiques — les seules personnes avec qui j'avais contact — en disaient assez sur la soumission qu'ils vouaient à leurs maîtres et leur respect pour ce lieu qu'ils s'appliquaient à ne troubler aucunement, se méfiant de leur exubérance de nègres, et s'astreignant à vivre aussi effacés que possible.

Pourtant, on ne voyait presque pas les propriétaires de la Route Didier.

Le matin, le midi et le soir, j'apercevais, au fond de luxueuses automobiles qui sortaient silencieuse-

ment par les portails ou y entraient, un homme tout
rosé, mollement installé. Parfois c'étaient des femmes blanches, habillées comme des colibris. Ou bien
des enfants pareils à des anges de la Fête-Dieu. De
temps en temps aussi je les entendais (les femmes
surtout) jeter des ordres à leurs domestiques d'une
voix de pintade et avec un accent qui — je ne sais
comment — associait la platitude au pédantisme.

L'existence de ces gens-là était l'occupation et la
raison d'être essentielle des locataires du Petit-Fond.

Je me trouvais avec ceux-ci au milieu d'une catégorie de nègres que je ne connaissais pas encore.

Non, le Petit-Fond ne ressemblait quand même pas
à la rue Cases-Nègres, et je ne pouvais me retrouver
avec mes nouveaux voisins comme avec mes vieux
amis du Petit-Morne ou de Sainte-Thérèse.

Ceux de la rue Cases-Nègres et de Petit-Bourg, tels
des forçats, trimaient et s'épuisaient au profit de
l'espèce des békés ; ils les subissaient douloureuse-
ment, mais ils ne les portaient pas dans leur cœur. Ils
ne se prosternaient pas devant eux. Tandis que ceux
de la Route Didier formaient une catégorie dévouée
et cultivant avec dévotion la manière de servir les
békés.

Et puis, à moi, qui jusque-là n'avais connu que des
gens peinant sans trêve, de plus en plus grande était
ma stupéfaction à la vue de cette corporation dont la
tâche — déterminée je ne sais par qui — et tout le
souci, consistaient à faire pour d'autres ce qu'ils
pouvaient à peine faire pour eux-mêmes. Et moyennant quelle contrepartie ? Pas même un salaire équi-
valent. Et malgré tout, dans ce monde-là, être
domestique chez un béké constituait une situation.

Je ne m'accoutumais pas à cette indigence passive des domestiques, sinon il me fallait croire que des gens comme ma grand-mère et ma mère avaient pour devoir de soigner, d'embellir, de prolonger la vie d'une autre catégorie de gens qui ne faisaient et qui croyaient ne pas devoir faire pour eux quoi que ce soit en retour.

Après tout, j'eus bientôt pour copain un chauffeur d'auto du quartier. Nous avions lié connaissance non pas dans le Petit-Fond, où il habitait pourtant, mais sur la route. On se rencontrait souvent lorsque je me rendais au lycée et qu'il passait seul dans la voiture. Il s'arrêtait et m'invitait à monter. Il savait sans doute que j'étais le fils de la bonne de M. Lasseroux.

C'était chaque fois une bonne aubaine parce que, quatre fois par jour, je devais faire à pied, sous des averses pendant l'hivernage, et les soleils du Carême qui amollissaient le bitume, les deux kilomètres qui me séparaient de la ville.

C'était un jeune homme, tout juste plus âgé que moi. Et d'une gaîté irrésistible ! Toujours chantant ou fredonnant. Etant célibataire, le soir quand il avait quitté son travail assez tôt, à ma grande joie il venait me voir. Mais en même temps je craignais beaucoup qu'il ne s'ennuyât en ma compagnie. J'avais alors une telle passion pour la littérature — pas féru de littérature, mais amoureux des lettres — que j'étais facilement enclin à amener toutes les conversations à des ouvrages que j'avais lus ou à des personnages fictifs de mes lectures dont j'aimais à m'entretenir.

Mais non, c'était lui qui s'imposait, avec ses chansons, ses galéjades ; qui donnait le ton à nos

bavardages. Il ne frappait pas à ma porte pour
s'annoncer, mais, rentré chez lui, il sifflait un appel
de sa composition qui était devenu notre mot de
passe, et auquel je répondais en écho. Quelques
instants après il arrivait. Il poussait la porte, me
trouvait attablé à écrire ou à lire près de ma lampe à
pétrole.

— Alors, Jo, s'écriait-il, bonne, la journée ?

— Oui, et toi ?

— Ah ! moi, ces vieux békés ont essayé de me
gâter ma journée, mais tu sais, je me laisse pas
noircir les idées.

— Qu'est-ce qui s'est donc passé ?

— Oh ! rien. Un béké, tu sais, a toujours envie de
fouetter le nègre qui le sert.

Atavisme, pensai-je. Les gestes aussi doivent s'imprimer dans le sang et se transmettre.

Il s'asseyait sur le lit pour être mieux à son aise, et,
vlan ! sortait une histoire drôle, n'importe quoi : un
fait banal et sans intérêt qu'il rendait cocasse et
réjouissant.

Il s'appelait Carmen.

Combien ne m'étais-je pas senti gêné, au début,
d'appeler par un nom féminin ce jeune homme si
racé, si gaillard ! Mais peu à peu je finis par trouver
qu'au contraire aucun nom ne lui siérait mieux ; et
même, que ce nom évoquait ce qu'il y avait de plus
mâle, de plus rebelle, de plus bohème à la fois, et
qu'il eût difficilement convenu à une femme.

Carmen, il est vrai, par de longues digressions à
nos bavardages, m'avait conté son histoire.

Avant lui, tous les garçons que sa mère avait mis
au monde étaient morts. Les uns à leur naissance ; les

autres plus ou moins longtemps après. Quatre en
tout. Et les filles étaient déjà au nombre de cinq.

— Ma mère, me dit-il, n'avait donc pas de chance
avec les garçons. Aussi, à peine étais-je né que mon
père s'empressa de me couvrir d'un nom de fille, le
premier peut-être venu à sa bouche : Carmen. Il a
été malin, mon père, car Dieu sait si je suis bien
enraciné dans cette vie. Pour tout ce que j'ai déjà
supporté !...

Carmen était né sur une plantation.

Tout ce qu'il m'avait appris de son enfance était
tellement semblable à ce que j'avais vécu à Petit-
Morne, que j'aurais cru avoir joué avec lui douze ans
auparavant.

Mais Carmen n'avait pas bifurqué comme moi. Il
avait suivi dans ses étapes naturelles le destin de celui
qui naît à la rue Cases-Nègres. Il ne me l'avait pas dit
en détail, mais les traits qu'il me jetait selon son
humeur me suggéraient — étant donné mes expérien-
ces personnelles — tout le déroulement des vingt
années qu'il était resté sur la plantation.

— Regarde, me dit-il en rabattant le col de sa
chemise. Tu vois cette cicatrice ici, à la nuque ? Ça
ressemble à la marque d'une corde sur la peau d'une
bête ? Eh ben ! c'est mon premier souvenir d'enfance.

« Mon papa, ma maman, mes cinq grandes sœurs,
tout le monde partait au travail. Aussitôt, mes deux
autres sœurs me déposaient sur quelques haillons à
terre, dans la case, fermaient la porte et allaient
jouer avec les enfants de la plantation.

« Alors, un jour, j'avais soif sans doute ; j'ai
pleuré, crié, en rampant jusqu'au rai de lumière que

je voyais sous la porte. La porte était échancrée en bas par l'humidité qui avait pourri le bois ; je passai ma tête dans l'échancrure. Mais impossible d'avancer, impossible aussi de reculer.

« Je criai et fis tous mes efforts. Les autres étaient trop loin pour m'entendre ; ou bien ils ne se soucièrent pas de mes cris.

« Depuis combien de temps étais-je là lorsque, le soir, mes parents me trouvèrent le cou à demi scié sous la porte. Tu parles d'une affaire pour m'enlever de là. Je n'ai pas connaissance de tout cela : c'est ma maman qui me l'a raconté. Mais j'en garde le souvenir ; ça ne ment pas. »

Carmen me répétait souvent cette anecdote, toujours d'un ton différent : tantôt avec indignation, tantôt avec sarcasme, tantôt avec orgueil.

Une autre fois, à propos de bœuf, Carmen me dit :

— Tu sais, lorsque j'avais sept ans environ, un bœuf a marché sur mes reins. En ce temps-là, j'étais « tête de chemise »...

C'est-à-dire qu'il portait comme vêtement une chemise en toile de jute lui recouvrant tout le corps, excepté la tête, les bras et les pieds, et qu'il faisait le métier de marcher devant les attelages pour guider les bœufs dans les chemins de la plantation.

Un jour, il avait tellement plu que les pas des travailleurs, les sabots des bêtes et les roues des cabrouets avaient défoncé les « traces » comme un labour.

— A chaque pas, flac ! je m'enlisais jusqu'aux genoux. Le charretier me harcelait de jurons et de menaces. J'en pouvais plus... Tu t'imagines, à marcher comme ça, pendant des heures, dans une terre grasse qui te retient les chevilles et t'empêche d'avancer !

« Eh ! marche donc, feignant, me crie le charretier, ou je t'enfonce l'aiguillon dans le cul. Dis, je ne vais pas me faire attraper par le commandeur parce que tu bouches le chemin aux bœufs !

« Mes petites jambes ne tenaient plus, ma tête éclatait de peur, je culbute et je m'affaisse...

« Ce fut le charretier lui-même qui vint m'arracher de la boue. Il avait sauté du chariot en voyant le premier bœuf poser un pied sur moi. Comment n'ai-je pas eu la colonne vertébrale brisée ? »

Carmen avait été muletier, ce qui lui avait valu un long séjour à l'hospice, des suites d'une chute qui lui avait fracassé l'omoplate.

Puis il avait fait son service militaire.

Ah ! ça, c'était le plus gros événement de sa vie.

— J'avais attrapé la mauvaise maladie ; mais j'ai pas fait le couillon ; j'ai dit ça au docteur, et ça n'a pas traîné.

Après son service militaire, comme il aimait Fort-de-France, il y était resté.

Et puis des souvenirs heureux qu'il sortait à ses moments de sérénité et de spleen. Par exemple, ceux des nuits embrasées de feux, de tam-tam, ceux des amours innombrables et ardentes dans les cannaies de la plantation. Ou d'autres souvenirs plus récents de la Route Didier.

— Jo, figure-toi, mon vieux, que ce matin...

Cela commençait souvent ainsi, et c'était une histoire de femme, une histoire d'amour. Car l'existence de Carmen était grouillante de femmes.

— Les femmes m'ont toujours embêté, me

confiait-il avec malice. Je crois que j'avais à peine treize ans que des « grandes femmes » me tendaient des traquenards pour me faire satisfaire je ne sais quoi que j'éveillais en elles. Ça m'a pas porté chance, car j'ai jamais eu le loisir de choisir une femme. J'ai toujours été appelé, poursuivi, forcé. Je t'assure que c'est ennuyeux.

Aussi, lorsqu'il me quittait après une visite qui m'avait paru un peu écourtée, je comprenais tout de suite qu'il avait un rendez-vous galant. Je n'avais qu'à montrer un air entendu, alors il me soufflait à l'oreille le nom de la jeune bonne qu'il allait voir, et il s'enfuyait avec un gros rire, comme pour se moquer de lui-même.

On eût dit que Carmen était coureur pour rire, tellement il semblait y mettre plus de jovialité que de passion. Tant il avait l'air de croire que, les femmes, c'était pour faire l'amour avec et en rigoler après.

N'empêche qu'il se montrait très soucieux parfois quand une jeune fille qui lui plaisait bien commençait à trop s'attacher à lui, ou qu'une femme dont il ne s'occupait plus s'était avisée d'aller invectiver en pleine rue ou au milieu du marché de Fort-de-France contre sa toute dernière conquête, celle qu'il tenait à ménager encore quelque temps.

— Mais qu'est-ce qu'on en fera, des femmes ? Se tignonner pourquoi ? Pour quelque chose qui n'est ni à l'une, ni à l'autre...

Tout ce que racontait Carmen.

Certains soirs, Carmen entrait en sifflant et, sans parler, tirait une chaise et commençait à marquer des rythmes avec ses doigts sur le bord de la table.

C'étaient des airs de plantation que je connaissais

aussi pour la plupart. Mais lorsqu'il cessait de siffler pour chanter, ses paroles étaient nouvelles pour moi. Les nègres de la plantation sont si pressés de chanter et de répandre les chansons qui passent de quartier en quartier, qu'ils se soucient peu des paroles, se contentant de l'air sur lequel un de leurs chansonniers adapte des paroles se rapportant le plus souvent à un fait-divers local. Carmen continuait, chantant et sifflant, battant en sourdine des rythmes de tam-tam avec une telle intensité d'inspiration, tant de gaîté et de vigueur sensuelle que je restais longtemps à l'écouter, muet, presque en transe.

Soudain, mettant un point final à sa mélopée, Carmen se levait comme une bourrasque et me disait :

— Eh ben ! Jo, je vais me coucher.

— Déjà !

— Oui, mon vieux, c'est que j'ai guère stationné aujourd'hui. Et puis, il a fait chaud.

Là-dessus, il me tendait la main et disait, en bâillant :

— A demain.

Souvent aussi, ayant arrêté sa musique, Carmen me demande tout de go :

— Eh ben ! Jo, qu'est-ce qu'on raconte ?

C'est sûr alors qu'il a quelque nouvelle à m'apprendre. En général un propos sur les békés, un fait amusant concernant lui-même ou bien les raisons pour lesquelles tel chauffeur a été congédié.

Toujours est-il que chaque visite de Carmen m'apporte un détail nouveau, grâce auquel se rapproche et se précise, au jour le jour, le panorama de la Route Didier.

J'ai déjà compris au moins qu'elle se compose de gens les plus riches, les Blancs les plus puissants du pays, descendant des Grands-Blancs de la colonisation — en même temps les plus néfastes, d'une part, et d'autre part, de domestiques nègres, les seuls avec qui je suis en contact sans partager tout à fait leur vie, et qui sont fort convaincus, a priori, de la supériorité de ces Blancs en pouvoirs et en vertus.

Je connais de même le nom du propriétaire de chaque villa, la banque ou la maison de commerce où il se rend chaque matin en auto.

Je vois que la Route Didier est non seulement un quartier d'aristocrates, mais que d'un bout à l'autre de cette double rangée de coquettes demeures circule un même sang, le sang de la race des békés, que la progéniture d'une maison se retrouve dans la maison d'en face, mariée avec celle de la maison d'à côté ; qu'un Blanc créole ne contracte pas mariage en dehors de son clan de Blanc créole. Et cela confirme nettement mon intuition que les habitants du pays se divisent bien en trois catégories : Nègres, Mulâtres, Blancs (sans compter les subdivisions), que les premiers — de beaucoup les plus nombreux — sont dépréciés, tels des fruits sauvages savoureux, mais se passant trop volontiers de soins ; les seconds pouvant être considérés comme des espèces obtenues par greffage ; et les autres, bien qu'ignares, ou incultes en majeure partie, constituant l'espèce rare, précieuse.

De ma dernière visite à Petit-Bourg, il restait un de ces chagrins qui me bouleversaient chaque fois que je me prenais à considérer la condition de m'man Tine.

J'avais été effaré de la retrouver plus diminuée par

l'emprise desséchante de la misère. Sa chambre aussi devenait de plus en plus sombre et délabrée. De nouvelles planches pourries, de nouveaux trous dans la toiture. La table, toute contorsionnée, les pattes rongées par l'humidité. Il en était de même de toute la Cour Fusil avec, au milieu, son caniveau où croupissaient les eaux de cuisine et de toilette de tous les locataires ; de même du bourg entier dont je trouvais la rue rétrécie par des herbes et crottée de tas d'ordures. Un terrain vague où nous jouions avait été repris par l'usine à qui il appartenait depuis, et planté en cannes à sucre.

De l'autre côté de la rivière, des cannaies compactes se penchaient sur l'eau, prêtes à traverser et à venir étouffer le bourg.

M'man Tine était tombée malade au milieu de la semaine. Elle se plaignait d'une douleur au côté gauche et qui la transperçait jusque dans le dos.

— Un vent, disaient les voisines.

Sur le conseil de celles-ci, je faisais à la malade des tisanes d'écorces d'ail, ce qui libérait des rots formidables.

Elle se plaignait aussi de sa tête. Ah ! elle ne pouvait pas porter sa tête tant elle la sentait lourde et endolorie. Alors Mam'zelle Délice la lui avait enveloppée avec des feuilles de palma christi enduites de chandelle fondue.

Et puis ses yeux.

— Brusquement, disait-elle, c'est comme si on avait éteint la lampe, le soir, dans une chambre, et me voilà en pleine obscurité, avec la terre qui flanche et chavire sous moi.

— Les yeux, c'est délicat, avait dit M. Assionis. Pour ça il faudrait faire une petite séance.

Le samedi soir, puisqu'elle avait travaillé les trois premiers jours de la semaine, m'man Tine m'envoya à Petit-Morne pour lui toucher sa paye.

Depuis dix ans que nous n'habitions plus la rue Cases-Nègres, je n'avais jamais remis les pieds à Petit-Morne, et les souvenirs que j'en gardais étaient même assez atténués. En reprenant les sentiers qui y conduisaient, j'éprouvais donc un ravissement étrange.

Malgré la peine que j'avais au fond du cœur à cause de la maladie de ma grand-mère, je sentais la joie me soulever de temps en temps pendant que je traversais nu-pieds et la tête dans le vent la campagne immergée par la verte marée des champs de canne.

Et je reconnaissais même au loin les arbres, les chemins, les savanes, les boucles des rivières, que j'avais si passionnément fréquentés jadis, en compagnie de tous mes petits camarades nus, déguenillés, catarrheux, scrofuleux, hilares ou pleurnicheurs.

Le coucher de soleil était semblable en éclat, en douceur et en expression à tous ceux que j'avais vus nimber les collines.

La paye venait de commencer. Comme on n'en était pas encore aux sarcleurs, la catégorie de m'man Tine, je me tins un peu à l'écart, tâchant de rester inaperçu.

Pourtant la foule m'avait remarqué, et j'entendais des voix qui s'enquéraient de moi en chuchotant. Mais, la paye se poursuivant, l'attention se détourna de moi.

Or, la curiosité, l'enthousiasme qui m'avait accompagné s'était effondré, faisant place à un sentiment aussi sombre, loqueteux et morne que la scène, autrefois tellement familière, à laquelle j'assistais à présent.

Il me semblait que je reconnaîtrais presque tous ces travailleurs à leurs noms, à leurs voix ; mais je m'efforçais de ne pas trop chercher. Peut-être doutais-je de la réaction que j'aurais à revoir mes camarades d'enfance. Sinon, par quelle autre lâcheté ?...

— Sonson-z'yeux-goguis ! criait l'appeleur.

(Je reconnaissais l'appeleur.)

— I'là.

— Dix-huit francs.

D'autres noms encore.

Quelque temps s'écoula.

— Marie-la-vieille !

— I'là, répondis-je.

Et je m'avançai au guichet.

Tout le monde s'était tourné vers moi. Une rumeur ondoya dans la foule.

— C'est toi qui touches pour elle ? me dit l'économe, en patois (c'était un nouveau, je ne le connaissais pas ; le remplaçant de M. Gabriel, sans doute).

— Oui, monsieur, répondis-je.

— Onze francs cinquante, dit-il.

Et, portant la pointe de son crayon sur le bout de sa langue, il me demanda :

— Comment que tu t'appelles ?

— José !... Je suis son fils.

Une grande confusion de voix s'éleva dans la foule, autour de moi.

— C'est bien ce que je disais. Vous voyez, c'est José !

Et parmi ce ramassis d'êtres puants, aux couleurs de fumier, des mains terreuses, mais les plus amicales qui fussent, se tendaient vers moi, à travers les sourires les plus lumineux que le contentement puisse allumer sur d'aussi sombres visages.

On me félicitait d'avoir grandi. Certains me disaient :

— J'ai appris que tu es dans une belle école, à Fort-de-France : c'est bien.

D'autres me sommaient de les nommer, pour prouver que je me souvenais d'eux, et me donnaient de violentes accolades quand j'y parvenais du premier coup.

Je ne pouvais que sourire, presser les mains de toutes mes forces, me laisser tirailler, intimidé par toutes ces effusions simultanées.

Mais lorsque, muni des onze francs cinquante qui m'avaient été remis en paiement des trois journées de travail de ma grand-mère, je me retrouvai seul dans les sentiers, je sentis brusquement s'abattre sur moi un gros poids de remords ; quelque chose à la fois pesant et vague comme le spleen. Une indignation contre mon comportement ; la honte d'une certaine impuissance de caractère de ma part. Il me semblait qu'il y avait eu des paroles qui s'imposaient et que je n'avais même pas conçues...

En tout cas, j'avais souffert.

J'entre en première.

Le baccalauréat nous apparaît comme une porte étroite au-delà de laquelle existe l'immensité offerte.

Je constate avec peine parfois que je ne suis pas un élève pareil aux autres.

Les théorèmes de géométrie, les lois de la physique, les opinions autorisées sur les œuvres littéraires, rien de tout cela n'arrive à m'enflammer, à polariser mon énergie, à engendrer en moi cette ardeur intellectuelle avec laquelle mes camarades discutent sans fin de questions qui me paraissent futiles.

Je ne partage pas non plus l'émotion avec laquelle chacun suppute ses chances de succès.

Les disciplines enseignées au lycée n'éveillent en moi aucun enthousiasme. Je travaille avec le cœur sec. Je les subis.

Il m'a suffi jusqu'ici de changer de classe sans examen et de voir ma bourse augmenter jusqu'à devenir complète à présent.

Je demeure dans un clair-obscur d'où je regarde d'un même œil, ceux qui brillent de faux éclats, les cancres, les piocheurs. Il y a toujours eu pourtant dans chaque classe un ou deux élèves que je considère comme de réelles valeurs.

Je ne suis d'aucune catégorie. Je passe pour être fort en anglais. Cependant, je n'y déploie pas d'efforts particuliers. Je suis plutôt moyen que faible en mathématiques, parce que cela ne me coûte rien d'apprendre mes leçons, et que je le fais par sympathie pour le professeur qui, lui, enseigne avec tant de foi.

Notre professeur d'Histoire et de Géographie parle trop, et d'une voix aigrelette et filiforme qui évoque une pluie fine et incessante. Alors, comme lorsqu'il pleut, pendant qu'il fait son cours, je rêvasse, les yeux dans le vide.

268 LA RUE CASES-NÈGRES

En français, je suis parmi les derniers, mais peu me chaut.

Rien ne m'a jamais paru aussi bien conçu pour dégoûter de toute étude, de toute lecture même, que ces petites brochures intitulées : *Le Cid, Le Misanthrope, Athalie.*

Un jour, le professeur dit :

— Nous allons étudier Corneille. Avez-vous vos Corneille ?

Certains, oui ; d'autres, non.

— *Le Cid,* acte I, scène II.

Tantôt il lit lui-même, tantôt il fait lire un élève à qui un autre donne la réplique. Si l'on peut dire. Car que ce soit le professeur ou les élèves qui lisent, c'est si platement, si confusément ânonné, bafouillé, que nous voilà tous plongés dans une sinistre torpeur.

A la fin de la classe, M. Jean-Henri, le professeur, nous dicte un texte de devoir sur « le héros cornélien ». A la classe suivante, *Horace* ou *L'Avare.* De la même façon.

Je ne sais pas si cela se passait exactement ainsi, mais telle est l'impression d'ensemble que m'a laissé cet enseignement. Il y a cependant des élèves qui obtiennent de bonnes notes et qui font figure de forts en français. Ils consultent, paraît-il, des traités, des manuels et des « corrigés ». Pour ma part, arrivé chez moi, j'essaie de relire *Le Cid.* Au bout d'un moment, j'y trouve beaucoup plus d'intérêt qu'il ne m'avait semblé en classe. Je suis sur le point de m'écrier : « Que c'est beau ! » ; mais je n'ai pas le temps de m'adonner à ce plaisir : la prochaine fois nous passons à *Horace.* Non, je dois avoir l'esprit trop lent.

Parfois, j'ai des idées sur le sujet, mais comme je ne les ai puisées dans aucun livre, à l'instar des majors de la classe, je n'ose pas les émettre, de peur d'être stupide, et j'essaie en vain d'assaisonner les notes que j'ai prises en classe pour séduire le professeur, sinon éviter la réprimande. Car le professeur aime les citations : preuve que l'élève a cherché, travaillé. Alors, tant pis ; je suis faible en français.

Seulement, je ne suis pas certain que beaucoup de ceux qui se placent en tête de la classe soient aussi sensibles que moi à la littérature. A en juger à leurs discussions...

Mais dans l'ensemble, le niveau de la classe est bas en français.

— Vous n'avez aucun acquis, nous jette chaque jour le professeur.

Exaspéré par notre faiblesse, un jour il nous proposa comme sujet : « Votre plus émouvant souvenir d'enfance. »

— A la bonne heure ! pensai-je aussitôt. Cette fois, il n'y a pas à aller fouiller dans les bouquins.

Me reportant à Petit-Morne, je me souvins de la mort de Médouze. Consumé par l'inspiration, je rédigeai ma dissertation d'une traite. Puis je m'adonnai minutieusement au travail de correction, de polissage, faisant appel à toutes les recommandations sur la composition et le style, passant le tout au crible des règles d'orthographe.

J'étais heureux de m'être si sincèrement livré et d'avoir si ardemment peiné sur ce devoir.

Huit jours après, résultat de la correction :

— Encore un désastre ! annonce M. Jean-Henri. Que vous êtes faibles ! Pauvreté de vocabulaire, pas de syntaxe, aucune idée. J'ai rarement vu des élèves d'une telle indigence.

Et de commencer à produire les meilleures copies : deux ou trois. Puis, en vrac, les élucubrations de tous les médiocres. Pas la mienne. Si ! En dernier ressort, au moment où je suis au comble de la déception et du désespoir.

— Hassam, dit-il d'un ton circonstancié.

Je me lève. J'eusse rougi, si c'était possible.

— Hassam, reprend M. Jean-Henri, en dépliant ma feuille, vous êtes le bonhomme le plus cynique que j'aie jamais rencontré ! Quand il s'agit de dissertations littéraires, vous n'avez jamais le courage de consulter les ouvrages qu'on vous recommande ; mais pour un devoir aussi subjectif, il vous a semblé plus commode d'ouvrir un livre et d'en copier des passages.

La foudre ne m'eût pas plus violemment frappé.

Une bouffée de chaleur m'embrasa le visage, mes oreilles tintèrent, mon regard se fondit. Je crus que du sang allait jaillir de tous les orifices de ma tête. Ma gorge se resserra comme sous la pression d'une corde rugueuse.

— Je n'ai pas copié, monsieur, balbutiai-je.

Tenant ma feuille déployée entre les doigts, il s'adresse à toute la classe.

— Ecoutez...

Il lit à haute voix, et d'un ton sarcastique, deux phrases, trois phrases.

— Et encore cela, poursuit-il... Et ça va me dire qu'il n'a pas copié ? C'est plagié, oui, si ce n'est pas copié !

— Monsieur, je vous jure que je n'ai pas...

— Taisez-vous ! s'écrie-t-il en tapant sur la table.

Il me tend mon devoir avec les lèvres en forme de mépris, et ajoute :

— En tout cas, ne vous amusez plus à ce petit jeu, car je n'aime pas qu'on se paie ma tête. Tenez.

Il était tellement indigné que la feuille s'échappa de sa main.

J'allai la ramasser et, revenu à ma place, je l'enfouis dans un livre sans avoir eu le courage de regarder les annotations dont elle était marquée.

Mais le soir, rentré dans ma chambre, je voulus voir ce que contenaient ces bribes d'écriture à l'encre rouge. Les passages que le professeur m'accusait d'avoir « copiés dans quelque livre » étaient précisément ceux qui m'étaient le plus personnels et qui m'étaient venus le plus directement, sans aucune réminiscence.

Je sentis alors l'orgueil m'inciter à me mettre à travailler de façon à produire toujours de bons devoirs, jusqu'au jour où le professeur serait acculé à reconnaître ma probité. Mais je souris de son accusation. Non, je préférais consentir à passer pour un cancre en français. Cela m'était égal.

Cette année-là, la santé de m'man Tine me préoccupa bien plus que la préparation de mon baccalauréat. Depuis quelque temps, j'étais hanté par la crainte que ma grand-mère ne meure. Il me semblait que le temps ne passait pas assez vite pour m'amener au jour où j'allais travailler afin de délivrer ma mère, et ma grand-mère surtout, de la servitude.

Lorsque je l'avais quittée la dernière fois, m'man Tine était encore retournée dans les champs de canne ; mais elle ne se sentait plus de force ; et si elle continuait à sarcler les hautes herbes, ces herbes aux racines cramponnées dans l'argile noire des cannaies, c'était simplement parce que la misère ne tue pas de mort violente, préférant attendre, au moment propice, le concours décisif de quelque malaise apparemment banal.

J'écrivais chaque semaine à ma grand-mère, lui répétant que bientôt j'allais quitter le lycée pour travailler dans un bureau sans doute, et qu'à ce moment-là, elle et m'man Délia seraient toutes deux réunies avec moi dans ma maison. Je lui envoyais en même temps une poignée de tabac tiré des mégots que M. Lasseroux laissait dans ses cendriers et que ma mère récupérait chaque jour. Et un grand soulagement m'emplissait à la fin du mois lorsque, ayant touché les cent cinquante francs de ma bourse, j'allais, avec l'assentiment de ma mère, lui adresser un mandat-poste de vingt francs.

Parfois aussi, lorsqu'il pleuvait en novembre et que l'orage grondait, m'man Délia regardait le ciel et soupirait tout haut :

— Pauvre m'man Tine !

Je ne disais rien. Mon cœur devenait chargé et prêt à éclater comme le temps. Si nous étions à table, m'man Délia s'arrêtait de manger, je repoussais mon assiette et me levais, serrant les mâchoires pour ne pas m'attendrir.

Or, Carmen était devenu mon meilleur camarade. Non seulement à cause de notre proche voisinage et de ses nombreuses confidences, mais une autre raison devait encore y aider.

Un soir, je lui disais, je crois :

— Demain, composition en histoire ; après-demain, composition en sciences nat...

Carmen m'interrompit :

— Jo, tu ne trouves pas que je suis un couillon ?

J'éclatai de rire.

— Suis un grand couillon, te dis-je ! proféra Carmen.

Et il avait l'air de s'accuser ainsi, sans raison, ingénument, mais avec la plus profonde conviction.

— Explique-toi, mon vieux, lui dis-je enfin.

— Ecoute, reprit-il. Depuis le jour que nous nous connaissons, nous nous fréquentons sans chichi, nous causons et nous rigolons bien ensemble, depuis ce temps, qu'est-ce qui m'empêchait de te demander quelques petites notions ? Je suis sûr que tu m'aurais pas refusé cela... C'est ennuyeux, je sais pas signer mon nom. Je te l'ai jamais dit, je sais pas pourquoi, mais je connais pas b, a : ba.

En vérité, cette demande, malgré sa simplicité, me frappa comme un reproche. Que n'avais-je proposé moi-même mes services à Carmen ? Ne savais-je pas qu'il pût souffrir de son analphabétisme, d'ailleurs visible ? Doutais-je de toutes les satisfactions qu'il eût éprouvées d'en sortir ?

— Mais, Carmen, m'écriai-je, qu'est-ce qui m'empêchait moi-même de...

Ainsi, Carmen devint mon élève.

C'était toujours comme auparavant : un sifflement avertisseur, la porte qu'il poussait. Mais dès lors, il allait directement se mettre à ma table à écrire, ouvrait son livre mince, reprenait son petit cahier à couverture bleue ou rose.

Alors je lui présentais une à une, et mainte et mainte fois chacune, ces petites figures dont la physionomie et le nom sont d'abord si impressionnants et difficiles à retenir. Je m'appliquais à assujettir un crayon entre ses doigts.

— C'est drôle, me disait-il, que je puisse faire tout ce que je veux avec un volant d'auto entre les mains, et que je sois impuissant à faire un petit rond correctement avec un crayon qui est léger comme une paille. C'est drôle que, mon volant en main, je puisse faire passer l'auto même dans un mauvais chemin sans tomber à droite ou à gauche, et que j'arrive pas à conduire mon crayon entre les deux lignes du cahier !...

Et il avait un sourire triste qu'il me fallait vivement gommer avec un mot d'encouragement.

Laquelle était plus grande, sa joie d'apprendre à lire et à tracer ses lettres, ou la mienne de voir mon élève progresser avec une rapidité qui me faisait croire plus à l'efficacité de mon enseignement qu'à son intelligence ?

C'est lui qui avait décrété que nous ne parlerions plus patois, ce que j'hésitais à lui proposer. C'est lui qui fixait à son gré la durée de nos cours, m'entraînant jusqu'à négliger mon travail personnel pour essayer de satisfaire l'ardeur en laquelle il se trouvait de travailler.

Certains soirs il n'était pas d'attaque. Après un court exercice écrit, il rangeait son livre, son cahier, ses accessoires à la place qu'il leur avait assignée sur ma table. Il n'emportait jamais son matériel chez lui.

— Les femmes qui viennent me voir aiment trop à farfouiller dans ma chambre, m'expliqua-t-il.

Et lorsqu'il ne prenait pas congé tout de suite, nous nous mettions à causer, au contraire, comme s'il venait juste d'entrer.

Cependant, Carmen n'avait pas refréné pour autant son ardeur à courir la prétentaine. On eût dit aussi que depuis qu'il apprenait à lire et à écrire des mots, il manifestait plus de hardiesse en maintes choses. Ses préférences amoureuses avaient même changé. Il en était maintenant à une mulâtresse dont le mari possédait un grand café près du square de la Savane. Une aventure qui durait depuis quelques semaines.

— Regarde, me montrait Carmen ; tout mon corps est marqué de coups de dents qu'elle me fait en m'embrassant, afin que pendant la journée je garde la sensation d'être avec elle, qu'elle dit.

Alors je pouffais de rire. Carmen devait sans doute me trouver trop gamin, un peu sot.

— Rigole pas, me criait-il, c'est que ça me fait mal. Tiens, cette morsure que j'ai ici, à l'épaule, c'est de depuis avant-hier.

Ou bien de ces questions qu'il me jetait à la tête au moment où je m'y attendais le moins.

— Dis, Jo, qu'est-ce que c'est que ça, la poésie ?

Pour le coup, me voilà encore pris au dépourvu. J'essaie de m'en tirer quand même. J'attrape un livre, je lis quelques vers. J'explique. Pourtant ma démonstration laisse Carmen sceptique.

— Je comprends pas.

— Comment, tu ne comprends pas ? La poésie, te dis-je, c'est…

— Mais ce ne doit pas être ça seulement. Cet

après-midi, elle m'a crié : « Chéri, chéri, comme tu me donnes de la poésie ! »

Je me contorsionne à rendre l'âme dans un accès de rire secoué de quintes de toux.

— Que tu es sot ! me dit Carmen, que tu es sot !

Et quand, enfin, je réussis à me calmer, il poursuit :

— Eh ben ! pour moi dans les circonstances où elle a dit ça, c'étaient pas des bouquins ni des sonnets que je lui donnais.

— Mais la poésie, Carmen, continuai-je, affectant un ton professoral, ce ne sont pas seulement des mots, des vers, des livres. Ça peut être n'importe quelle autre chose produisant un effet analogue.

— Donc, elle n'a pas mal parlé. Je suis un poète.

Il a rompu avec cette femme parce qu'elle l'aimait trop. Ces jours-ci, c'en est une autre du même monde, et qui m'a déjà valu avec Carmen une autre épreuve de vocabulaire. Elle l'appelle : « Mon violon d'Ingres. »

Comme tous les riches propriétaires de la Route Didier, M. Mayel, le patron de Carmen, assistait à la messe le dimanche, à la chapelle du quartier, accompagné de sa famille au grand complet.

N'empêche que (chose que Carmen m'adjurait de ne pas répéter), certains vendredis du mois, il se faisait conduire avant l'aube et par les chemins les plus sauvages, chez les vieux sorciers qui, dans leurs cabanes, sur les mornes, tiennent à la disposition des Blancs et des nègres les pouvoirs de la magie noire.

De temps en temps, il donnait une soirée au cours de laquelle les Blancs sans fortune qui vivaient dans de simples maisonnettes à l'ombre des belles villas venaient, avec leur femme, en parents pauvres, pour aider la maîtresse de maison, servir de maîtres d'hôtel et jouir discrètement de la compagnie de leurs riches coreligionnaires.

En outre, M. Mayel entretenait, dans un des quartiers semi-populeux de la ville, une jeune négresse qui lui avait produit deux petits mulâtres. Cette femme tenait lieu à Carmen de seconde patronne, patronne bâtarde qu'il feignait de respecter autant que Mme Mayel et qui, en retour, affectait d'avoir pour lui beaucoup d'égards et de condescendance.

Certes, être la maîtresse d'un Blanc représente une situation très enviable pour une femme du peuple aux Antilles, et même pour certaines jeunes filles de la petite bourgeoisie de couleur.

Outre les avantages matériels qui en découlent : bijoux, petits biens immobiliers et mobiliers, cela crée à soi-même et aux yeux de tous l'illusion d'une élection, voire d'une promotion.

— Pourtant, Carmen, je n'y vois pas autre chose qu'une manifestation du même mépris que traduisent tous les gestes du Blanc créole à l'égard des nègres. Ne crois-tu pas que, tout compte fait, mieux vaut pour une négresse être domestique chez un béké et faire l'amour avec un nègre, plutôt que d'être mise en garenne pour les besoins d'un maître qui vient faire ses saillies lorsque, la veille, sa dame a boudé au lit ou parce que celle-ci est trop vieille ; et que, même dans l'intimité, on n'ose pas appeler autrement que : « Monsieur » ?

Quand on pense que ces petits bâtards de mulâtres

nés dans ces conjonctures et qui n'ont même pas le droit d'appeler « papa » en public ou d'aborder dans la rue leur béké de père grandissent avec la morgue de n'avoir pas la peau noire, et ne ratent jamais une occasion d'invoquer le côté blanc de leurs origines !...

D'ailleurs, leur mère les y aidera largement : chacun sait que lorsque de telles liaisons naissent ces enfants à peau « sauvée », la mère n'est que trop fière d'avoir — elle, noire comme le tableau noir de la conscience du béké — contribué à ce qui, dans leur complexe d'infériorité, tient à cœur beaucoup de nègres antillais : « Eclaircir la race. »

Car, à mon grand désespoir, je surprenais dans l'esprit de Carmen les attitudes qui trahissaient de ces complexes antillais, tellement contraires à toute dignité.

Carmen se taisait pendant un long moment.

— Alors, que faire, disait-il ? Coucher avec toutes les femmes des békés, jusqu'à...

Et son rire large emplissait toute la chambre.

Puis il me contait une histoire :

— J'ai connu au Macouba un béké, même pas très riche — ce qui explique peut-être pourquoi il vivait en concubinage et sous le même toit avec une négresse dont il avait cinq enfants, filles et garçons. Cela, au grand scandale de ses parents.

« Il mourut. Pendant qu'il était à l'agonie, il fit venir le notaire et passa tous ses biens à ses cinq enfants : quelques carrés de terre et une douzaine de têtes de bestiaux. La femme l'avait toujours beaucoup aimé, et se trouvait très affligée de le voir mourir. Or, voyant qu'il était si bien disposé à l'égard de ses enfants, elle lui dit :

« — Vous êtes très généreux. Le ciel vous soit ouvert. Mais si un jour, par malheur, les enfants perdaient ce bien que vous leur laissez, que leur resterait-il de vous ?

« Et elle l'adjura de reconnaître ses cinq enfants, afin que ceux-ci puissent garder le nom de leur père comme le plus impérissable héritage.

« Eh ben ! vrai comme je suis couillon, le vieux béké n'a pas accepté. Tout moribond qu'il était, il a répondu :

« — Mon nom n'a jamais été porté que par des Blancs. Ce n'est pas un nom de mulâtre. »

Il faisait bon, le matin, aller au lycée à pied.

L'air gardait la pureté et les ombrages le même charme qui m'avaient séduit la première fois que j'étais venu à la Route Didier.

Les jardins surtout demeuraient d'une beauté fidèle. En réalité, ils ne semblaient pas être d'un goût remarquable, mais les hibiscus qui les bordaient, leurs grands tapis de gazons, les palmiers de toute espèce, les rosiers en fleurs, les bégonias aux reflets métalliques, les bougainvillées aux coloris insolents, frénétiquement grimpées aux balcons, dégageaient un je ne sais quoi de réjouissant et d'apaisant.

Je connaissais les jardiniers de presque toutes les maisons qui se trouvaient sur mon parcours.

En passant, j'échangeais avec eux un salut par-dessus les haies, et le dimanche après-midi, j'avais la bonne surprise de recevoir, parfois, leur visite.

Souvent, trop timide pour venir seul, l'un s'était fait accompagner par un autre, et les deux arrivaient.

aimables et réservés, presque respectueux — à ma grande confusion.

— Depuis quelques jours, disaient-ils en guise de compliment et d'excuse, nous nous promettions d'aller vous voir, mais nous ne savions pas si ça vous ferait plaisir. Pourtant nous en avions envie.

Je dégageais ma table de tous les livres et papiers pour y préparer le punch.

Leurs conversations retraçaient lentement leur naissance au hasard de tel morne ou de telle plantation, leur enfance turbulente et relâchée, les petites-bandes ou une scolarité à peine ébauchée, puis coupée. Tous partis du même point, ayant suivi le même sentier.

Eux non plus ne se plaignaient de rien. Leur condition semblait justifiée à leurs yeux par l'existence et la présence des békés : puisqu'il y a des békés, il faut bien que leur place soit en haut et sur les épaules des nègres.

Ils avouaient que les soixante-quinze ou quatre-vingts francs qu'ils touchaient par mois, nourriture en sus, ne représentaient même pas le prix d'un costume ordinaire. Mais comme ils rêvaient, par exemple, d'apprendre à conduire une auto : devenir chauffeur, gagner cent cinquante francs comme Carmen ; louer une chambre dans le Petit-Fond pour cinquante francs par mois. Gravir les échelons du larbinisme.

— Et nous pouvons pas nous humilier encore à aller servir les békés avec des vêtements sales et déchirés. Il faut que nous soyons toujours propres. Nous avons aussi notre orgueil.

De temps à autre, en me rendant au lycée, je remarquais l'absence de tel jardinier là où j'avais accoutumé de le voir. Le soir, Carmen me confirmait qu'il avait été renvoyé ; ou bien qu'il était parti de son propre gré, alléguant qu'il allait voir un parent malade et qu'il reviendrait. Le surlendemain, il était remplacé et son remplaçant, à me voir passer toujours aux mêmes heures, échangeait aussi avec moi des saluts de sympathie.

C'est ainsi qu'un matin, apercevant le nouveau jardinier de la Villa des Balisiers, je sursautai : quelque chose dans sa physionomie m'avait frappé. Pourtant, l'homme était trop éloigné pour que je pusse distinguer les traits de son visage.

Le lendemain matin, il se trouvait encore à l'autre bout du jardin, une lance d'arrosage à la main. Je m'arrête. Il se tourne vers moi, me regarde, laissant retomber sur la pelouse la gerbe d'eau qui s'élance du tuyau.

Puis il fait un geste, le même geste que moi ; comme si la même impression avait rebondi entre lui et moi.

J'ai envie de m'approcher, mais c'est lui qui dépose son appareil d'arrosage et, d'un pas leste, enjambe les plates-bandes et accourt vers moi.

— Mais c'est Hassam ! s'écrie-t-il.

— ... Jojo !

Nous sommes en arrêt, l'un en face de l'autre.

— Hassam ! s'exclame-t-il encore.

Je lui tends la main, mais il m'attire vigoureusement, et nous nous embrassons, et nous nous tapotons les épaules.

La bouche de Jojo, soulignée d'un gros trait de moustache, sa carrure et sa taille dans son vieux costume kaki totalisent à mes yeux plus que le chiffre que je cherche hâtivement, les longues années que nous nous sommes perdus de vue. Je dirais même qu'il a grandi plus que moi.

Bien que nous soyons du même âge, je me retrouve comme un simple adolescent auprès de lui si basané, si endurci, si allongé et épaissi.

— Comment, c'est ici que tu es, Hassam ? Où donc travailles-tu ?

— Ma mère travaille chez M. Lasseroux.

Mais ma réticence ne lui a pas échappé, et jetant les yeux sur les deux livres que je porte sous le bras, il me dit :

— Tu es encore à l'école ?

— Oui, je suis au lycée.

Je ne sais pas si j'ai réussi à mettre dans ma réponse la simplicité objective par laquelle je veux effacer toute différence entre mon camarade et moi.

— Tu as déjà ton bachot ? me demande-t-il.

— Je prépare la première partie cette année.

— Je suis content, me fait Jojo.

Dans ses yeux reste allumée une chaude lueur, et il répète :

— Je suis content pour toi, Hassam !

Toute la journée, je demeure ébranlé sous le choc de cette rencontre.

A ma joie de revoir mon bon copain d'enfance, succède mon étonnement de retrouver Georges Roc, le fils de M. Justin Roc, ce Jojo qui n'allait pas nu-pieds à l'école du hameau, qui habitait une des plus belles maisons de Petit-Bourg, et dont les parents avaient une auto, une domestique, retrouver Jojo à la Route Didier, dans une place de jardinier, ou plus exactement de boy, car, à la Route Didier, jardinier est le nom que porte le garçon à tout faire.

C'est comme si Jojo avait cessé de vivre pour m'apparaître ce matin-là en une réincarnation des plus imprévisibles.

Toute la journée, cette rencontre a agité mes souvenirs.

J'en ai la tête chaude.

J'essaie de comprendre, et je songe que Georges Roc, fils du premier contremaître de l'usine de Petit-Bourg, est aussi le fils de Gracieuse, une négresse travaillant comme sarcleuse sur une plantation, et qu'il s'était enfui chez sa mère parce que chez son père, pour lui donner de l'éducation, on le maltraitait, le privant de liberté, lui interdisant de jouer avec les garçons de son âge, et le battant à le briser à la moindre faute.

Alors, de chez sa mère, à la campagne, près d'une plantation sans doute, il avait pris le chemin fatal à tous les petits garçons dont les parents travaillent dans les cannes.

Pas besoin de ses confidences pour comprendre comment il en est venu là.

A un détail près.

— Je travaillais à Pavillon, tu sais, me dit-il, cette habitation du côté de l'usine Poirier. Eh bien! pendant la récolte j'étais muletier et, à l'arrière-saison, canalier. Il y avait un géreur qui, comme la plupart des géreurs, font des arrangements dans les chiffres qu'ils portent sur leurs registres pour donner aux nègres encore moins que le salaire que les békés leur envoient. Or, grâce à mon fameux oncle Stephen, j'ai encore quelque chose sous le crâne qui fait que je ne suis pas tout à fait un mouton, et comme je voyais que ça n'était pas correct, chaque samedi, mine de rien, je lançais un petit mot : « Voleur ! », comme ça. Sans en avoir l'air.

« Et puis, un samedi soir, c'en était trop.

« Comme personne ne voulait m'écouter, j'ai crié devant tous les travailleurs assemblés : " Qu'est-ce que vous attendez donc pour foutre le feu dans les pièces de cannes ? Vous ne voyez pas que c'est ça qui fait que c'est une triste chose d'être nègre ! " »

— Toi, Jojo, tu as dit ça ?

— Oui, j'ai dit ça, parce que j'avais de la peine et de la rage comme du feu dans tout mon corps. Aussitôt, le géreur a suspendu la paie et il m'a crié : « Si tu ne fermes pas ta gueule là, je fais immédiate-ment venir les gendarmes. » Mais il n'y avait pas de quoi m'intimider, tu sais. Comme dit le proverbe : « Après bonjour, c'est : quoi de neuf ? » Et vexation pour vexation : « Reste là que je te foute mon pied dans le cul », me dit le géreur.

« Tu sais, un mulâtre (et j'en ai un peu le sang, hélas !) est toujours prompt à crier " sale nègre " et à menacer du pied. Mais ce soir-là, toute parole tombait sur moi comme de l'huile sur de la braise. Et puis, il y a des moments où l'on sent qu'on en est plein, et qu'il faut crever ou éclater.

« Alors, il est sorti, le géreur, de son bureau. Il a avancé sur moi. Toute la foule hurlait de terreur, mais personne n'osait l'arrêter. Et v'lan ! Je reçois un coup de godillot dans le jarret. Inutile de te dire que je ne lui donnai pas le temps de bisser. Oui, avant l'intervention de l'économe et du commandeur, mes poings lui avaient déjà rivé quelques bons coups dans la figure. Et, minch, je détale.

« Mais ils ont lâché des gendarmes après moi. On m'a arrêté.

« J'ai fait six mois de prison, ici, à Fort-de-France.

« Après trois mois de détention, on m'amena avec d'autres prisonniers pour travailler dans les jardins du Secrétaire général du Gouvernement.

« Quand ma peine fut finie, je voulais bien remonter dans le pays ; car depuis que tu m'as pas vu, ma tête, c'est comme si elle a été passée aux flammes de l'enfer. Tout bonnement. Je ne crains rien ; mais je dois être signalé sur toutes les plantations. Alors, j'ai échoué ici. Et voilà que je te retrouve.

« C'est rigolo, la vie ! »

Je n'avais rien à lui raconter de moi. Ma vie était insignifiante.

Je fus recalé à mon examen. Sans en être affecté le moins du monde ; car c'était le résultat logique de mon année scolaire. Je n'ai jamais compris pourquoi les choses que j'eusse normalement apprises avec le plus grand plaisir me devenaient odieuses dès qu'elles entraient dans le programme d'un examen à subir.

Ma mère fut très désolée de mon échec.

Jojo et Carmen qui s'étaient déjà cotisés pour acheter une bouteille de champagne en prévision de mon succès ne voulurent pas que ce champagne leur restât pour compte : on le but à mon succès futur.

Là-dessus, j'établis mon emploi du temps et me remis au travail, reprenant mes livres à la première page, et chacun aux heures où je me sentais le mieux disposé. Je travaillais toute la journée, et le soir j'allais me promener sur la route pour admirer les jardins et en respirer les exhalaisons — lorsque je n'avais pas la visite de Carmen pour ses exercices de grammaire et de calcul.

Jojo, lui, avait pris chez moi une sorte d'abonnement de lecture. Depuis sa sortie de l'école, m'avoua-t-il, il n'avait pas lu dix lignes.

Un soir, tout en regardant les quelques livres achetés, ramassés ou reçus au hasard, et recouverts et rangés avec un soin peut-être assez touchant, sur des étagères que j'avais fabriquées avec de vieilles caisses, il me dit :

— Jo, tu serais gentil de voir, quand tu auras le temps, si parmi tes livres il n'y aurait pas un vieux à me prêter ; un dont tu n'as presque pas besoin, et qui pourrait m'intéresser. J'en prendrai soin.

Je commençai par lui passer les livres que j'avais dévorés quand j'étais en sixième. Jojo me surprenait par tout ce qu'il pouvait lire en une soirée.

Carmen lisait beaucoup moins, mais la lecture engendrait en lui un trouble, un véritable charme dans lequel il se complaisait parfois pendant plusieurs semaines, en compagnie des personnages de tel roman, ou tel écrivain dont le style, par exemple, l'avait fortement enivré. Il lui fallait attendre chaque fois que son émotion fût complètement dissipée pour me demander un autre livre. Ainsi, il resta je ne sais combien de temps littéralement bouleversé par la lecture de *Batouala,* de René Maran. Il n'aimait pas les romans d'amour. Aucun faible non plus pour les romans d'aventures.

— Quand je serai alité pour de longs mois à

l'hôpital, tu m'en apporteras, de ces livres-là. Cela
m'aidera à tuer le temps.

Il admirait surtout les romans qui lui faisaient
regretter de n'être pas assez fort en « écriture » pour
en écrire de pareils.

— Je t'assure que j'écrirais pas pour m'amuser ni
pour faire oublier. J'aimerais écrire des livres qui
fassent aux gens se mordre le pouce jusqu'au sang.

Il aimait Balzac, Gorki, Tolstoï, et condamnait
l'affection de Jojo pour Pierre Loti.

Mais le jour où je lui fis lire *Banjo*, de Claude Mc
Kay, il devint fou de joie.

Comme pour ne pas être en reste avec moi,
Carmen et Jojo m'invitaient au cinéma le mardi ou le
vendredi soir. Dans le plus grand cinéma de Fort-de-
France, la foule populaire qui formait la clientèle de
ces soirées à tarif réduit allait assister à la projection
des premières images sonores arrivées aux Antilles.

Nous partions à pied, après dîner.

Sous une lumière électrique parcimonieuse et
indigente, la salle de cinéma était toujours pleine,
chaude de clameurs et houleuse Le parquet, les
escaliers résonnaient et grinçaient sous les pas du
public qui, avant le commencement de la séance,
allait et venait en tous sens, s'interpellait, causait,
criait et riait aux éclats, comme si chacun eût gagé de
tout dominer par sa seule voix.

Les fauteuils d'orchestre se présentaient sous
forme de chaises pliantes en bois, enfilées par
rangées sur des tringles de bois. C'étaient les places
de tous les jeunes loqueteux, les débraillés, les
braillards, hommes et femmes, chaussés ou pieds

nus. C'était là que nous nous mettions. Les plus bouffons, les plus querelleurs, étaient toujours les mêmes. L'un avisait une femme seule et allait lui faire des attouchements et lui chuchoter des paroles malhonnêtes, à quoi elle répliquait par des jurons volcaniques. Une, au contraire, montait sur une chaise et se mettait à chanter et danser, battant le rappel autour de ses charmes.

Il y en avait toujours un qui, à peine entré, se heurtait contre le premier venu, tombait en garde et déclenchait la bagarre.

Il y avait aussi les paisibles qui, garés dans un petit coin, regardaient avec calme et méfiance.

Les lumières s'éteignaient une à une et tout le monde de se précipiter sur les chaises pour s'asseoir.

Aux premières images sur l'écran, la salle se trouvait dans un silence relatif. N'empêche qu'à la faveur de l'obscurité, se poursuivaient des colloques, des commentaires, qui s'attiraient des répliques anonymes qui s'entrechoquaient, détonnaient en violentes discussions hérissées de quolibets et de menaces.

A la longue pourtant cette atmosphère s'affirmait inoffensive et même sympathique — simplement foraine.

Nous discutons, chemin faisant, au retour du cinéma. Discussions échauffantes qui activent notre marche et nous font arriver si vite que nous nous attardons encore un long moment sur la route pour épuiser nos propos, en ayant la prudence d'assourdir nos voix afin de ne pas provoquer les aboiements des chiens.

Le style « rue Cases-Nègres », qui caractérise tout

ce qui dans ce pays est destiné au peuple ou conçu par des gens de couleur, me peine et m'indigne.

Toute entreprise dans un tel pays ne devrait-elle pas viser aussi à promouvoir le peuple !

Carmen, Jojo et moi, nous nous plaisions de même à commenter les films que nous venions de voir et jamais nos discussions n'étaient aussi passionnées que lorsque le film comprenait un personnage nègre.

Par exemple, qui a créé pour le cinéma et le théâtre ce type de nègre, boy, chauffeur, valet de pied, truand, prétexte à mots d'esprit faciles, toujours roulant des yeux blancs de stupeur, affichant un inextinguible sourire niais, générateur de moquerie ? Ce nègre d'un comportement grotesque sous le coup de botte au cul que lui administre fièrement le Blanc, ou lorsque ce dernier l'a eu berné avec la facilité qui s'explique par la théorie du « nègre-grand-enfant » ?

Qui a inventé pour les nègres qu'on montre au cinéma et au théâtre ce langage que les nègres n'ont jamais su parler, et dans lequel, je suis certain, aucun nègre ne réussirait à s'exprimer ? Qui a, pour le nègre, convenu une fois pour toutes de ces costumes à carreaux qu'aucun nègre n'a jamais fabriqués ou portés de son choix ? Et ces déguisements en souliers éculés, vieil habit, chapeau melon et parapluie troué, ne sont-ils avant tout le pitoyable apanage d'une partie de la Société que, dans les pays civilisés, la misère et la pauvreté font le triste bénéficiaire des rebus des classes supérieures ?

Il n'était pas jour qu'une parole, un fait, un incident, ne vînt remettre en cause les nuances plus ou moins claires ou sombres de l'épiderne, qui, dans tous les milieux, déterminent les sentiments et les réflexes, aux Antilles.

Il y avait, près de la Savane, un petit bar où nous allions souvent déguster du jus de fruit. Un jour nous entrons, et la caissière, Mlle Adréa, une belle femme brune avec qui l'on plaisantait volontiers, poursuit toute seule une dispute qu'elle vient d'avoir sans doute avec quelque client. Et nous arrivons juste pour recevoir en plein sur la peau : « C'est pourquoi je ne me cache pas de dire que cette race dont je porte la couleur, je la déteste. »

— Vous en portez la couleur avec tant de charme pourtant, lui dis-je.

— Comment voulez-vous que j'aime les nègres et que je sois fière d'en être, me répond-elle, toujours irritée, quand je les vois tous les jours faire des crasses ! D'ailleurs, sauf ma couleur, je ne suis pas nègre : j'ai un caractère de Blanc... Et je me demande quel vice a pu pousser ma mère qui était déjà une belle mulâtresse à faire salir ses draps par un nègre !

Si je comprends bien, un client qui avait par surcroît la caractéristique d'être noir vient de contrarier Mlle Adréa, car son humeur ne témoigne rien de plus que cette irritabilité particulière aux gens des pays chauds.

— Eh bien ! du fait de gens comme vous, chère mademoiselle Adréa, je crois que nous, les nègres, nous sommes plus pitoyables que haïssables, parce que, voyez-vous, je ne crois pas qu'il existe au monde de gens qui renieraient leur race parce qu'une personne de la même couleur d'épiderme qu'eux s'est mal conduite, en quoi que ce soit. Je ne crois qu'aucun Blanc, par exemple, ait jamais crié : « Je hais ma race », quand un Blanc a commis un vol ou un meurtre ; fait qui pourtant se renouvelle fort souvent.

« Cela n'empêche pas les Blancs qui ne sont ni voleurs ni assassins de réprouver le crime et le vol quels qu'en soient les auteurs. Alors pourquoi, pour une peccadille d'un des nôtres, êtes-vous si prompte à vous désolidariser d'avec tous les nègres du monde et vouer au diable notre race entière ? »

— Vous ne comprenez pas, dit Adréa d'un air outré. Vous ne me comprenez pas. Cela me fait tellement mal de voir que quelqu'un qui est déjà noir fasse encore quelque chose de mal, fût-ce un petit rien, que, réellement, sur le coup, je jetterais ma race au feu. Mais vous savez bien qu'au fond je ne consentirais pas qu'on dise long comme ceci contre la race en ma présence.

J'ai souvent entendu en effet, ce raisonnement. Ma mère ne m'a-t-elle pas maintes fois répété que c'est déjà assez mal que je sois noir pour éviter de commettre la plus petite faute ? Oui, je sais que tout le monde, Blanc et Noir, est d'accord sur le fait qu'un nègre, appelant si peu d'indulgence de par sa couleur, n'est tolérable que dans la mesure où il se comporte comme un saint.

Adréa est malgré tout une brave fille et reconnaît ses torts avec la même spontanéité qu'elle se fâche.

Alors Carmen l'a simplement condamnée à payer une tournée de jus de canne bien frais.

Je fus reçu à ma première partie de baccalauréat avec la même facilité que j'avais été refusé trois mois auparavant.

Je connaissais mon programme pour l'avoir étudié pendant toutes les vacances avec beaucoup plus de goût que dans l'année scolaire et je n'avais eu à l'examen qu'à faire usage de ce que j'avais appris.

Ma mère pleura de joie.

Carmen et Jojo envahirent ma chambre, les bras chargés de bouteilles et de victuailles, et amenèrent par petits groupes les bonnes, les garçons, les jardiniers, les chauffeurs du voisinage pour boire en mon honneur.

Moi qui imaginais que j'allais être d'une gaîté extravagante, je n'en revenais pas du flegme où je me sentais. Tout au plus, une sensation d'immense soulagement. Ma joie ne fut pleine et sensible que lorsque j'allai porter la bonne nouvelle à m'man Tine et l'embrasser comme si c'était son succès à elle. Elle n'avait plus qu'une année à attendre sa délivrance des champs de cannes et de la Cour Fusil. Plus qu'une année scolaire !

Et ce fut à cette seule pensée que je retournai au lycée, classe de Philosophie.

L'année commença de façon très banale, sans promesse.

Je ne doutais pas de pouvoir réussir à mon examen en fin d'année, mais après ? Alors, je me voyais atteindre le fond d'une impasse. Comment réaliser pratiquement ce que j'avais espéré et les promesses que j'avais faites à m'man Tine ? Subir peut-être un de ces concours par lesquels accédaient à des emplois administratifs la plupart des bacheliers qui n'avaient pas obtenu des bourses pour aller étudier en France ?

Or, je ne me sentais attiré par aucun de ces
débouchés. Et le lycée m'étouffait et me débilitait.

J'étudiais volontiers mes manuels de philosophie,
même ceux que je trouvais rebutants à lire. Mais mes
lectures préférées pendant toute cette année de philo
consistaient plutôt en ouvrages hors du programme
et relatifs à la vie des nègres : ceux des Antilles et
ceux d'Amérique ; leur histoire et les fictions les
concernant. Ces livres avaient éveillé en moi plus de
curiosité et me passionnaient plus profondément que
tous les récits de la vie des rois numérotés, leurs
guerres et leur mort, que j'apprenais et oubliais
continuellement.

Tout le passé de la race nègre, confronté avec son
présent, se révéla ainsi à moi comme un défi jeté par
les faits historiques à cette race, et une telle constata-
tion me faisait tressaillir de ce vibrant orgueil qui fait
lever les boucliers.

Or, pour tout camarade avec qui discuter, je
n'avais que Jojo et Carmen. Christian, mon ancien
camarade de sixième, redoublait sa seconde ; et les
autres étaient trop absorbés par la préparation de
leur bachot pour s'occuper d'ouvrages qui n'étaient
pas du programme et dont les professeurs n'avaient
jamais parlé.

J'avais perdu, depuis quelque temps, le goût et
l'habitude de faire l'école buissonnière au jardin
Desclieux ou au Bord de Mer.

Lorsqu'un après-midi je ne me sentais nullement
l'envie d'aller au lycée, je restais simplement dans ma
chambre et je lisais. Ou bien, devant une feuille de

papier, un crayon à la main, je rêvais, notant les choses que j'aimerais étudier. Enfin, comme pour m'offrir le luxe des châteaux en Espagne, ce que je voudrais réaliser ; les commodités matérielles qu'il me faudrait acquérir : une maisonnette entourée d'un petit jardin, une chambre aux murs tout parcourus de livres.

Il me plaisait aussi, certains après-midi de jeudi, par exemple, d'aller à la place de la Savane. Pas tant en promeneur qu'en spectateur. Car j'avais toujours éprouvé un malin plaisir au spectacle des gens qui ne peuvent vivre avec simplicité.

C'était presque toujours à l'heure où seulement quelques vieilles nourrices noires, sur des bancs, à l'ombre des tamariniers, devisaient entre elles pendant que, dans les allées, couraient et jouaient des enfants. L'heure où la Savane se présentait en jardin d'enfants.

Si je quitte mon banc, c'est pour aller près du rivage ; car la mer est couchée là, tout près, et voici un voilier que poussent vers la ville des vents alizés qui chevauchent la mer des Antilles. Ou bien c'est un cargo qui tourne, fait bouillonner de l'eau à son arrière et dénoue dans l'air une chevelure de fumée et de sifflements qui peignent sur le soleil couchant des mirages de Marseille, Bordeaux, Saint-Nazaire.

Autour de la Savane, les cafés aux fenêtres avidement ouvertes sur la mer se remplissent. C'est la sortie des bureaux. Heure typique de Fort-de-France. Fini le labeur quotidien, le corps se détend. L'esprit et le cœur, sous les auspices du punch créole, s'offrent au délassement, à la bonne humeur, à l'amitié spontanée. Car j'ai rôdé, mains dans les poches, devant tous les bistrots et les kiosques de dégustation, et c'étaient des rires pleins comme des frottements de longs archets sur des instruments magnifiques, pareils à des poitrines de nègres ; et les voix avaient cette couleur cordiale que reflètent le sourire, les dents, les lèvres et les yeux.

Puis je suis allé reprendre place sur un banc.

Maintenant la Savane est animée par une foule semi-élégante dans laquelle sont noyés les petits enfants et leurs nourrices.

Et les allées trop courtes ont peine à charrier ces couples innombrables, ces groupes de camarades qui, pour assouvir leur besoin de marcher, remontent et redescendent continuellement, offrant une même figure de danse interminablement répétée. On les eût dit tout au plaisir d'exécuter de multiples quadrilles, même ceux qui, arborant un air superbe, se promènent seuls, en s'efforçant de trancher sur la foule.

D'autres essaient de s'effacer, empruntant les allées les plus étroites et ombragées ; et les grincheux, les misanthropes ou les penseurs se tiennent à l'écart, du côté de la baie du Carénage, tandis que les rêveurs, la tête penchée sur l'eau, sont appuyés à la balustrade du boulevard qui côtoie la rade.

Il y a aussi cette immuable réunion de Messieurs d'un certain âge ; petits retraités portant manchettes et faux cols, respectable minorité, représentant une génération dont le rôle est terminé, et qui continuent à ressasser entre eux leurs souvenirs ou leurs opinions sur les aspects du monde actuel.

Avec le punch et la cigarette, les promeneurs de la Savane sacrifient aussi à la charmante habitude de croquer des cacahuètes. De jeunes vendeuses attifées de madras les crient et en distribuent dans toutes les allées.

Et certains soirs, pour mon plus fervent émoi, il y a cette femme aux yeux sombres qui, deux grands cercles d'or à ses oreilles, passe et repasse au milieu de la principale allée, sans jeter un regard à personne, sereine, comme si elle eût été seule dans un parc immense.

Le rôle de la Savane dans la vie de cette cité antillaise se révèle à moi, peu à peu, quand je découvre les émulations, les vanités, les présomptions dont elle constitue le théâtre, avec ses vedettes et ses petits figurants empressés et simiesques.

Après une semaine de va-et-vient assidu, ce petit employé de commerce, dont la mère fait des lessives, arrive un soir à passer auprès de telle jeune fille « de famille », à la saluer, lui sourire, lui parler et l'accompagner. Peut-être ne lui plaît-elle pas follement, mais cette chance qu'elle lui offre d'accéder, à l'occasion d'un bal — ou même d'un enterrement — à l'échelon supérieur de la petite bourgeoisie de couleur, fiévreuse ambition de tout jeune nègre d'origine pauvre aux Antilles !...

Je prends aussi beaucoup d'intérêt à la scène du jeune Antillais, frais émoulu de la Sorbonne ou de la Faculté de Médecine, se promenant sur la Savane avec son escorte d'admirateurs à qui il impose par le nœud de sa cravate ou la coupe de son veston. Un autre, de la même promotion, arrivé par le même courrier, est attablé à un café, et évoque pour son auditoire le Boulevard Saint-Michel, son café Dupont ou le Jardin du Luxembourg.

Fils de modestes fonctionnaires ou de petits commerçants, sans doute, l'un et l'autre, ayant pendant cinq ou six ans bénéficié d'une bourse de la Colonie, parce que leurs pères servaient d'hommes de paille à tels députés, les voila promus à la Classe supérieure. Leurs parents se débrouilleront une fois de plus pour leur faire obtenir la main d'une « fille de famille ». On fera jouer la politique. Pour commencer, la mère — si ce n'a pas encore été fait — répudiera son costume antillais, qu'elle porte pourtant avec dignité, et même beaucoup de grâce, mais qui, hélas ! l'apparente encore trop aux gens du peuple ; elle fera, pour l'avenir de son fils, le sacrifice de « prendre le chapeau ». Cela estompe un peu les origines, affirme la nouvelle condition sociale et surtout confère plus d'assurance, qu'il s'agisse de jeter un coup d'œil indifférent en bas, de tendre un sourire en haut, ou de jouir, l'œil mi-clos, de sa propre métamorphose. Lui, le fils, ambitionne d'abord une voiture. Car à un homme qui possède une voiture aucune catégorie de femme ne résiste.

Impayable, la Douane de Port-de-France !...

— Alors, Jo.

— Tiens, Carmen ! Quelle chance !

— Monsieur est chez Mme Chatran à la rue Lamartine jusqu'à sept heures et demie, me dit mon vieux camarade. Alors je suis venu faire un tour. Je m'attendais pas à te trouver...

Il reconnaissait des gens dans la foule, Carmen.

— Là, me montrait-il, le type en canotier avec la petite moustache : c'est le chef comptable de la Maison de Reynon.

Un peu plus loin, il me pince le bras et me chuchote à l'oreille :

— Voici la maîtresse de Ray-Carmin, le gros négociant, elle est une amie de celle qui m'appelle « Canne à sucre »...

Malgré tout, Carmen n'était pas très bavard, ce soir-là.

Dans la foule je ne m'en rendais pas bien compte. Comment aurais-je pu remarquer quoi que ce soit dans ce visage rayonnant d'une constante jovialité ? Un visage qui, même quand il se taisait, gardait la chaleur de tous les rires, de toutes les galéjades, de tout l'humour qui en faisaient l'ineffable visage de Carmen ! A tel point que parfois j'eusse aimé voir comment ce visage exprimait la colère ou la violence.

Mais ce soir-là, devant le bar où Mlle Adréa nous avait rempli deux chopes de jus glacé, je saisis tout à coup un abattement effroyable dans l'humeur de Carmen.

— Qu'est-ce qui ne va pas, Carmen ?

— Oh ! rien.

Certes, ma question l'a surpris.

— Rien, bien sûr ?

Il demeure visiblement confus d'avoir éveillé mes soupçons. Il répond alors.

— C'est rien, te dis-je. Mais je vais te dire quelque chose.

Il avale d'un trait le reste de son verre avec un geste qui m'invite à en faire autant.

Nous sortîmes.

La foule se promenait toujours à un rythme de vagues marines reculant et déferlant tour à tour.

— Tu te rappelles, reprit-il enfin, que je te disais que des fois, pour un oui, pour un non, Madame s'irrite contre moi et me sort des tas de bêtises ?

L'autre jour, parce que la voiture avait légèrement cahoté, elle m'a crié : « Tu ne peux plus voir devant toi puisque tu n'as pas la tête à ton travail ; tu ne songes qu'à t'habiller comme un prince pour séduire les négresses. »

— Et qu'as-tu répondu ?

— Rien, me dit Carmen ; j'avais qu'une envie : garer la voiture sur le bord de la route, en descendre et m'en aller ailleurs. Alors j'ai rien dit. Ça s'est passé. Non, ça s'est jamais passé. Chaque fois que je sortais avec Madame seule, c'était toujours une histoire de petite bête qu'elle me cherchait comme ça ; tellement, que je me demandais si des fois on lui aurait pas dit des choses sur mon compte. Laquelle parmi les bonnes de la maison pouvait lui avoir raconté que je vais dans la chambre d'Hortense, la ménagère ? Car Madame a beau n'être plus jeune, elle n'a pas encore l'âge où les femmes deviennent acariâtres.

« Et voilà ce qui est arrivé ce matin : d'ordinaire, tu sais, je conduis Monsieur au Bord du Mer à huit heures, puis je remonte prendre l'argent et la note que Madame prépare plus tard, à son réveil, pour que je fasse le marché. Quand j'arrive, je reste dans la cour, près de la voiture, puis, aussitôt qu'elle est prête, Madame m'appelle dans l'office et m'explique les courses que je dois faire. Et quand elle n'a rien à me dire, elle m'envoie simplement le carnet et l'argent par Hortense.

« Ce matin, elle m'appelle. Je vais donc à l'office. Je la trouve dans une de ces grandes robes de soie que mettent les femmes de békés, pour rester dans leur chambre, je crois ; et elle me dit :

« — Tu es là, Carmen ? Mais je n'ai pas eu le temps de préparer le carnet. Je vais te le faire vivement.

« Elle prend l'escalier et je reste là debout.

« — Mais tu peux monter, Carmen, me dit-elle en se retournant.

« En vérité, je croyais avoir mal entendu. J'avoue que j'étais pas dans mon assiette.

« Encore une histoire, pensai-je.

« Elle entre dans sa chambre ; j'hésite, tu comprends.

« — Entre, me fait-elle.

« C'est comme si j'étais redevenu un tout petit garçon, craignant d'être grondé. Je n'y comprenais rien. »

Carmen se tait, pose une main sur mon épaule et nous nous arrêtons de marcher.

Puis il m'entraîne hors du grand courant de promeneurs, sur la contre-allée. Je suis si intrigué par tant de précautions et le ton confidentiel que prend sa voix, que son chuchotement se traduit devant moi par les images les plus palpitantes.

La chambre est claire, malgré les rideaux qui filtrent le soleil derrière les persiennes. Carmen est debout près de la porte que Madame a fermée elle-même ; et dans l'armoire à glace, il se voit, lui, Carmen, le chauffeur nègre, dans son costume de shantung gris, avec sa cravate brique et ses souliers marron enfoncés dans l'épaisseur souple du tapis. Là, dans la chambre de Mme Mayel.

Madame va le gronder, et il s'efforce — non par crainte, mais surtout par politesse — de prendre une contenance calme et inoffensive.

Madame s'affaisse sur le bord de son lit encore défait et lui dit :

— Vous trouvez que ma chambre est jolie, Carmen ?

— Oui, madame ; très jolie.

Il a répondu automatiquement, et c'est ensuite qu'il s'étonne que le ton dont Madame lui parle maintenant ne trahit aucun énervement.

Madame semble être ravie du compliment. Elle regarde le nègre et lui sourit. Alors Carmen, par politesse, pose les yeux au hasard sur un bibelot de la chambre. Monsieur ne lui avait-il pas dit un jour : « Je ne veux pas que tu me regardes ainsi dans les yeux ; c'est d'une insolence ! » Mais il sent les yeux de Madame toujours fixés sur lui. Il en est d'autant plus gêné que Madame prolonge comme à plaisir le silence.

— On m'a rapporté, dit-elle enfin, que vous aimez beaucoup les femmes.

Sans lever les yeux, Carmen sourit et répond :

Mes camarades disent ça pour plaisanter, madame.

— Pour plaisanter ? Alors ce n'est pas vrai, vous n'aimez pas les femmes ?

— Je ne dis pas ça, madame.

— En tout cas, vous savez que vous leur plaisez.

— Je sais pas, madame.

Carmen garde la tête baissée et sourit malicieusement. Il a hâte de s'en aller, sauter au volant de sa voiture, arriver au marché, faire ses emplettes en rigolant avec les jeunes vendeuses, et surtout y rencontrer de jeunes bonnes nouvellement arrivées à la ville, bien en chair, et qui ne lui refuseraient jamais un rendez-vous. Il lui tarde de sortir de cette chambre où sa patronne se croit le droit de l'interroger sur sa vie privée, sa vie de nègre et de domestique, ou bien voudrait entamer avec lui une conversation à laquelle même sa qualité de patronne et de békée surtout ne lui donne pas le droit.

Il brûle d'envie de lui dire : « Madame, voulez-vous me donner le carnet et l'argent, s'il vous plaît. »

Mais il y a la politesse. La politesse due à la patronne.

Alors Mme Mayel n'a rien dit. Mais Carmen sent toujours son regard sur lui, d'une façon si aiguë qu'il s'évertue pour le supporter de suivre les arabesques du tapis à ses pieds.

Le regard le pénètre, le brûle, l'attouche, telles les mains de ces femmes qui se sont plu si souvent à le dévêtir et le caresser par tout son corps, comme pour le remodeler à l'ardeur de leur désir.

Cela lui rappelle brusquement aussi Hortense. Oui, le jour où Hortense l'avait prié de venir dans sa chambre pour réparer le commutateur dont le contact se faisait mal. Les vis du commutateur avaient été en effet desserrées, et lorsque Carmen les eut mises en place, il vit Hortense étalée sur le lit, les yeux fermés, les cuisses offertes.

Alors, soudain les arabesques du tapis s'embrouillent. Carmen a chaud dans tout le sang, il lève les yeux. Madame ne le regarde plus, elle s'est affalée sur le lit, les yeux fermés, la bouche entrouverte sous une sorte d'angoisse qui semble étreindre sa gorge nue comme sa poitrine et ses cuisses que dégage la soie du peignoir bleu...

Carmen s'arrête encore. Tout près de nous, passaient les silhouettes d'un couple qui alla, plus loin, se confondre avec les troncs des arbres.

Il reprit :

— Ce soir, elle n'est pas allée en visite avec son mari, elle s'est fait excuser ; et quand je partais, elle m'a fait signe de déposer Monsieur, puis de monter la rejoindre. Ça m'embête beaucoup, car c'est vraiment pas intéressant : il y a mieux.

A la période du Carnaval, les soirées de fête égayaient souvent les villas de la Route Didier. Tard dans la nuit, les fenêtres ouvertes déversaient de la lumière, de la musique, des rires et des cliquetis d'argenterie, des timbres de porcelaine et de cristal, sur les jardins, tout autour de la villa qui scintillait alors comme un énorme joyau.

Jojo, lui, lorsqu'on recevait « chez lui », était affecté, depuis la veille, à de multiples courses, en collaboration avec le chauffeur de la maison ; et le soir, outre la vaisselle à laver, il devait passer des heures à tourner la manivelle des lourdes sorbetières pour préparer les glaces. Les deux jours qui suivaient étaient consacrés à diverses corvées de remise en ordre de la maison. Et Jojo n'était pas venu chez moi depuis plusieurs jours.

De temps en temps, je le voyais le matin, et souvent il m'apprenait que le soir ou le lendemain il devait, sur l'ordre de ses patrons, prêter la main au garçon de telle maison où l'on recevait.

Et puis, un soir, il est venu. Pieds nus et en tenue de travail, parce que ce n'était pas dimanche.

Il n'était pas rieur, ce soir-là.

— Je voudrais te demander un conseil, me dit-il, au bout d'un moment.

— Un conseil, Jojo ! m'écriai-je.

Rien que ce mot m'effraie par tout ce qu'il implique de responsabilités, d'infaillibilité. Et je lui demande, plutôt par curiosité :

— Un conseil, à quel sujet ?

— Eh bien ! voilà, commence-t-il. J'ai fait une entente avec Pierre, le chauffeur de la maison. Tous les matins, je vais astiquer la voiture à sa place et, en compensation, il m'apprendra à conduire. Chaque fois que j'irai faire des courses avec lui, il va me donner à tenir le volant, et au bout de quelque temps, je pourrai prendre mon brevet de conduite.

— Alors tu chercheras une place de chauffeur à la Route Didier, Jojo ?

Je ne sais quelle nuance de reproche j'ai peut-être mise dans ma question, et Jojo de protester vivement :

— Mais pas pour toujours. J'en passerai par là, mais ce que j'aimerais, c'est de travailler pour mon compte : avoir mon camion, et transporter des marchandises au Bord de Mer... L'important sera d'obtenir un camion à crédit, payable dans six mois, par exemple. Comme Maximin, qui était chauffeur chez Borry.

Jojo continue et je l'écoute attentivement, respectueusement.

— De là, me dit-il, je pourrais faire venir ma mère, lui louer une chambre, puis de mon côté chercher une brave fille et me marier. Essayer peut-être de construire une petite maison à Sainte-Thérèse. Si j'ai de la chance.

Alors il s'arrête et me demande :

— Qu'en penses-tu ?

Il est assis au bord de mon lit de fer trop grand pour la chambre, les genoux repliés et le poids de ses jambes reposant sur ses orteils nus sur le plancher.

A la vérité, je n'en pense absolument rien.

Mais j'admire l'intensité et la tendresse dont vibre le beau rêve de mon ami, à tel point que, à la réflexion, toute impression de banalité s'évanouit et je comprends Jojo, et je lui dis, sincèrement :

— C'est un beau projet. Je suis sûr que tu réussiras.

Tel est le conseil que Jojo voulait de moi.

Il me parla encore de camion et de transport de marchandises, comme s'il pressait son rêve sur son cœur et il partit très tard. Il était si exalté que j'ai posé ma main sur son épaule pour m'associer à sa joie. Si vibrant que je me promis d'attendre encore pour lui dire que son rêve est trop tendre, trop silencieux et surtout trop solitaire.

Le lendemain soir, en rentrant du lycée, j'allai trouver ma mère à la cuisine de M. Lassoroux. D'ordinaire, nous dînions ensemble, puis je souhaitais le bonsoir à m'man Délia et je repartais à ma chambre, dans le Petit-Fond. Or, ce soir-là, contrairement à l'habitude, le couvert n'avait pas encore été mis. La table était nappée d'une épaisse laine et ma mère, avec un fer à repasser, lissait du linge. Elle m'embrassa sans sourire, tout en continuant son repassage.

— Tiens, lis ça, me dit-elle, en désignant un papier bleu plié près du dépose-fer.

La voix de m'man Délia n'était pas sa voix naturelle. Je pris le papier, l'ouvris : « Votre mère

malade, arrivez de suite. » C'était de la part de
Mam'zelle Délice.

Je regardai ma mère. Elle avait pleuré.

— J'aurais pu partir cet après-midi, me dit-elle, si
la dépêche était arrivée plus tôt. Je prendrai demain
l'autocar de cinq heures du matin... Ah ! non, je peux
pas t'amener. Déjà, pour payer mon voyage, il me
faut demander une avance à Monsieur. Et je sais
même pas ce que j'aurai peut-être à débourser là-bas.
Il va falloir sans doute la faire porter à l'hospice et
tout ça...

Du coup, je n'avais plus faim. Ma mère continua
de repasser sa robe et son linge pour le voyage, en
m'expliquant les dispositions qu'elle avait prises,
quant à moi et à son service, en vue de son absence.

La femme d'un chauffeur du Petit-Fond devait la
remplacer. Pour mes repas, je ferais cuire dans ma
chambre des œufs. Avec ces vingt sous j'achèterais
du pain. Elle allait revenir le surlendemain matin.

Seule, cadavérique, geignant sur son grabat, au
fond de son taudis, telle je me représentais ma grand-
mère malade. Si malade cette fois que Mam'zelle
Délice, notre vieille voisine, avait pris la suprême
initiative de télégraphier à ma mère.

Et je n'étais pas là, cette fois, pour aller chercher
des feuilles au Haut-Morne ou à Féral : « En bordure du jardin de Mme Jean, m'aurait dit m'man
Tine, il doit y avoir du guyapana, la tige en est rouge
et les feuilles vert-jaune fuselées ; c'est bon contre
des refroidissements de poitrine. »

Malade, sans moi pour lui faire de la tisane et lui
préparer cette bouillie de toloman qui était alors sa
seule nourriture.

Et de quoi souffrait-elle, cette fois ?

— Je crois pas, disait-elle, que mes yeux pourront te voir lorsque tu auras fini tes examens. Je verrai pas la couleur de la première bouchée de pain que tu auras gagnée de toi-même. Mes yeux deviennent de plus en plus troubles. Ils pourrissent. Par moments, je me trouve brusquement comme sous une averse de fourmis tellement drue qu'elle obscurcit le jour.

Vrai, parfois sa pipe se trouvait sur la table, sous ses yeux, et elle tâtait dans tous les recoins de la chambre, ses deux mains allongées en antennes, adjurant saint Antoine de la lui faire retrouver.

La pensée que m'man Tine serait aveugle d'un jour à l'autre me désorientait. Quel plus grand malheur pourrait alors me frapper ?

Toute la nuit, les battements de mon cœur et ma respiration oppressée m'empêchèrent de dormir. Je n'avais qu'une envie : partir immédiatement, du moins à l'aube, avec ma mère, pour aller voir m'man Tine et me rendre compte de son état.

— Faut pas trop te faire de tracas, me dit Carmen le lendemain : les vieilles personnes, tu sais, c'est comme les vieilles autos : ça continue de marcher par routine. Et souvent, c'est plus solide que du neuf. Sois pas triste comme ça, voyons !

« Tiens, je vais te raconter ce qui m'est arrivé aujourd'hui. C'est fou. »

Mais si j'ai écouté l'anecdote de Carmen, je ne crois pas en avoir goûté la saveur. Pourtant Carmen savait assaisonner le moindre fait pour en faire une histoire succulente et désopilante.

Jojo, lui, resta muet quand je lui appris la nouvelle. Puis il murmura simplement :

— Pauvre Mam'zelle Amantine !

A midi Carmen revint. Je n'avais reçu aucune autre nouvelle.

— Eh bien ! s'exclama-t-il, rien de grave. Je puis t'avouer maintenant que j'ai eu peur ; car ces sortes de dépêches : « Maman malade, papa malade, arrivez de suite », c'est souvent quand tout est cuit qu'on envoie cela. Mais du moment que ta mère même n'a rien fait dire, ça va.

Mais le lendemain, ma mère n'arriva pas.

Malgré les apaisements de mes deux camarades, l'envie de partir me harcelait. C'était loin, de Fort-de-France jusqu'à Petit-Bourg, à pied ! Et puis je m'attendais quand même à voir m'man Délia d'un moment à l'autre, à recevoir un télégramme. Carmen lui-même viendrait peut-être me chercher au lycée.

Et le lendemain encore, ma mère ne vint pas.

Carmen me donna un franc pour m'acheter du pain.

Alors, ce matin-là, le sentiment que ma grand-mère était morte me saisit.

Pourtant, mon imagination plutôt affolée ne projetait aucune image de vieille négresse momifiée, allongée sur un grabat, dont les haillons souvent lavés et repassés au soleil exhalaient pour moi une odeur maternelle et attachante.

Pas la moindre représentation de ce que pouvait être le visage clos et inanimé de m'man Tine.

Je songeais aussi à ce que pouvait être la « veillée », avec les locataires de la Cour Fusil chantant et priant. Assionis « tirerait » des contes et jouerait du tam-tam avec une âme attendrie, une inspiration forcenée.

Je voyais très nettement le cercueil, don de la
commune : un grossier coffre en bois, passé au noir
de fumée, que dans le petit cimetière des gaillards
descendraient dans la fosse au moyen de cordages et
avec force galéjades pour empêcher le cœur des
assistants de tressaillir au bruit étrange produit par
l'entrechoquement des mottes de terre.

Pendant toute la journée, mes oreilles résonnaient
de cette avalanche de terre dure sur le cercueil noir,
au fond de la fosse.

Ma mère arriva le lendemain de bonne heure. Elle
portait une de ses robes que je lui connaissais ; mais
elle était coiffée d'un madras noir à petites rayures
blanches. Elle n'eut même pas le temps de me parler.

A la vue de ce deuil, un tintement aigu se
déclencha à mes oreilles, en même temps que mes
yeux se troublèrent. Je me jetai sur une chaise, la tête
serrée dans mes bras, contre la table.

Et ce tintement me vrillait les oreilles atrocement,
et le battement de mon cœur bouchait ma poitrine,
d'où montait cependant un grognement que je ne
pouvais retenir.

Cela dura quelques heures.

Jojo et Carmen vinrent, restèrent longtemps près
de moi, parlèrent entre eux, puisqu'il m'était impossible de répondre à ce qu'ils disaient.

Ce fut tout.

Revenu à moi, je m'obstinais encore à me repré-
senter le visage de m'man Tine morte. Toujours cette
image se refusait. J'essayais alors de transposer celui
de M. Médouze, étendu comme un Christ noir sur
une planche nue, au milieu de sa case.

J'étais sûr, toutefois, que ma mère avait sorti le drap blanc que m'man Tine serrait dévotement dans son panier caraïbe en vue du jour de sa mort.

Certainement, son grabat avait été somptueusement recouvert de ce drap, et elle avait été allongée au milieu de sa robe de satinette noire, celle qu'elle ne portait que deux ou trois fois l'an, pour les cérémonies d'église. Mais pas sa figure, ni le creux de sa joue où je l'aurais embrassée.

Ses mains.

C'étaient ses mains qui m'apparaissaient sur la blancheur du drap. Ses mains noires, gonflées, durcies, craquelées à chaque repli, et chaque craquelure incrustée d'une boue indélébile. Des doigts encroûtés, déviés en tous sens ; aux bouts usés et renfoncés par des ongles plus épais, plus durs et informes que des sabots de je ne sais quelle bête ayant galopé sur des rochers, dans de la ferraille, du fumier, de la vase.

... Ces mains, que m'man Tine lavait soigneusement chaque soir et plus méticuleusement encore le dimanche matin, mais qui semblaient plutôt avoir été passées au feu, battues au marteau sur une pierre, enterrées puis arrachées avec toute la terre y adhérant ; puis trempées dans l'eau sale, longuement séchées au soleil, et enfin jetées là, avec une désinvolture sacrilège, sur la blancheur de ce drap, au fond de cet obscur taudis.

... Ces mains, aussi familières que la voix de m'man Tine, m'avaient tendu mes platées de racines pilées, débarbouillé avec une tendresse qui n'en atténuait même pas la rugosité, habillé ; avaient frotté et tapoté mes vêtements sur les pierres de la rivière.

Une de ces mains avait étreint un jour ma petite main pour me conduire à l'école : j'en gardais encore la sensation.

Elles n'avaient jamais été belles, évidemment ; elles avaient essuyé tant de macules, tiré et soulevé tant de fardeaux. Et quotidiennement pincées, éraflées, et cramponnées au manche de la houe, en proie aux morsures féroces des feuilles de canne, pour créer la Route Didier.

*
* *

Comme chaque soir, depuis que je garde en moi la tristesse d'un pauvre orphelin, Carmen et Jojo sont venus me rendre visite.

Ils se sont assis chacun à sa place habituelle, aux extrémités du lit, l'épaule appuyée au dossier.

Ils parlent très peu. Carmen ne sait animer que des propos gais. N'étant pas sûr de me distraire par ce moyen, il préfère sans doute s'abstenir. Jojo, de temps à autre, me pose une question banale sur la façon dont je me sens maintenant, ou sur mes études ; puis il se tait pendant longtemps.

C'est moi qui voudrais les retirer de l'ennui qu'ils s'imposent ainsi par respect pour mon chagrin. Je devrais par exemple leur conter une histoire.

Mais laquelle ?

Celle que je sais le mieux et qui me tente le plus en ce moment est tout à fait semblable à la leur.

C'est aux aveugles et à ceux qui se bouchent les oreilles qu'il me faudrait la crier.

Fontainebleau, le 17 juin 1950.

EN LIVRES DE POCHE

*Achevé d'imprimer en février 1996
sur les presses de l'Imprimerie Bussière
à Saint-Amand (Cher)*

N° d'impression : 302.
Dépôt légal : avril 1984.

Imprimé en France